MEMOIRES

POUR SERVIR

A L'HISTOIRE

DES

HOMMES

ILLUSTRES.

TOME XXXVI.

MEMOIRES
POUR SERVIR
A L'HISTOIRE
DES
HOMMES
ILLUSTRES
DANS LA REPUBLIQUE DES LETTRES
AVEC
UN CATALOGUE RAISONNE
de leurs Ouvrages.

Par le R. P. NICERON, *Barnabite.*
TOME XXXVI.

A PARIS,
Chez BRIASSON, Libraire, ruë S. Jacques
à la Science.

————————

M. DCC. XXXVI.
Avec Approbation & Privilege du Roi.

S.B.N. - GB: 576.72913.2

Republished in 1969 by Gregg International Publishers Limited
1 Westmead, Farnborough, Hants., England

Printed in offset by Anton Hain KG, Meisenheim/Glan
Western Germany

TABLE

Des Auteurs contenus dans ce Volume, selon l'ordre des matieres qu'ils ont traitées dans leurs Ouvrages.

TABLE

D.

Droit Civil.

E.

Ecriture Sainte.

Eloquence.

G.

Grammaires Orientales.

Grammaire Greque.

Grammaire Latine.

Grammaire Françoise.

H.

Histoire Sainte.

Histoire Ecclesiastique.

Histoire Romaine

DES MATIERES.

TABLE DES MATIERES.

Fin de la Table des Matiéres.

J'AY lû par ordre de Monseigneur le Garde des Sceaux le 35 & 36e. Volumes des Memoires pour servir à l'Histoire des Hommes Illustres dans la République des Lettres, & j'ai cru que l'on en pouvoir permettre l'impression. A Paris ce 4. Août 1736.   **HARDION.**

TABLE

NECROLOGIQUE

des Auteurs contenus dans ce Volume.

TABLE NECROLOGIQUE.

TABLE
ALPHABETIQUE

Des Auteurs contenus dans les trente-six Volumes de ces Mémoires.

Le chiffre marque le Volume.

Les noms qui sont en italique marquent les Auteurs dont il est dit peu de choses & dont il n'est parlé que dans la vie des autres & non en particulier.

TABLE ALPHABETIQUE.

DES AUTEURS.

a ij

DES AUTEURS.

TABLE ALPHABETIQUE

TABLE ALPHABETIQUE

DES AUTEURS.

Fin de la Table Alphabetique des Auteurs.

Table particuliere de ce Volume.

MEMOIRE

MEMOIRES

POUR SERVIR

A L'HISTOIRE

DES

HOMMES

ILLUSTRES

DANS LA REPUBLIQUE
des Lettres ;

Avec un Catalogue raisonné
de leurs Ouvrages.

ALEXANDRE ACHILLINI.

Lexandre Achillini na-
quit à *Boulogne* en Italie
vers l'an 1461.

Il s'appliqua particu-
lierement à la Philoso-
phie , & quoiqu'il se fût fait recevoir Docteur en Medecine , il sem-
bla négliger cette science , pour
se donner entierement à la premiére,

Tom XXXVI.   A

A. ACHIL
LINI.
dans laquelle il avoit reçu le même
degré.

Il y réussit suivant le goût de son
siécle , & se fit par là une réputation , qui lui procura une Chaire de
Philosophie à *Boulogne* , sa patrie.

Après l'avoir remplie pendant
plusieurs années , il fut appellé en
1506. à *Padouë* , pour y être premier Professeur en Philosophie.

Il se trouva là avec *Pierre Pomponace* , qui soit par jalousie de metier,
soit par quelque autre motif , prit
toujours plaisir à le contredire. Ils
disputoient souvent ensemble ; mais
quoiqu'*Achillini* fût extrémement
fort dans la dispute , *Pomponace*
avoit toujours le dessus , parce qu'il
scavoit mêler à ses argumens , des
railleries & des plaisanteries , qui divertissoient les assistans , & qu'*Achillini* se rendoit méprisable , par la
maniére singuliere & négligée dont
il étoit toujours vêtu.

La guerre que la Ligue de *Cambray*
fit aux Venitiens , ayant fait fermer
les Colleges de *Padouë* en 1509.
Achillini sortit de cette Ville , & retourna à *Boulogne*.

Il y mourut trois ans après, c'est-A. ACHIL
à-dire en 1512. n'ayant pas encore L I N I.
50. ans; & fut enterré dans l'Eglise de *S. Martin.* On mit sur son
tombeau ces Vers de *Janus Vitalis*,
trop profanes pour une Eglise.

Hospes, Achillinum tumulo qui quæris
     in isto,
Falleris, ille suo junctus Aristoteli
Elysium colit, & quas rerum hîc dicere
     causas
Vix potuit, plenis nunc videt ille oculis:
Tu modo, per campos dum nobilis
     umbra beatos,
Errat, dic longum perpetuumque vale.

Il eut un frere nommé *Jean Philo-
tée Achillini*, dont on a quelques
Ouvrages, & qui fut pere de *Claude
Achillini*, dont j'ai parlé ailleurs.

Catalogue de ses Ouvrages.

1. *De Universalibus. Bononiæ.* 1501.
in-fol. A la suite *d'Aristotelis secretum
secretorum*, & de quelques autres
Ouvrages semblables, imprimés par
ses soins.

2. *Quæstio de subjecto Physionomiæ
& Chyromantiæ. Bononiæ* 1503 *in fol.*
It. *Papiæ* 1515. *in-fol.* Dans un Re-
A ij

cueil de differens Auteurs sur le me-
me sujet.

3. *Approbatio Chyromantiæ Bartholomæi Coclitis.* Dans l'Ouvrage de
cet Auteur intitulé : *Anastasis Chyromantiæ & Phisiognomia ex pluribus
& pene infinitis Autoribus. Bononiæ.*
1504. *in-4°.*

4. *Annotationes Anatomiæ, vel de
Humani corporis Anatomia. Bononiæ*
1520. *in-4°. It. Venetiis.* 1521. *in-8o.*

5. *Opera omnia, videlicet, De in-
telligentiis Libri V. De Orbibus. De
Universalibus. De Physico auditu. De
Elementis. De subjecto Physiologiæ &
Chyromantiæ. De subjecto Medicinæ.
De prima potestate Syllogismi. De dis-
tinctionibus. De proportione motuum :
Cum annotationibus Pamphili Montii,
Bononiensis. Venetiis* 1545. *in-fol. It.
Ibid.* 1568. *in-fol.* Tous ces Ouvrages
n'ont plus rien d'interessant pour
nous. *Achillini* y a suivi les sentimens
d'*Averroes,* dont il étoit grand Secta-
teur, & qu'il prétendoit avoir pénetré
le plus avant dans les pensées d'*A-
ristote.*

V. Jovii Elogia N°. 57. *Notizie
degli scrittori Bolognesi de Pellegrino*

ANTOINE VAN DALE.

Antoine *Van Dale* naquit à *Har-*
lem le 8. Novembre 1638.

On remarqua en lui , dès sa jeunesse , beaucoup de passion pour les
Langues ; cependant ses parens l'o-
bligerent à quitter l'étude , après
qu'il s'y fut appliqué quelque temps,
& le mirent dans le commerce qui
l'occupa pendant quelques années.

A l'age d'environ trente ans il
reprit les études , & se tourna du
côté de la Medecine , en laquelle il
se fit recevoir Docteur. L'application qu'il donna à cette science ,
ne l'empêcha pas d'étudier l'Anti-
quité Grecque & Latine , dans laquelle il se rendit très-habile.

Pendant qu'il pratiquoit la Medecine , & cultivoit les belles-Lettres ,
il fut , durant quelque temps , Prédicateur parmi les Mennonites , dont
il suivoit la créance ; mais il quitta
depuis cet emploi pour lequel il
n'étoit point propre.

Ayant été fait Medecin de l'Hôpi-

A. VAN
DALE.

tal d'*Harlem*, il prit, jufqu'à fa mort, un grand foin des pauvres qui y étoient, quoiqu'il fût d'ailleurs fort attaché à fes Lectures particulieres, & au travail de fon Cabinet.

Il mourut à *Harlem* d'une maladie de langueur, le 28. Novembre 1708. âgé de 70. ans.

C'étoit un homme fort ftudieux, qui avoit l'efprit affez pénétrant, & qui fçavoit mettre à profit fes lectures. Ses Ouvrages font connoître fon érudition ; on y trouve cependant deux chofes à redire ; la premiére, eft qu'il n'avoit pas affez d'ordre, & que la multitude des matériaux, qui fe préfentoient à fon efprit, caufoit de la confufion dans ce qu'il écrivoit; la feconde eft que fon ftile eft trop négligé, ce qu'on doit attribuer à la maniére dont il avoit étudié.

Au refte il étoit de bon commerce, fçavoit mille hiftoires plaifantes, qu'il débitoit agréablement, & parloit de tout avec affez de liberté.

Catalogue de fes Ouvrages.

1. *De Oraculis Ethnicorum Differtationes duæ ; quarum prior de ipforum*

duratione ac defectu, posterior de eorum- A. V a n
dem autoribus. Accedit Schediasma de D a l e.
consecrationibu Ethnicis. Amsteloda-
mi 1683. *in-*8º. It. Sous cet autre
titre : *De Oraculis veterum Ethnico-*
rum Dissertationes duæ, quarum nunc
prior agit de eorum origine atque auto-
ritate, secunda de ipsorum duratio-
ne & interitu. Editio secunda, pluri-
mum adaucta, cui de novo accedunt
Dissertatiunculæ I. *de statua Simoni*
Mago, ut prætenditur, erecta : qua
occasione agitur de Chresto Suetonii.
II. *de Actis Pilati disseritur, illaque*
occasione cur Augustus Cæsar Dominus
appellari renuerit. III. *Schediasma*
de Consecrationibus plusquam dimidia
parte auctius. Amstelod. 1700. *in-*4º.
Il y a un peu plus de Méthode dans
cette seconde édition que dans la
premiére. Les materiaux de celle-
ci ont servi à M. *de Fontenelle*, pour
composer son *Histoire des Oracles*,
imprimée à *Paris* en 1687. *in-*12.

2. *Lettre de Monsieur Van Dale à*
un de ses amis, au sujet du Livre des
Oracles des Payens, composé par l'Au-
teur des Dialogues des Morts. Inserée
dans les *Nouvelles de la République*

A. Van des *Lettres* du mois de May 1687.
Dale. p. 459. Il marque ici ce qu'il trouve
à reprendre dans l'Ouvrage de M.
de Fontenelle.

3. *Traité des anciens Oracles des*
Payens. (En Flamand) *Amsterdam*
1687. *in*-8°. Quoiqu'on trouve dans
cet Ouvrage plusieurs pensées & la
plûpart des faits du Livre Latin, dont
je viens de parler, cependant le tour,
la méthode & l'ordre en sont assez
différens. Au reste le but de *Van*
Dale est de décréditer les anciens
Oracles des Payens, qu'il prétend
devoir être attribués uniquement à
la fourberie de leurs Prêtres.

4. *Dissertationes de Origine & pro-*
gressu Idololatriæ & superstitionum ; de
vera & falsa Prophetia ; uti & de di-
vinationibus Idololatricis Judæorum.
Amstelodami. 1696. *in*-4°.

5. *Dissertationes IX. Antiquitatibus,*
quin & Marmoribus cùm Romanis,
tum potissimùm Græcis illustrandis in-
servientes. Amstelod. 1702. *in*-4°.
Tout cet Ouvrage est rempli d'une
grande érudition, & les recherches
en sont curieuses ; on y souhaiteroit
seulement un peu plus d'ordre &
moins de confusion.

6. *Differtatio fuper Aristea de LXX.* A. V A N *Interpretibus ; cui ipsius prætensi Aris-* D A L E. *tea textus subjungitur. Additur Historia Baptismorum tùm Judaicorum, tùm potissimùm priorum Christianorum, tùm denique & Rituum nonnullorum. Accedit & Differtatio fuper Sanchoniathone. Amstelod.* 1705. *in-4°.* L'Auteur en parlant du Batême fait une longue Differtation fur celui des enfans, dans laquelle il prétend justifier le fentiment des Mennonites fur cet Article.

V. *Son Eloge dans la Bibliotheque choisie de M. le Clerc tom.* 17. *p.* 309.

JACQUES SAVARY.

Jacques Savary naquit à *Caën*, en Normandie l'an 1607. Son nom de famille étoit *Timent*, & il a pris J. SA-long-temps le titre de Seigneur de VARY. *Courtyfigny.*

Il avoit un talent singulier pour la verfification Latine, & une facilité merveilleuse à renfermer toutes fortes de matiéres fous les loix de la Profodie. Mais fa Poësie manquoit de ces ornemens qui distinguent le Poëte du Versificateur ; & son esprit libre ne pouvoit s'assujettir au travail de la limer, ni retenir & châtier le flux immoderé de sa veine. On peut lui appliquer avec justice ce qu'*Horace* dit du Poëte *Lucille* dans sa 4e. Satyre.

> *Durus componere versus.*
> *Nam fuit hoc vitiosus ; in hora sæpe*
> *ducentos,*
> *Ut magnum, versus dictabat, stans*
> *pede in uno.*
> *Cum flueret lutulentus, erat quod tollere velles.*
> *Garrulus, atque piger scribendi ferre*
> *laborem ;*
> *Scribendi recte, nam ut multum, nil*
> *moror.*

Il a fait une quantité prodigieuse de Vers Latins, dont ceux qui sont imprimés ne sont qu'une petite partie. Aussi la versification a-t-elle fait la principale, & presque l'unique occupation de sa vie.

Il mourut le 21. Mars 1670. à l'âge de 63 ans ; après avoir mis ses

affaires domestiques en assez mau-J. SAVA-
vais état , pour être entré trop géné-R Y.
reusement dans les interêts de ses parens & de ses amis. Car c'étoit un
homme serviable , d'un bon cœur .
& d'une humeur fort officieuse.

Catalogue de ses Ouvrages.

1. *Album Dianæ Leporicidæ , sive*
venationis Leporinæ Leges. Cadomi.
1655. *in-12.* La passion que *Savary*
avoit pour la chasse du Lievre , lui
fit naître le dessein de faire un Poëme sur cette chasse, & il l'a distribué
en sept livres. Il a eu soin de mettre à la marge , de même que dans
ses autres Poëmes , les termes de
l'Art en François , pour la commo-
dité de ceux qui ne pourroient pas
les entendre en Latin.

2. *Venatio Vulpina & Melina.* Cadomi 1658. *in-12.* Autre Poëme sur
la Chasse du Renard & de la Fouine.

3. *Venationis Cervinæ , Capreolinæ,*
Aprugnæ, & Lupinæ leges. Ibid. 1659.
in-40. En Vers.

4. *Album Hipponæ , sive Hippo-*
dromi leges. Cadomi. 1662. *in-40.*C'est
un Poëme sur le Manege.

V. *Huet , Origines de Caën.* p.

382. qui se trouvent à Paris chez Briasson.

EDME AUBERTIN.

EDme *Aubertin* naquit à *Châlons sur Marne* l'an 1595.

Il fut reçu Ministre de la Religion P. Reformée en 1618. au Synode de *Charenton*, & donné aussi-tôt à l'Eglise de Chartres qu'il gouverna jusqu'à l'an 1631. qu'il fut transféré à *Paris*.

Il publia deux ans après un Ouvrage sur l'Eucharistie, qui lui fit beaucoup d'honneur dans son parti, mais qui engagea les Agens du Clergé à lui intenter un procès criminel au Conseil. On trouva à redire qu'il eût pris la qualité de *Ministre de l'Eglise Réformée de Paris*, & qu'il eût traité les Docteurs Catholiques d'*Adversaires de l'Eglise*; & il fut decreté de prise de corps le 14. Juillet de cette année. Cette affaire n'eut point cependant de suite, & s'assoupit au bout de quelque temps.

Il mourut à *Paris* le 5. Avril 1652.
âgé de 57. ans,

Il avoit beaucoup d'accès auprès
du Duc de *Verneüil*, qui étoit en ce
temps-là Abbé de *S. Germain des
Prés.* Ce Prince prenant plaiſir à ſa
converſation, vouloit l'avoir ſouvent à ſa table, & s'entretenoit avec
lui ſur toutes ſortes de matiéres.

Catalogue de ſes Ouvrages.

1. *Conformité de la créance de l'E-
gliſe & de S. Auguſtin ſur le Sacrement de l'Euchariſtie, oppoſée à la réfutation des Cardinaux, du Perron,
Bellarmin & autres, diviſée en trois
Livres.* 1626. *in-8o.* Ce n'eſt qu'un
avant-coureur de l'Ouvrage ſuivant.

2. *L'Euchariſtie de l'Ancienne Egliſe; ou Traité auquel il eſt montré quelle a été durant les ſix premiers ſiécles depuis l'inſtitution de l'Euchariſtie, la
créance de l'Egliſe touchant ce Sacrement: le tout déduit par l'examen des
Ecrits des plus célébres Auteurs qui
ont fleuri pendant ce temps; avec réponſe à tout ce que les Cardinaux Bellarmin, du Perron, & autres adver-
ſaires de l'Egliſe ont allegué ſur cette
matiére. Genéve.* 1633. *in-fol.* Les élo-

E. Au-
BERTIN.

ges, que cet Ouvrage reçut des Calvinistes , engagea l'Auteur à l'aug-
menter , & à le mettre en Latin ;
mais il n'eut pas la satisfaction de le
voir sortir de dessous la presse. Ce
ne fut qu'après sa mort , qu'il fut
imprimé par les soins de *David*
Blondel , qui mit une préface à la
tête. *De Eucharistia , sive Cœnæ Do-*
minicæ Sacramento libri tres. Daven-
triæ , 1654. *in-fol.*

3. *Lettre de M. Aubertin à un sien*
amy. 1633. *in-*8o. pp.23. Elle roule sur
les plaintes qu'on faisoit du livre
précédent , & dont il ne sçavoit
point au juste les particularités.

4. *Seconde Lettre de M. Aubertin*
à un sien amy. 1633. *in-*8o. pp. 14.
Elle traite du même sujet ; & il y
rapporte en détail ce qu'on trouvoit
de répréhensible dans son Ouvrage,

5. *Anatomie du Livre publié par le*
sieur de la Milletiere pour la Transub-
stantiation. Charenton. 1648. *in-*40.

V. *Bayle Dictionnaire.*

FRANCOIS PATRIZI.

Rançois *Patrizi* naquit à *Sienne*, d'une famille noble , & vécut un ſiécle avant le Philoſophe dont je parlerai ailleurs , & avec lequel quelques uns l'ont mal à propos confondu.

On ignore les principales particularités de ſa vie, tout ce qu'on en ſçait ſe réduit en ceci.

S'étant trouvé enveloppé dans une ſédition arrivée à *Sienne* l'an **1457.** le bruit courut qu'il avoit été décapité. Pluſieurs le crurent, & entre autres *Volaterran*, qui l'a rapporté ainſi dans ſes *Commentarii Urbani* Liv. **5.** & **21.** *Philelphe* l'apprit de même ; mais il fut deſabuſé depuis, comme il le marque dans une lettre à *Nicodeme Tranchedin*, datée du **31.** Decembre **1457.** où il s'exprime en ces termes. *Litteræ tuæ fuerunt mihi jucundiſſimæ, cum tuâ cauſâ, quem intellexerim bene valer , tum etiam ob Franciſcum Patritium, quem è mortuo vivum factum accepe-*

F. Pa-
trizi.

*rim. Tristi enim de homine amicissimo
Nuncius perlatus ad nos fuerat, cum
esset qui assereret, vel se præsente, de
eo supplicium sumptum. Itaque indo-
lueram ejus vicem, ideoque omnem po-
pularem statum, qui sine seditione
esse vix unquam consuevit, vehemen-
ter execrabar. Quamquam Francisco
familiari nostro nihil magis arbitror
obfuisse, quam invidiam, qua viri
præstantes nunquam caruerunt.*

Patrizien fut quitte pour l'exil, comme le marque *Baptiste Guarini*, son
contemporain, dans l'Elegie, qui a
pour titre: *Consolatio Exilii ad Franciscum Patricium, Senensem Veronam re-
legatum*; aussi bien qu'*Æneas Syl-
vius* à la fin du 55e. Chapitre de
son Europe.

Le Pape *Pie II.* qui l'aimoit, le
fit Evêque de *Gaiete* le 23. Mars
1460. & il gouverna cette Eglise
pendant 34. ans, c'est-à-dire, jusqu'en 1494. qui fut l'année de sa
mort.

Catalogue de ses Ouvrages.

1. *Oratio Ferdinandi Neapolis
Regis nomine ad Innocentium VIII,
habita. in-* 4°. Ancienne édition.

2.

2. *De Regno & Regis institutione* F. PA-
libri IX. cum Joannis Savigneii scho- TR I Z I.
liis. Paris. 1519. *in-fol.* Cette edition
fut faite sur un Manuscrit apporté
d'Italie par *Jean Prevost*, Conseiller
au Parlement, par les soins de *Jean Sa-
vigni*, qui y joignit des Scolies. Cet
Editeur en fut mécontent, parce que
quoi qu'elle fût en beaux caracteres,
elle étoit pleine de fautes, malgré
les peines qu'il avoit prises pour corriger celles du Manuscrit. It. *Paris.*
1531. *in-fol.* It. *Ibid.* 1567. *in-*8o. It.
Argentorati. 1594. *in* 8o. It. En Italien. *Il Sacro Regno del gran Patrizio,
del vero regimento, e della vera felicita
del Principe, e Beatitudine Umana.
In Venetia.* 1547. *in-* 40. Cette traduction est de *Jean Fabrini*, Florentin. It. en François. *Le premier
livre des écrits de François Patrice,
Siennois, traictans du Régne ou do-
mination d'un seul, dite Monarchie,
& de l'Institution d'un bon Roi. Paris.
Gilles Bays.* 1577. *in* 8o. Cette traduction est de *Jean du Ferey*, Chevalier
de *Dur-Escu*, Conseiller du Conseil
privé du Roy.

3. *De Institutione Reipublicæ libri*
Tome XXXVI.   B

F. P A. *IX. cum Joannis Savignei annotatio-*
T R I Z I. *nibus. Paris.* 1519. *in-fol.* It. *Ibid.*
1534. *in-fol.* It. *Ibid.* 1569. &
1585. *in-8o.* It. *Argentorati.* 1594.
in-8o It. *en Italien :* De' discorsi
di M. Franc. Patrizi sopra alle cose
appartenenti ad una Citta libera , e
familia nobile , tradotti in Toscano da
Giovanni Fabrini , Fiorentino , libri
IX. In Venetia 1545. *in-8o.* It.
Traduit en François , avec fig. Paris.
Galiot du Pré. 1520. *in-fol.* On voit
à la Bibliotheque du Roi un exemplaire en velin de cette ancienne
traduction. Il a paru 90. ans après
une nouvelle traduction de cet
ouvrage par le Sieur de la Mou-
chettiere , à *Paris.* 1610. *in-8o.*
On a outre cela un extrait de
cet Ouvrage & du precedent sous
ce titre. *Le livre de Police humaine*
contenant briefve description de plu-
sieurs choses dignes de mémoire : ex-
trait des grands volumes de Fran-
çois Patrice de Sienne , par Me.
Gilles d'Aurigny Avocat en Parle-
ment , & traduits en François par
Jean le Blond. Paris. Charles l'An-
gelier 1550. *in-8o.* It. *Ensemble un*

brief recueil du livre d'Erasme qu'il a F. P<small>A</small>-
composé de l'enseignement du Prince T R I Z I.
*Chrétien. Revû & corrigé depuis les
derniers imprimez. Paris. Guillaume
Thiboust.* 1554. *in* 16. Feüill. 262.
Les extraits des deux ouvrages de
Patrizi, faits en Latin par *D'Aurigny*, & traduits par *le Blond*, sont
ici séparés, quoique le titre puisse
faire croire le contraire.

Toutes ces éditions & ces Traductions pourroient peut-être prévenir en faveur de *Patrizi*; cependant tout le monde convient que
c'est un pitoyable Auteur, que ses
rapsodies ne peuvent servir qu'à
des écoliers, & que le cas qu'on
semble en avoir fait autrefois, est
moins une preuve de leur mérite,
que du mauvais goût de ceux qui
les ont assez estimés pour en faire
l'objet de leur étude & de leur
travail.

V. *Ugheli Italia sacra. Jac. Gaddi
de scriptoribus non Ecclesiasticis tom.*
2. pp. 148. *Ugurgieri le Pompe
Sanesi*, *tom.* 1. pp. 168. & 511.
Bayle, *Dictionnaire*.

NICOLAS CHORIER.

Nicolas *Chorier* naquit à Vienne en Dauphiné vers l'an 1609. La Profession d'Avocat qu'il embrassa, & qu'il remplit au Parlement de Grenoble, ne l'empêcha pas de cultiver les belles Lettres, & de s'appliquer à l'histoire & à la Poësie. C'est à quoi s'est passé toute sa vie ; du moins on n'en sçait rien autre chose, & il ne nous est connu que par ses ouvrages.

Guy Allard dit que son Latin est fleuri, agréable & coulant, & que les vers qu'il a faits en cette langue, sont si beaux, qu'on les prendroit pour ceux qui se faisoient sous le régne d'*Auguste*. Mais M. *de la Monnoye*, meilleur juge qu'*Allard*, en parle bien differemment dans ses notes sur *Baillet*. Il trouve que ses vers sont mal conçus, pleins de barbarismes, & de fautes contre la quantité, & que sa Prose n'est pas exempte de ces défauts.

Le P. *le Long* ne traite pas mieux

ses ouvrages historiques, lorsqu'il N. C H O-
dit, que c'est un Auteur peu exact, R I E R.
à qui il ne falloit que la connoissance d'un fait pour bâtir dessus
une nouvelle histoire.

Il mourut en 1692. âgé de 83. ans.
Catalogue de ses Ouvrages.

1. *Ill. ac Rev. D. Petro de Villars,
Archiepiscopo & Comiti Viennensi,
Primatuum in Galliis maximo, Nicolai Chorerii, J. C. Viennensis Do-
remation. Vienna.* 1640. *in-8°.* pp.
32. C'est l'Eloge en prose des *Pierre
de Villars* IV. & V. du nom, &
Jerôme de Villars I. du nom, tous
trois Archevêques de Vienne.

2. *Magistratus, Causarumque
Patroni Icon absolutissima. Vienna
Gallia.* 1646. *in-8°.*

3. *La Philosophie de l'honnête
homme, pour la conduite de ses sentimens & de ses actions. Paris.* 1648.
in-4°.

4. *Projet de l'histoire du Dauphiné. Lyon.* 1654. *in-40.*

5. *Recherches sur les Antiquitez
de la Ville de Vienne, Metropole des
Allobroges. Premiere partie de la To-
pographie historique des principales*

N. CHO-
RIER.

villes du Dauphiné. Lyon. 1659. *in-*
12. Il y a à la tête trois dissertations sur l'origine de la ville de
Vienne, qui sont tirées du 2ᵉ. & 4ᵉ.
livre de l'histoire generale du Dauphiné, que *Chorier* donna deux
ans après.

6. *Histoire generale du Dauphiné.*
Tom. 1. *contenant onze livres, qui*
finissent vers l'an 1000. *de Nôtre*
Seigneur. Grenoble. 1661. *in-fol. Tome*
11. *contenant vingt livres, qui finissent*
à l'an 1601. *Lyon* 1672. *in-fol.*

7. *Histoire Genealogique de la Mai-*
son de Sassenage, branche des anciens
Comtes de Lyon & de Forez. Greno-
ble. 1669. *in-*12. It. *Lyon* 1672. *in-*
fol. Dans le second volume de l'Histoire du Dauphiné. It. *Paris.* 1696.
in- 12.

8. *L'Etat politique de la Province*
de Dauphiné, contenant la suite de
ses Gouverneurs, de ses Officiers, de
son Clergé, & de sa Noblesse. Greno-
ble 1671. *in-* 12. Deux vol. *Sup-*
plément. Ibid. 1672. *in-* 12. Deux
vol. It. Sous cet autre titre : *Le*
Nobiliaire du Dauphiné. Grenoble.
1697. *in-* 12. Quatre tomes.

9. *Histoire du Dauphiné, abregée* N. C H O-
pour M. le Dauphin. A la fin est un R I E R.
*Armorial des Maisons Nobles de cette
Province. Grenoble.* 1674. *in* -12.

10. *De Petri Boessatii , Equitis &
Comitis Palatini vita, amicisque Lit-
eratis libri duo. Gratianopoli.* 1680.
n-12. pp. 291. Il y a des particularités curieuses dans cette vie, aussi
bien que dans la suivante, qui lui
est jointe.

11. *De Dionysii Salvagnii Boessii,
Delphinatis , viri illustris , vita liber
unus. Gratianopoli* 1680. *in*- 12. pp.
175. L'Auteur a ajoûté à la fin des
Poësies de differentes personnes,
sur celui dont il écrivoit la vie.

12. *Nicolai Chorerii , Viennensis
J. C. Carminum liber unus. Gratianopoli.* 1680. *in*-12. pp. 100.

13. *Histoire de la vie de Charles de
Crequy de Blanchefort , Duc de Les-
diguieres , Pair & Maréchal de France. Grenoble.* 1683. *in*-12. Deux
tom. It. *Ibid.* 1699. *in*- 12. Deux
tomes.

14. *La Jurisprudence de Guy Pape
dans ses décisions , avec plusieurs remarques importantes , dans lesquelles*

sont entr'autres employés plus de sept cens Arrests du Parlement de Grenoble. Enrichie d'ume table instructive sur les principales matieres , & exactement recherchée tant sur le texte, que sur les notes; Par Nic. Chorier.Lyon. 1692. *in4°. Chorier* a mis à la tête une vie fort circonstanciée de l'Auteur.

15. M. *de la Monnoye* nous apprend dans ses notes sur *Baillet*; que *Chorier* est l'Auteur du livre infame , attribué mal à propos à *Loüise Sigea de Tolede* , & intitulé : *Aloisiæ Sigeæ Toletanæ satira sotadica de arcanis Amoris & Veneris* , & que pour tromper la vigilance des Magistrats , on a depuis répandu sous le nom de *Meursius* , homme trop grave , pour avoir jamais eu une pareille idée , & sous le titre de Joannis Meusii *elegantiæ Latini Sermonis.* La premiere édition passe pour être de Grenoble , & M. *de la Monnoye* en a vû un Dialogue corrigé de la main même de*Chorier.* Cet Auteur a usé d'une mauvaise finesse, pour se mettre à couvert des justes soupçons qu'on avoit formés

contre

contre lui au sujet de cet ouvrage, N. Cho
lorsque dans l'Epitre dédicatoire de rier.
ses Poësies Latines, il a dit, qu'avant
que d'en avoir rien lû, il avoir fait des
vers à la louange d'*Aloysia Sigea*, sur
ce qu'on lui avoit dit que c'étoit
contre l'impudicité qu'elle avoit
écrit ; que ces vers avoient été imprimés à son insçu au devant du
livre, dont il proteste que l'infamie
ne lui étoit pas encore connuë, &
qu'il ne les a fait réimprimer dans
son Recueil, que parce que les ayant
faits innocemment, il se croit bien
fondé à ne les pas supprimer comme
criminels. S'il avoit voulu parler
sincerement, il auroit dit avec plus
de vérité, qu'il les avoit mis lui-
même à la tête du livre , pour
tromper les Lecteurs , & les engager à le lire. *Jean Westrene*, Jurisconsulte de *la Haye*, à qui *Moller*
dans ses notes sur le *Polyhistor* de
Morhof , a attribué l'ouvrage dont
il s'agit, est un homme imaginaire,
& ce que cet Auteur en a dit, n'est
appuyé d'aucun fondement.

V. *La Bibliotheque de Dauphiné
de Guy Allard. La Bibliotheque de la*

GIANNOZZO MANETTI.

Giannozzo, en Latin *Jannoctius*, ou *Jannotius Manetti* naquit à *Florence* le 5. Juin 1396. de *Bernard Manetti* d'une famille ancienne & illustre appellée auparavant *de'i Benetini*, & de *Perette Guidacci*.

Perard-Jean Voſſius, qui a parlé de lui parmi ſes Hiſtoriens Latins, l'a appellé mal-à-propos *Jannutius* ou *Janetus*, & l'a fait naître auſſi mal le 23. Juin. Il s'eſt trompé encore, quand il a dit qu'il avoit été diſciple de *Chryſoloras*, car ce ſçavant mourut à *Conſtance* l'an 1415. lorſque *Manetti* n'avoit encore que dix-neuf ans ; & ce dernier ne ſe mit à l'étude de la Langue Grecque, qu'il pouvoit ſeule apprendre de *Chryſoloras*, qu'après avoir fait ſa Philoſophie, & ſa Théologie, & avoir étudié en Mathématiques, c'eſt-à-dire, vers la 25e. année de ſon âge.

Ce fut d'*Amboiſe Camaldule*, qui enſeignoit alors publiquement dans

le Monastere de *Sainte Marie des Anges* à *Florence*, qu'il apprit la langue Grecque, dans laquelle il fit de
grands progrès en peu de temps.

Il enseigna ensuite publiquement
la Philosophie à *Florence*, où il eut
pour auditeurs plusieurs Gentils-
hommes des plus considérables de
cette Ville, & apprit la Politique à
Jacques Ammanati, de *Lucques*, qui
fut ensuite Cardinal.

Il eut depuis plusieurs emplois
considérables, & fut envoyé à differens Princes pour négocier des affaires de conséquence.

Il fut en differens temps Gouverneur de *Pescia*, de *Pistoie* & de *Scarperia*, & Commissaire *del Campo*
avec *Bernardetto de Medicis*. Il passa aussi par plusieurs charges à *Florence*, où il fut Sénateur, membre
du Conseil des huit, & ensuite de
celui des dix, & dans toutes ces
places, il rendit de grands services
à sa patrie, qui ne sçut pas les reconnoître dans la suite.

Il fut honoré de la qualité de
Chevalier par le Pape *Nicolas V.*
lorsqu'il se trouva avec *Bernard Gitt-*

G. MA-
NETTI.
gni & *Charles Pandolfini* en 1452. au
couronnement de l'Empereur *Frederic.* Il avoit déja refusé le même honneur de la part d'*Alphonse*, Roi de
Naples, lorsqu'il alla en Ambassade
à sa Cour l'an 1445. pour assister
aux nôces de *Ferdinand* Duc de *Calabre*, fils unique d'*Alphonse.* Un
discours Latin, qu'il fit en cette occasion, fut si fort applaudi, qu'*Alphonse* voulut le faire Chevalier,
mais *Manetti* craignant de s'attirer
l'envie de ses compatriotes, détour-
na adroitement la chose.

Il fut chargé de plusieurs Ambas-
sades. *Poccianti* en met 14. *Bocchi*
dans son éloge en compte 29. mais
Naldi n'en reconnoît que 21. une
aux Génois, quatre au Roi *Alphonse*,
une à *François Sforce*, deux au Pape
Eugene IV une à *Jean Carvajal*,
Nonce du Pape, qui fut depuis Cardinal, trois au Pape *Nicolas V.* deux
à *Sigismond Malatesta*, Seigneur de
Rimini, u e à *Frederic*, Comte, &
depuis Duc d'*Urbin*, une aux Siennois, deux aux Vénitiens, une à *Na-
poleoni degli Orsini*, & deux à l'Empereur *Frederic III.*

Manetti avoit toujours appréhen- G. M a-
dé d'exciter la jalousie des Floren- n e t t i.
tins, comme on l'a vû ci-deſſus,
& il ne put l'éviter ; l'amitié que
pluſieurs Princes lui avoient témoignée dans ſes Ambaſſades, parut un
crime à ſes envieux, & il fut condamné à payer dix mille Florins
d'or. Cette diſgrace l'obligea à s'exi-
ler de ſa patrie, & il ſe retira à
Rome auprès du Pape *Nicolas V.* qui
le mit au nombre de ſes Secretaires,
& lui donna ſix cens écus d'or de
penſion, par deſſus les appointe-
mens attachés à cette charge. Il demeura dans le même poſte auprès de
ſes ſucceſſeurs *Calixte III.* & *Pie II.*
& ce dernier lui donna, ſelon *Bocchi*, le ſoin de la Bibliotheque du
Vatican.

Cet Auteur rapporte encore une
autre particularité que *Naldi* a omi-
ſe, c'eſt que l'amitié que ces Papes
lui avoient témoignée, n'étoit rien
en comparaiſon de celle que le Pape
Eugene IV. avoit eue pour lui. Elle
alla même, à ce qu'il prétend, ſi
loin, que *Manetti* ayant perdu ſa
femme, *Aleſſandra Giacomini Tebal-*

G. Ma
N E T T I.

ducci, pendant qu'il étoit à *Rome*,
ce Pape eut deffein de le faire Cardinal. Mais fes envieux l'ayant sçu
le firent auffi-tôt rappeller à *Florence*, afin que la bonne volonté d'*Eugene* à fon égard n'eût aucun effet.

Manetti ne fortit de *Rome* que
pour fe retirer auprès d'*Alphonfe*,
Roy de *Naples*, qui avoit toûjours
eu beaucoup d'eftime pour lui. Ce
Prince lui avoit affigné un revenu
de 900. écus d'or, ou de 150. on-
ces d'or, comme porte la conceffion datée de *Naples* le 30. Octobre
1455. Conceffion qui fut confirmée
par le Roy *Ferdinand* le 25. Août.
1458.

Il mourut à *Naples* le 26. Octobre 1459. & non pas le 27. Septembre, comme *Poccianti*, *Poffevin*,
& *Negri* le difent, étant alors âgé
de 63. ans.

Il poffedoit fort bien les Langues,
Latine, Grecque, & Hebraïque ; ce
qui étoit alors fort rare en Italie.
Naldi affure qu'il employa 22. ans à
les apprendre, & qu'il avoit chez
lui trois domeftiques, deux Grecs,
& un Syrien, qui fçavoit l'Hebreu,

lesquels avoient ordre de ne lui ja- G. MA=
mais parler, les deux premiers qu'en NETTI.
Grec, & le troisiéme qu'en Hébreu.

Il a fait un grand nombre d'Ouvrages, qui sont demeurés en Manuscrit, & dont on peut voir la liste
dans le 11e. tome du *Journal de Venise* p. 361. Le peu qui a été imprimé, se réduit aux suivans.

1. *De dignitate & excellentia Hominis libri quatuor. Basileæ.* 1532.
in 80. Il composa cet Ouvrage,
pendant qu'il étoit Gouverneur
de *Scarperia*, à la sollicitation d'*Alphonse*, Roi de *Naples*, à qui il le
dedia ; ce dont on lui fit dans la
suite un crime. *Jean Alexandre Braf-
sicanus* prit soin de le faire imprimer
à *Basle* ; il se trouve parmi les livres
défendus dans l'*Index* de *Madrit* de
l'an 1612. *in-fol.* où l'on marque à la
p. 697. les endroits qui y doivent
être reformés.

2. *Vita Petrarchæ.* Elle se trouve
dans le *Petrarcha redivivus* de *Tom-
masini.* p. 195.

3. *Oratio ad Regem Alphonsum in
nuptiis filii sui.* Ce discours fut prononcé en 1445. *Marquard Freher* l'a
C iiij

G. MA-fait imprimer à *Hanover* l'an 1611.
NETTI. *in-4°.*

4. *Oratio ad Alphonsum Regem de
pace servanda. Manetti* prononça ce
discours en 1450. Il est imprimé
après l'Histoire de *Felinus Sandæus*,
de Regibus Apuliæ & Siciliæ. p. 169.
Hanoviæ 1611. *in-4°.*

5. *Oratio ad Fredericum Imporato-
rem de Coronatione sua.* Ce discours
est de l'an 1452. *Freher* l'a publié à la
p. 5. du 3e. Volume de ses *Scriptores rerum Germanicarum.*

6. *Oratio ad Nicolaum V Pontificem
Maximum. Freher* l'a fait imprimer
à *Hanover* l'an 1611. *in* 40. Avec
les trois discours précedens.

V. *Michaëlis Pocciani Catalogus
Scriptorum Fiorentinorum. Jules Negri, Istoria de Fiorentini Scrittori. Vossius de Historicis Latinis.* Tous ces
Auteurs sont fort peu exacts. *Francisci Bocchii Elogia. Le Journal de Venise,* tom. II. p. 340. L'article curieux & recherché qu'on y voit de
Manetti, est tiré d'une vie Manus-
crire de cet Auteur, écrite en Latin
par *Naldo Naldi.*

JOACHIM PERION.

Joachim Perion naquit à *Cormery* en Touraine vers l'an 1499.

Il fut mis fort jeune dans l'Abbaye des Benedictins de ce lieu, où il apprit les premiers élemens des Sciences. Il s'y engagea tout à fait dans la fuite, & y fit profeſſion le 22. Aouſt 1517.

Il vint à *Paris* dix ans après, c'eſt à dire en 1527. & y prit le degré de Docteur en 1542.

Toute ſa vie a été occupée à étudier & à compoſer, & ſes ouvrages nous font connoître qu'il s'étoit appliqué à pluſieurs ſortes de Sciences. Il eſt vrai qu'il n'en eſt gueres, qui n'ayent eſſuyé des critiques de la plûpart des Sçavans, ils avoient cependant leur mérite pour le temps auquel ils ont été compoſés.

Hilarion de Coſte lui a donné mal à propos la qualité de Profeſſeur du Roy en Langue Greque dans l'Univerſité de *Paris*, il ne l'a

J. PE-RION.

J. PE-
RION.

jamais euë ; il eſt vrai qu'il a pris
quelquefois le titre d'Interprête du
Roy ; mais ce n'étoit à ſon égard
qu'un titre honoraire.

Il mourut dans ſon Abbaye de
Cormery l'an 1559. un peu avant la
mort du Roy *Henri II.* âgé alors
de 60. ans au plus.

Catalogue de ſes Ouvrages.

1. *Titi-Livii Conciones , cum ar-
gumentis & annotationibus Joachimi
Perionii. Pariſ.* 1532. *in-* 8°. It.
Ibid. 1547. *in-* 80.

2. *Oratio de laudibus Dionyſii Bri-
coneti , Epiſcopi Maclovienſis. Paris.
Colines.* 1536. *in-* 80. It. à la fin
de l'*Hiſtoire Genealogique de la Mai-
ſon des Briçonnets , par Guy Breton-
neau. Paris.* 1621. *in-* 40.

3. *Ariſtotelis de Moribus , quæ E-
thica nominantur , ad Nicomachum
Filium libri X. à Joachimo Perionio Latinitate donati , cum ejuſdem Commentariis. Item de optimo
genere Interpretandi , & de conver-
tendis conjungendiſque Græcis cum Latinis præcepta ad utriuſque linguæ pro-
prietatem & copiam parandam accom-
modata. Pariſ.* 1540. *in* 40. It. *Ba-*

ſilea. 1542. *in-* 8°. Perion ignoroit J. P ⟨⟩
les régles de la traduction, qu'il a R I O N.
voulu enſeigner aux autres, ou les
a du moins fort mal pratiquées ;
puiſque toutes les ſiennes ont plus
d'élegance que de fidélité, & qu'u-
niquement attentif à ſuivre ſon
propre genie, il a négligé celui
des Auteurs qu'il a traduits. D'ailleurs il n'avoit pas une connoiſſance aſſez étenduë de la langue Greque ; ce qui l'a fait tomber dans un
grand nombre de fautes.

4. *Ex Platonis Timæo particu-
la, Ciceronis de Univerſitate libro
reſpondens. Græcè & Latinè. Cum
Perionii obſervationibus. Pariſ.* 1540.
in- 40.

5. *Arati Phænomena, Græcè,
cum Ciceronis Metaphraſi, ex Germanico & Avieno ſuppleta : Cum obſervationibus Joachim Perionii. Pariſ.*
1540. *in* 4°. It. *Baſileæ* 1542. *in-* 8°.
A la ſuite de la traduction des Morales d'*Ariſtote* par *Perion.*

6. *Ariſtotelis de Republica, qui Politicorum dicuntur libri VIII. Latinitate donati. Acceſſerunt in eoſdem libros
obſervationes & argumentum. Baſileæ*

J. PE-
RION.
1549. in-8°. Cette édition a été
précédée par une autre anterieure
de quelques années. *Jean - Loüis
Strebée* ayant donné en 1548. une
nouvelle version de cet ouvrage
d'*Aristote*, profita de cette occasion
pour faire une critique de celle de
Perion, qui répondit aussi tôt par
l'ouvrage suivant.

7. *Quid non conveniat inter L.
Strebæum & Joachim. Perionium in
interpretatione Politicorum Aristotelis.*
Paris. 1543. in- 4°

8. *Porphyrii Institutiones quinque
vocum. Aristotelis Pategoriarum liber
unus,& de interpretatione liber. Platonis Axiochus aut de morte. Omnia
Latinè versa, Joach mo Perionio Interprete. Basileæ.* 1543. in- 8°.

9. *Pro Aristotele in Petrum Ramum orationes II. De Dialectica liber.* Paris. 1543. in- 8°.

10. *Pro Ciceronis Oratore contra Petrum Ramum Oratio.* Par. 1547. in- 8°.

11. *S. Joannis Damasceni Hære-
sium, quæ ad illius tempora extiterunt,
Catalogus; Joach. Perionio Interprete.*
Basileæ. 1548. in- fol. Dans le Recueil de ses Oeuvres.

12. *Topicorum Theologicorum li-* J. Pe-
bri duo, in quorum secundo agitur de rion.
iis omnibus quæ hodie ab Hæreticis
defenduntur. Parif. 1549. *in* · 8o. It.
Coloniæ. 1559. *in* 8o. C'eſt le principal ouvrage de *Perion*, qui y prouve la Doctrine Catholique par des
paſſages bien choiſis de l'Ecriture
Sainte & des Peres , & par des
raiſonnemens juſtes & ſolides.

13. *Ariſtotelis de Natura, aut de Re-*
rum principiis libri octo, Latinè, Joach.
Perionio Interprete, cum obſervatio-
nibus. Parif. 1550. *in-* 4o. It. *Per*
Nicol. Gruchium emendati & cor-
recti. Parif. 1556. *in* 4o.

14. *Oratio in Jac. Lud. Strebeum,*
qua ejus calumniis reſpondetur. Item
Orationes duæ pro Ariſtotele in P.
Ramum. Parif. 1551. *in-* 4o.

15. *De Vitis & Rebus geſtis A-*
poſtolorum. Parif. 1551. *in-* 16. It.
Baſileæ , Oporinus. 1552. *in- fol.*
Avec *Incerti liber de Paſſione Do-*
mini , & pluſieurs autres ouvrages
ſemblables. It. *Coloniæ* 1576. *in-*16.
Avec *Abdias Babylonicus.* &c. It.
en François. *Livre de la vie & faits*
des douze Apoſtres, traduit du La-

16. *Ad Henricum II. Galliæ Regem, cæterosque Principes in Petrum Aretinum Oratio, & alia de B. Joannis Baptistæ laudibus.* Paris. 1551. *in-*80. It. *Coloniæ* 1561. *in-*80.

17. *De vita rebusque gestis J. C. ex IV. Evangelistis quasi Monotessaron. Item de Mariæ Virginis & Joannis Baptistæ vita liber.* Paris. 1553. *in-*16. It. *Coloniæ* 1571. *in-*12.

18. *Symposii Ænigmata, & Septem Græciæ Sapientum Sententiæ.* Paris. 1553. *in-*12. *Perion* a procuré cette édition.

19. *Aristotelis de ortu & interitu libri duo ; Joach. Perionio Interprete. Ejusdem Perionii in eosdem libros observationes.* Basileæ. *Joan.* Oporinus. 1553. pp. 82.

20. *S. Justini Martyris Opera, Latinè ; Interprete Joach. Perionio ; cum observationibus.* Paris. 1554. *in fol.*

21. *De Dialectica libri tres, & Orationes duæ pro Aristotele in Petrum Ramum.* Basileæ. 1554. *in-*8°. On a vû déja ci-dessus deux édi-

tions de ces discours; & une d'une
partie de la Dialectique.

22. *B. Nectarii, Archiepiscopi
Constantinopolitani, Oratio una de Jejunio & eleemosyna ; & B. Joannis
Chrysostomi Orationes sex. Hæ primum typis excusæ diligentia J. Perionii. Græcè. Paris. Guillard.* 1557.
*in-8°. Eædem ab eodem Latinè con-
versæ. Paris. Nivel* 1554. *in* 8°.

23. *Oratio qua Nicolai Groscii
calumnias atque injurias ostendit &
refellit. Paris.* 1554. *in-8°. Grouchi*
l'avoit fort maltraité par raport à
sa traduction des Morales d'*A-
ristote.*

24. *Æschinis & Demosthenis con-
trariæ Orationes Ctesiphontem & pro
Corona, Latinè. Paris.* 1554. *in-4°.*

25. *De Origine linguæ Gallicæ, &
ejus cum Græca cognatione Dialogorum
libri IV. Paris.* 1555. *in-8°.* Quelques
Auteurs de mauvais goust ont autrefois donné de grandes loüanges à
cet ouvrage ; mais M. *de la Monnoye* assure dans ses notes Manuscrites sur les Bibliotheques Françoises, que c'est un des plus mauvais li-

vres, qui ait paru sous le Regne
du Roi *Henri II.*

26. *De Sanctorum Virorum, qui Patriarchæ ab Ecclesia appellantur, rebus gestis ac Vitis liber. Paris. Vascosan.* 1555. *in-4o. It. Coloniæ.* 1555. *in-8o. It. en François. Les Vies des Patriarches de l'Ancien Testament, traduites du Latin de Perion par Jean de la Fosse. Paris.* 1557. *in-8o.*

27. *S. Clementis Romani Epis-copi, de rebus gestis, peregr natio-nibus, & Concionibus S. Petri Epitome, Joach. Perionio Interprete, cum ipsius Clementis vita. Paris.* 1555 *in-4o. It. Coloniæ.* 1569. *in 12.*

28. *Adamantii Origenis de recta in Deum fide Dialogus, sive sermo habitus cum Hæreticis, Eutropio judice, & in totum librum Job Commentarius, ac Joannis Chrysostomi in librum Job conciones IV. Quæ omnia Latinè à Joan. Perionio conversa sunt. Paris.* 1556. *in-fol.*

29. *Dionysii Areopagita opera omnia quæ extant. Ejusdem vita incerto Autore. Scholia incerti Autoris, in librum de Ecclesiastica Hierarchia. Quæ omnia*

omnia Latinè nunc primum à Joach. J. PE-
Perionio, Henrici Gallorum Regis In- R I O N.
terprete, conversa sunt. Parif. 1556.
in-fol. It. *Coloniæ* 1557. *in-8°.* It.
Parif. 1566. *in fol.* Cette édition est
la même que celle de l'an 1556.

30. *Aristotelis Metaphysicorum libri*
13. *Latinè J. Perionio Interprete. Pa-*
rif. 1558. *in-4°.*

31. *Aristotelis Topicorum libri octo,*
Latinè ; J. Perionio Interprete. Parif.
1559. *in-4°.*

32. *De Magistratibus Romanorum*
& Græcorum. Parif. 1560. *in-4°.* It.
à la suite de Joannis Sarii Zamoscii
de Senatu Romano libri duo. Argento-
rati 1608. *in-8o.* It. *Dans le* 6e. *tome*
des Antiquitez Grecques de Grono-
vius. Ce fut *François Perion,* son
Neveu, qui publia cet ouvrage après
sa mort.

33. *Aristotelis de Cœlo libri IV. De*
ortu & interitu libri duo ; Meteorologi-
corum libri IV. De anima libri tres,
& Parva Naturalia, Latinè ; J. Pe-
rionio Interprete. Coloniæ 1568. *in-8°.*
Il doit y avoir eu une edition anté-
rieure.

V. *Scævolæ Samarthani Elogiorum*
Tome XXXVI. D

J. Pe- *lib.* 1. Il y a trop de généralités, &
Rion. point de dates dans ce qu'il en dit;
c'est le défaut de tous ceux qui ont
parlé de *Perion. Les Eloges de M. de
Thou; & les additions de Teissier. Hilarion de Coste, vie de François le
Picart. p.* 335. La plûpart des dates
que j'ai suivies sont prises des notes
manuscrites de M. *de la Monnoye* sur
les Bibliotheques Françoises.

JACQUES ACONCE.

J. Acon- Jacques Aconce naquit à *Trente*
ce. vers le commencement du 16e.
siécle.

Il nous apprend dans une Lettre à
Jean Wolfius, qu'il s'étoit occupé la
meilleure partie de sa vie de la Jurisprudence, qu'il avoit passé plusieurs années à la Cour, & qu'il s'é-
toit donné fort tard aux Belles-Lettres.

Ayant embrassé la Religion Prétenduë réformée, il fut obligé d'a-
bandonner sa patrie, & se retira d'a-
bord à *Strasbourg*, & ensuite en
Angleterre, où la Reine *Elizabeth*

regnoit alors ; ainſi après l'an 1558. J. Acon-
Il reçut de cette Princeſſe mille ce.
marques de bonté , comme il le
témoigne à la tête de ſes *Stratagêmes
de Satan* , qu'il lui dedia. Il parle
cependant plus froidement de ſes li-
beralités dans ſa lettre à *Wolfius* , où
il ſe contente de dire que la penſion
qu'elle lui donnoit , ſoulageoit en-
quelque ſorte ſon indigence , & lui
donnoit quelque loiſir pour étudier.

Il paroît qu'il s'étoit appliqué aux
Fortifications ; il avoit même compoſé en Italien un Ouvrage ſur cette matiere , qu'il mit enſuite en Latin pendant ſon ſéjour en Angleterre ; mais il n'a pas été imprimé.

C'eſt à cela que ſe réduit le peu
qu'on ſçait de ſa vie. Il mourut en
Angleterre peu de temps après que
ſon Livre des *Stratagêmes de Satan* ,
eut paru pour la premiére fois à
Baſle en 1565. non pas cependant
avant le 6. Juin 1566. puiſqu'on a
une de ſes Lettres qui porte cette
date.

Catalogue de ſes Ouvrages.

1. *De ſtratagematibus Satana in
Religionis negotio per ſi perſtitionem* ,

D ij

ACON-
CE.

errorem, *Haresim*, *Odium*, calum-
niam, Schisma, &c. Libri V I I I. Basileæ. 1565. in 8o. C'est la première
Edition. It. *Ibid.* 1582. in-8°. It. Curante Jacobo Grassero. Basileæ. 1610.
in-8°. L'Editeur a fait entrer dans
celle-ci une lettre d'*Aconce*, de ratione edendorum librorum. It. *Basileæ*
1620. in-8°. It. *Amstelodami* 1624
in 8o. It. *Oxonii*. 1631. in-8o. It.
Amstelodami. 1652. & 1674. in-8o.
It. traduits en François. *Les ruses de
Satan, recueillies, & comprises en
huit livres par Jacques Aconce.* Basle.
1565. in-4o. & *Delft* 1611. &
1624. in-8o. It. traduits en Flamand.
1665. in-12. It. traduits en Allemand. *Basle* 1647. in 8o. Ce Livre
a été fort loué par quelques Auteurs,
& fort censuré par d'autres. M. *du
Pin*, qui en donne un long extrait
dans sa *Bibliotheque des Auteurs heré-
tiques*, prétend que c'est une Satyre malicieuse des mœurs du Clergé
de ce temps-là, & qu'il renferme
outre cela des principes qui com-
battent les maximes ordinaires, &
tendent à la tolerance de tous les
Systêmes de Religion; qu'au reste il

est écrit d'une maniére singuliére, en J. Acon-
bons termes Latins , mais souvent ce.
affectés.

2. *De Methodo , sive recta investi-*
gandarum , tradendarumque Artium ,
ac scientiarum , ratione libellus. Lugd.
Bat. 1617. *in*-12. It. Dans un Recueil
de Dissertations *de studiis bene insti-*
tuendis. Ultrajecti. 1658. p. 325.
Cette piéce est fort bonne , quoique
l'Auteur ne l'ait faite , que comme
un essai de ce qu'on pouvoit dire
sur cette matiere.

30. *Epistola ad Joannem Wolfium de*
ratione edendorum librorum. Dans plusieurs editions de ses *stratagêmes de*
Satan. Lipenius marque qu'elle a été
imprimée séparément *à Basle* en
1565. *in-*8o. *Aconce* donne ici de
fort bons conseils à ceux qui veulent s'ériger en Auteurs.

4. *Thomas Crenius* a inseré à la p.
132. de la 2e. partie de ses *Animad-*
versiones Philologicæ , une lettre Anecdote fort longue d'*Aconce* , qui est
datée de *Londres* le 6. Juin 1566. Il
s'y défend sur plusieurs choses ,
qu'on avoit reprises dans son livre *de*
stratagematibus.

V. *Bayle* , *Dictionnaire. Observationum selectarum ad rem Litterariam spectantium tom. 6. Halæ.* 1702 *in.* 80. *Obser.* 15. On y tâche de justifier *Aconce*, sur ce qu'on a trouvé de réprehensible dans son Ouvrage. *Thomæ Crenii Animadversionum Philologicarum pars 2. p.* 30.

THEOPHILE VIAUD.

T. Viaud Theophile Viaud , connu sous le simple nom de *Théophile* , naquit vers l'an 1590. à *Boufferes Sainte-Radegonde* , village de Guyenne dans l'*Agenois* , sur la rive gauche du *Lot* , un peu au dessus d'*Aiguillon* , au bord de *la Garonne* , à une demi-lieuë du *Port-Sainte-Marie* , & non point à *Clerac* , comme quelques-uns l'on dit. C'est une particularité , qui se prouve non seulement par son Apologie Latine , mais plus clairement encore par sa *Lettre à son frere* , écrite de sa prison , où il parle ainsi.

Quelque lacs qui me soit tendu

Par de subtils adversaires,
Encore n'ai-je point perdu
L'esperance de voir Boußeres :
Encore un coup le Dieu du jour
Tout devant moi fera sa cour
Aux rives de notre heritage …
Ce sont les droits que mon pays
A merité de ma naißance ,
Et mon sort les auroit trahis ,
Si la mort m'arrivoit en France.
Non , non , quelque cruel complot ,
Qui de la Garonne & du Lot ,
Vueille éloigner ma sépulture ,
Je ne dois point en autre lieu
Rendre mon corps à la nature ,
Ni resigner mon ame à Dieu.

Le P. *Garaße* ayant dit, liv. 1. ch.
14 de sa *Doctrine Curieuse* , qu'il
étoit fils d'un Cabaretier de Village ;
Théophile fit voir dans son Apologie
Latine , que son extraction n'étoit
point si méprisable , qu'il vouloit le
faire croire. Il nous y apprend que
son ayeul avoit été Secretaire de la
Reine de Navarre , que son pere
s'étant tourné du côté de la Jurisprudence , avoit plaidé quelques
causes dans le Parlement de *Bor-*

T. Viaud *deaux*, mais que les guerres l'ayant chaſſé de cette Ville, il avoit pris le parti de ſe retirer dans l'Agenois, où il s'étoit occupé avec les Muſes tout le reſte de ſa vie; & qu'un de ſes Oncles, frere aîné de ſon pere, avoit eu du Roy *Henry IV.* le gouvernement de *Tournon* en Agenois, pour récompenſe de ſes ſervices dans les Armes.

Théophile étant venu à *Paris* en 1610. s'y fit connoître, & s'introduiſit à la Cour par ſon talent pour la Poëſie Françoiſe. Mais ſes mœurs déreglées, & ſes Poëſies licentieuſes lui firent des affaires.

Il reçut au mois de May de l'an 1619. un ordre du Roy, qui lui fut ſignifié par le Chevalier du Guet, de ſortir du Royaume; & ce fut alors qu'il fit un voyage à *Londres*, où quelques-uns ont dit mal à propos que le Roi d'Angleterre l'avoit appellé.

Ayant eu permiſſion de revenir en France, il abjura quelque temps après la Religion Calviniſte, dans laquelle il étoit né, & avoit toujours vêcu juſques-là, pour embraſſer

brasser la Catholique.

Cette démarche n'empêcha pas qu'on ne lui fist de nouvelles affaires à l'occasion du *Parnasse Satyrique*, qui fut imprimé à la fin de l'année 1622. & qu'on lui attribua.

On le poursuivit criminellement, & le Parlement commença à lui faire son procès. La crainte qu'il eut des suites de cette procédure lui fit prendre la fuite, & ce fut en son absence que le Parlement donna le 19. Août 1623 un Arrêt, par lequel il fut déclaré criminel de leze-Majesté Divine, pour avoir composé & fait imprimer des vers impies contre l'honneur de Dieu, son Eglise, & l'honnêteté publique, & comme tel condamné à faire amende honorable devant Notre-Dame, & ensuite brûlé en Place de Greve. Ce qui fut exécuté en effigie.

Il fut pendant cinq ou six mois errant en differens endroits ; mais s'étant retiré au *Catellet* en Picardie, il y fut découvert & arrêté par un Lieutenant de la Connétablie, qui l'amena à *Paris*, & le mit à la Conciergerie le 28. Septembre de

Tome. XXXVI. E

T. Viaud la même année.

Il fut d'abord renfermé dans le Cachot, où avoit été mis *Ravaillac*; & l'on revit son procès. Les discussions furent longues ; mais enfin après deux années de prison il fut jugé, & condamné seulement à un bannissement.

Ayant été mis en liberté, il se retira chez M. *de Montmorenci*, qui étoit depuis long-temps son protecteur.

Il y tomba malade, quelque temps après. Sa maladie commença par une fiévre tierce qui se tourna en quarte, & les fatigues de sa prison la rendirent peu à peu mortelle.

Il mourut à *Paris* le 25 Septembre 1626 âgé seulement de 36 ans, après avoir reçu tous les Sacremens de l'Eglise, & fut enterré dans le Cimetiere de *S. Nicolas des Champs*. *Chorier* rapporte dans la vie de *Pierre Boissat* p. 35. du premier Livre, que la veille de la mort de *Théophile*, *Boissat*, qui étoit son ami, l'étant allé voir, *Théophile* lui témoigna une grande envie de manger des Anchois, & le pria instamment de lui

un envoyer ; mais que *Boiſſat* perſua-
dé que ce mets étoit fort contraire
à un malade , refuſa de le ſatisfaire ;
refus dont il ſe repentit depuis , di-
ſant que ces Anchois auroient peut-
être ſauvé la vie à ſon ami , la nature demandant quelquefois des choſes , qui toute mal ſaines qu'elles
paroiſſent , peuvent être ſalutaires
par la diſpoſition particuliere où l'on
ſe trouve.

On ne peut nier que *Théophile*
n'ait été déreglé dans ſes mœurs , libre dans ſes diſcours , & cynique
dans ſes Vers ; mais il eſt difficile
de ſe perſuader qu'il ait été auſſi coupable , que bien des genſ ſe l'ima-
ginent , & que le P. *Garaſſe* le repre-
ſente dans ſa *Doctrine Curieuſe* , ſur-
tout lorſqu'on a lû ſes Apologies.
Car quoiqu'il ſoit à préſumer , qu'il
y a alteré la verité en bien des choſes , il n'eſt pas cependant croyable
qu'il n'y ait rien de vrai , & que
tous les faits qu'il y rapporte , ſoient
abſolument faux.

Il avoit l'imagination vive ; mais il
manquoit de jugement & de juſteſſe
d'eſprit C'eſt ce qui fait que ſes Poëſies
E ij

T. VIAUD sont si inégales, & qu'il tombe quelquefois dans le pucrile.

Catalogue de ses Ouvrages.

1. *Les Oeuvres de Théophile,* Paris Pierre Billaine 1621 in-8°. It. *Jouxte la copie* 1626. *in-8°.* Edition semblable à la précedente, quant aux deux premiéres parties. La 3e. qui est ajoûtée, est un *Recueil de toutes les Piéces faites par Théophile, depuis sa prison jusqu'a sa mort.* It. *Rouën. Jean de la Mare* 1629. *in-8°.* On a ajouté dans cette Edition, la *Lettre de Théophile contre Balzac.* It. *Jouxte la copie à Rouen* 1633. *in-8°.* Je ne sçai pourquoi on a retranché ici la Lettre contre Balzac. It. *Rouen* 1648. *in-8°.* It. *Lyon* 1651. *in-8°.* It. *Paris.* 1656. & 1661. *in-12.* Ces dernieres éditions ont été données par M. *de Scudery.*

Des trois parties, qui composent ce Recueil, la premiére contient le *Traité de l'Immortalité de l'Ame, ou la mort de Socrate,* en Prose & en Vers ; & des Poësies diverses. On trouve dans la seconde d'autres Poësies, avec une Tragedie intitulée : *Pyrame & Thisbé.* La troisiéme ren-

ferme le Recueil des Piéces qu'il a T. Viau
faites pendant ſa priſon juſqu'à ſa
mort. Comme elles ont été imprimées ſéparément , je les marquerai
ici en détail.

Requête de Théophile au Roy. en
Vers 1624. i-8°. pp. 16.

*Remontrance à M. de Vertamont ,
Conſeiller en la Grand'Chambre* (En
Vers) Ce Conſeiller avoit été dépu-
té pour inſtruire ſon procès.

*Plainte de Théophile à ſon ami Tir-
cis.* (En Vers.)

La Pénitence de Théophile. (en
Vers) 1624. in. 8°. pp. 12. Il y témoigne qu'il ſe conſole dans ſa priſon par la lecture de *S. Auguſtin.*

*Requête à Nos Seigneurs du Parle-
ment.* (en vers)

*Tres-humble Requête à Mg. le Pre-
mier-Préſident.* 1624. in- 8°. pp. 15.
(en Vers)

*Priere de Theophile aux Poëtes de
ce tems.* (en Vers) Imprimée à part
avec *la compaſſion de Philothée aux
Miſeres de Theophile.*

Lettre de Theophile à ſon frere. (en
Vers) Ce frere, nommé *Paul ,* portoit les armes.

E iij

T. VIAUD *Theophile, à Chiron son ami, Médecin.* (en Vers)

Remerciment à Coridon. (en Vers)

La Maison de Sylvie. Ce sont dix Odes, que *Theophile*, qui se promenoit souvent après sa sortie de prison dans un bois de *Chantilli*, y composa à la loüange des Jardins, & de la Duchesse de *Montmorency*, & qui ont fait donner à ce bois le nom de *Sylvie*.

Ode onzième à M. de L. sur la mort de son pere.

La Solitude, à Alcidon. (en Vers)

Apologie au Roy. (en Prose) Il y décrit au long ses disgraces.

Theophilus in Carcere. C'est un autre Apologie.

Apologie de Theophile. (en Prose) 1624. *in-* 8°. pp. 43. Cette piéce est contre le P. *Garasse*, à qui il attribuë principalement ses malheurs.

Lettre à Balsac. Theophile avoit été d'abord ami de *Balsac*, & il fit avec lui en 1612. un voyage en Hollande ; mais il y eut depuis de la mesintelligence entre eux. La Lettre qu'on voit ici, est extrèmement violente & satyrique.

Voila tout ce qui est renfermé dans

le Recuëil des Oeuvres de *Theophi-* T. Viaud
le , qui a fait encore quelque chose ,
qui n'y est pas. Je le rapporterai plus
bas , après avoir rapporté les titres
de quelques pieces qui le regardent,
& que certains Curieux ont eu soin
de ramasser.

La Remontrance à Theophile. (en
Vers) 1620. *in* - 8°. pp. 8. Piece
assez mal faite.

La prise de Theophile par un Prevôt
des Marechaux dans la Citadelle du
Castellet en Picardie , amené prisonnier
à la Conciergerie du Palais le Jeudy
28. de ce mois (de Septembre) *Paris.*
1623. *in*- 8°. pp. 14.

Lettre de Damon envoyée à Tircis &
à Theophile sur le sujet de son interro-
gatoire du 18. *Novembre* 1623. *in*-8o.
1623. p. 13. Cette Lettre est en faveur de *Theophile* , contre un preten-
du *Tircis* , qui avoit écrit contre lui.
C'est un pur verbiage , où il n'est
pas dit un mot de l'interrogatoire.

Arrêt de la Cour de Parlement , par
lequel Theophile , Berthelot , & autres
font déclarés criminels de Leze Majes-
té divine , pour avoir composé & fait
imprimer des Vers impies contre l'hon-
E iiij

T. VIAUD *neur de Dieu , son Eglise & l'honnêteté publique. Paris. 1623. in-8°. pp. 8. & d'autres fois.*

Atteinte contre les impertinences de Theophile , ennemi des bons esprits. 1624. in-8°. pp. 11. C'est une piéce en Prose , fort generale.

Consolation à Theophile en son adversité (en Vers) 1624. in-8°.

Dialogue de Theophile à une sienne Maitresse l'allant visiter en prison. 1624. in-8°. pp. 8. Cette Piéce est en distiques.

Les larmes de Theophile prisonnier sur l'esperance de sa liberté. 1624. in-8°. pp. 14. Discours en prose , où l'on le fait parler lui-même.

Les soupirs d'Alexis sur la retenuë si longue de son ami Theophile. (en Vers) 1624. in-80. pp. 13.

L'apparition d'un fantôme à Theophile dans les sombres ténébres de sa prison ; ensemble les propos tenus entre eux. (en Prose) 1624. in-80. pp. 14.

Recit de la mort & pompe funebre observée aux obseques du Sr. Theophile. Paris. 1626. in-8°. pp. 14. Pure déclamation , de même que la Piéce suivante.

Diſcours remarquable de la vie & T.VIAUD
mort de Theophile. Paris. 1626. *in-*8°.
pp. 15.

Le Teſtament de Theophile. 1626.
*in-*8°. pp. 15. Piéce burleſque en
proſe.

La rencontre de Theophile & du P.
Coton en l'autre Monde. 1626. *in-*8°.
pp. 14. Pauvre ouvrage, en Proſe.

L'Ombre de Theophile aparuë au
P. Garaſſe. (en Proſe) 1626. *in-* 8°.
pp. 16.

2. *Paſiphaé , Tragedie , revûë , cor-*
rigée , & embellie , outre les précéden-
tes impreſſions par un ſien ami ; avec
un Avis au Lecteur & un Argument.
Paris. 1628. *in-* 8°. Il avoit compoſé cette Piéce au commencement de
ſon entrée à la Cour. Il y en a pluſieurs éditions faites à *Paris*, à *Roüen*,
& ailleurs , toutes imparfaites ; celle-ci a été revûë par un ami de *Theo-*
phile , qui a corrigé les fautes & les
omiſſions , qui les déſiguroient.

3. *Nouvelles Oeuvres de feu M.*
Theophile, compoſées d'excellentes Let-
tres Françoiſes & Latines, ſoigneuſement
recueillies , miſes en ordre & corrigées
par M. Mayret. Paris. 1642. *in-*8°.

T. Viaud Toutes ces Lettres n'ont rien d'intéressant. L'Editeur donne à *Theophile* la qualité de Gentilhomme ordinaire du Roy, qu'il n'a jamais euë.

4. Quoique *Theophile* ait toûjours désavoüé le *Parnasse Satyrique* imprimé pour la premiere fois en 1622. & quelques autres fois depuis, il est à présumer qu'il y a eu quelque part, & qu'il contient quelques piéces de sa façon.

Chorier dans la vie de *Pierre Boissat* p. 35. dit qu'au rapport de *Des-Barreaux*, *Theophile* étoit le veritable Auteur de la Tragedie de *Sophonisbe*, qui porte le nom de *Mairet*: mais c'est une chose qui n'est pas probable. On peut voir ce que j'en ai dit dans l'article de ce dernier, tome 25. de ces Mémoires. p. 246.

V. *Les Apologies de Theophile. Chorier, vie du P. Boissat* p. 34. L'*Anti-Baillet de Menage* tom. I. p. 359. M. *l'Abbé le Clerc*, *Bibliotheque du Richelet. Le Parnasse François de M. Titon du Tillet.* p. 197. *Recherches sur les Theatres de France par M. de Beauchamps.* to. 2. p. 62.

THOMAS GARZONI.

Thomas Garzoni naquit au mois
de Mars 1549. à *Bagnacavallo*
dans la Romagne, de *Pierre Garzoni*, & d'*Altabella Lunadi*, tous deux
de bonnes familles. Il reçut au Batême le nom d'*Octavien*, qu'on lui
changea en celui de *Thomas*, lors
qu'il prit l'habit Religieux.

Il apprit les Belles-Lettres sous la
discipline de *Philippes d'Oriolo*, d'*I-
mola*, & y fit en peu de tems des
progrès si considerables, que dès
l'âge d'onze ans il composa un Poëme Italien en rime octave, dans
lequel il décrivit d'une maniere in-
genieuse les petits combats qui se
font entre les enfans.

Il n'avoit encore que quatorze
ans, lors qu'on l'envoya à *Ferrare*,
pour y étudier en droit. Il demeura
quelque temps dans cette Ville, &
passa ensuite à *Sienne*, dans le dessein d'y continuer cette étude, &
d'apprendre en même temps par l'u-
sage la pureté de la langue Ita-

T. GAR-lienne , qu'il avoit assez mal parlé
ZONI.　jusques là.

Il y eut pour Maîtres *Horace Spa-nochio* , célèbre Jurisconsulte , &
Fabio Maretta , Professeur en Phi-losophie , sous le quel il s'appliqua
à la Logique.

Degoûté ensuite du monde , il
entra dans l'ordre des Chanoines
Reguliers de Latran , & en prit l'ha-bit le 18. Octobre 1566. dans le
Couvent de *Sainte Marie de Porto* à
Ravenne , étant alors agé de 17. ans
& demi.

Il se donna depuis à la Philoso-phie & à la Théologie , aux langues
Hebraique & Espagnole , & à l'His-toire. Ses écrits font connoître qu'il
avoit effleuré toutes les sciences , &
montrent assez ce dont il auroit été
capable , s'il avoit été dirigé dans ses
études par quelque personne de
goût & d'experience , & s'il eût
vécu plus long-tems.

Il mourut dans sa patrie le 8. Juin
1589. agé de 40. ans , & fut enterré
dans l'Eglise de S. François , où
François de Tossignano , Cordelier ,
prononça son Oraison funebre.

Catalogue de ses Ouvrages. **T. GAR-**

1. *Il Theatro de varii e diversi
cervelli mondani. In Venetia* 1583.
in 4°. It. *Ibid.* 1598. *in* 4°. It. en
François. *Le Theatre des divers cer-
veaux du monde , auquel tiennent place selon leur degré toutes les manieres
d'esprits & d'humeurs des hommes ,
tant louables que vicieuses , déduites
par discours doctes & agreables. Traduit de l'Italien par G. C. D. T.* (c'est-
à-dire , *Gabriel Chappuys de Touraine*) *Paris.* 1586. *in* 16. Feüill.
268. L'Ouvrage est divisé en 55.
discours.

2. *La Piazza Universale di tutte le
professioni del Mondo. In Venetia.*
1585. *in* 4°. C'est la premiere édition.
It. *Nuovamente ristampata , con l'aggiunta d'alcune bellissime annotationi a
discorso per discorso. In Venetia.* 1587.
in-4°. pp. 957. It. *Ibid.* 1589. 1610.
& 1638. *in* 4°. Feüill. 400. It. en latin. *Piazza Universale, seu Theatrum
vitæ humanæ continens discursus de variis artibus ac professionibus. Edente
Mich. Caspare Lundorpio. Francofurti
ad Mœnum* 1623. *in*-4°. La Traduction latine est de *Nicolas Bellus ,*

T. GAR-
ZONI.

qui y a joint quelques remarques, aussi bien que l'Editeur *Lundorpius.* It. *traduite en Allemand. Francfort* 1626. *in-fol.* 400. 1. L'Auteur parcourt ici en 155. discours toutes les differentes professions des hommes.

3. *L'Hospidale de' Pazzi incurabili nuovamente formato e posto in luce da T. Garzoni. Con tre capitoli in fine sopra la Pazzia. In Venetia* 1586. *in* 4o. Feüill, 95. Des trois *Capitoli*, qui sont à la fin, le premier est de *Theodore Angelucci*, le 2e. de *Guido Casoni*, & le troisième de *Thomas Garzoni.* It. *In Venetia* 1601. *in* 4o. It. en François. *L'Hôpital des foux incurables*, où sont deduites de point en point toutes les folies & les maladies d'esprit, tant des hommes que des femmes. Oeuvre non moins utile que recreative & necessaire à l'acquisition de la vraye sagesse. Tirée de l'Italien de Thomas Garzoni, & mise en notre langue par François de Clarier sieur de Long-val, Professeur ès Mathematiques & Docteur en Medecine. Paris. 1620. *in* 8o. pp. 267. On voit ici trente discours sur autant d'especes

de fous, & à la fin un autre *Diſcours* T. GAR-
de l'Auteur ſur ce département de l'Ho- ZONI.
pital, qui ſert à loger les femmes; où
il eſt montré que toutes les eſpeces de
folie ſus mentionnées ſe retreuvent en
icelles. Ce dernier diſcours eſt auſſi
traduit de l'Italien. Le traducteur
n'a pas fait entrer dans ſa traduction les *Capitoli.*

4. *La Sinagoga de gl'Ignoranti*,
nuovamente formata da T. Garzoni,
Academico Informe di Ravenna, pur
ancora Innominato. In Venetia 1589.
in 4°. pp. 203. It. *In Pavia* 1589.
in 8°. pp. 183. It. *In Venetia* 1601.
in. 4o. On voit ici en 16. diſcours
tout ce qui a rapport à l'ignorance,
comme ſes cauſes, ſes eſpeces, ſes
effets, &c.

5. *Il mirabile Cornucopia conſolato-*
rio di Tomaſo Garzoni; Diſcorſo nuo-
vo, vago e dotto, ne piu dato in luce.
In Bologna 1601. *in* 8°. pp. 44. Ouvrage burleſque à la loüange des
Cornes, pour conſoler un homme,
dont la femme lui étoit infidele.

6. *Il Serraglio degli ſtupori del Mon-*
do, diviſo in diece appartamenti, ſe-
condo gli varii & ammirabili oggetti,

*cioè di Mostri, Prodigii, Prestigii,
Sorti, Oracoli, Sibille, Sogni, Curiosità Astrologica, Miracoli in genere, & Maraviglie in Spetie. Narrate da piu celebri Scritori, e descrite da piu famosi Historici e Poëti,
le quali talhora occorrono, considerandosi la loro probabilità overò improbabilita, secondo la Natura. Arrichita
di varie Annotationi dal M. R. P. D.
Bartolomeo Garzoni, suo fratello,
Prelato di Santo Ubaldo d'Ugubbia e
Theologo privilegiato della Congregatione Lateranense. In Venetia* 1613.
*in-*40. pp. 787. Il y a beaucoup
d'érudition & de citations dans cet
ouvrage, suivant le goût du temps de
l'Auteur ; mais la Critique y manque. L'Editeur a mis à la tête une
Vie abregée de *Th. Garzoni.*

7. *Hugonis de S. Victore opera omnia tribus tomis digesta, studio & industria Th. Garzonii, postillis, annotatiunculis, Scholiis ac vita Autoris
expolita. Venetiis* 1588. *in fol.* Garzoni a donné ici dans le titre à *Hugues de S. Victor* la qualité de Chanoine Regulier de *Latran*, qu'il n'a
jamais euë.

8.

8. *L'Huomo Aſtratto. In Venetia,* T. GAR
1604. *in* 4°. Je ne ſçai ce que c'eſt ZONI.
que cet ouvrage, qui ſe trouve
dans le Catalogue de la Bibliotheque d'*Oxford*, & qui eſt marqué par *Ghilini* ſous le titre de *Gli
due Garzoni,* cioè *l'Huomo aſtratto.*

9. *Le vite delle Donne illuſtri della
Scrittura ſacra ; con l'aggiunta delle
Donne oſcure & laide dell'uno e l'altro
Teſtamento ; diſcorſo ſopra la Nobilta
delle Donne. Roſini* marque l'édition
de cet ouvrage à *Veniſe* 1588.

10. On lui donne encore une traduction Italienne des quatre fins de
l'Homme de *Denys le Chartreux,*
& un ouvrage que *Roſini* rapporte
ſous le titre de *Cœnaculum deſidera-
bile in Canticum Canticorum,* mais je
ne ſçai quand cela a paru.

V. *Son Eloge dans la* 2e. *partie du
Lyceum Lateranenſe Celſi de Roſinis*
p. 320. & à la tête de ſon *Serraglio
degli ſtupori del Mondo. Ghilini, Teatro d'Huomini Letterati. Tom.* 1. *p.*
216. *Creſcimbeni, Iſtoria della Volgar
Poeſia.*

GABRIEL GUERET.

GAbriel *Gueret* naquit à *Paris* l'an 1641.

Après avoir fait ses études d'Humanités, & de Philosophie, il se donna à la Jurisprudence, & embrassa la Profession d'Avocat. Il plaida cependant peu, mais il fut très-occupé dans le Cabinet, où il réussit parfaitement.

Il composa dans sa jeunesse quelques Ouvrages de Littérature, & plusieurs piéces de Vers; mais il ne voulut jamais faire imprimer ses Poësies, se contentant de les lire à ses amis. Pour ce qui est des autres Ouvrages, il en fit volontiers part au Public, qui les reçut avec applaudissement.

S'étant fait connoître par là d'une maniére avantageuse, il se vit recherché par plusieurs personnes d'esprit & de mérite, & il eut entrée dans l'Académie de l'Abbé d'*Aubignac*. Il en fut même le Secrétaire, tant qu'elle dura; & il y prononça,

entre autres , deux Discours Acadé-
miques , dont je parlerai plus bas.

Il s'attacha depuis uniquement à l'étude du Droit Civil & Canonique , dont il acquit une connoissance fort etenduë.

Il étoit d'un goût excellent , & d'un discernement fin : sa critique étoit toujours judicieuse , & sa conversation très-agréable. Il mérite sur tout d'être loué pour une égalité d'humeur , qu'on vit toujours en lui très-constante , sans que son assiduité à l'étude , & ses occupations pénibles , ayent jamais altéré la gayeté de son esprit.

Il se maria en 1677. & mourut le 22. Avril 1688. n'étant encore que dans la 47e. année de son âge.

Catalogue de ses Ouvrages.

1. *Le Caractere de la sagesse payenne dans les vies des sept Sages Grecs. Paris* 1662. *in*-12. C'est son premier Ouvrage.

2. *La Carte de la Cour. Paris.* 1663. *in*-12. Piece fort spirituelle.

3. *Entretiens sur l'Eloquence de la Chaire & du Barreau. Paris* 1666. *in*-12. On voit ici trois entretiens ,

G. G u e-
r e t.

avec une Differtation fur l'éloquence, où l'on donne l'idée d'un parfait Orateur. Toutes ces piéces font
écrites avec beaucoup d'élegance,
& peuvent être utiles à ceux qui
veulent fe perfectionner dans l'une
& l'autre efpéce d'éloquence.

4. *Le Parnaffe reformé. Paris.* 1668.
*in-*12. fans nom d'Auteur. It. *Paris.*
1674. *in-*12.

4. *La Guerre des Auteurs entre les
anciens & Modernes. Paris.* 1671.
*in-*12. Cet Ouvrage fait la feconde partie du précédent, dont l'Auteur a jugé à propos, pour des rai-
fons particulieres, de changer le titre. Ils ont été réimprimés tous
deux enfemble à *la Haye* en 1716.
*in-*8°. C'eft une critique fur les Auteurs, fort ingenieufe, pleine de fel,
& écrite avec beaucoup de fineffe &
de pureté. *Gueret* avoit fait encore
quelques autres piéces du même caractere, qui n'ont jamais vû le jour,
entr'autres une fatyre très-fine en
Profe, qu'il avoit intitulée *La Pro-
menade de S. Clou*, mais qu'il con-
dàmna à demeurer manufcrite, parce qu'elle etoit contre un particu-

lier célèbre , qui y étoit désigné G. G v ᴇ
d'une maniére à le faire connoître. ʀ ᴇ ᴛ.

6. *Claude Gautier* , fameux Avocat au Parlement de *Paris* , étant
mort le 16. Septembre 1666. n'ayant
donné au Public que le premier Volume de ses *Plaidoyers* , imprimés
à *Paris* l'an 1662. *in*-4°. *Gueret* ache-
ta en 1669. les Manuscrits du dé-
funt , & en tira de nouveaux plaidoyers , ausquels il ajouta beaucoup
du sien , & donna un second Volume.

7. Dans un Recueil , intitulé *Divers Trai ez d'Histoire , de Morale &
d'Eloquence. Paris* 1672. *in*-12. on
trouve les deux Discours Académi-
ques , qu'il prononça dans l'Académie de l'Abbé d'*Aubignac*, dont l'un
a pour titre : l'*Orateur* , & l'autre : *si
l'Empire de l'Eloquence est plus grand
que celui de l'Amour.*

8. En 1672. *Gueret* de concert
avec *Claude Blondeau* , aussi Avocat au Parlement , projetta de re-
cueillir les principales décisions de
tous les Parlemens & Cours Souve-
raines de France , à mesure qu'elles
seroient faites ; & ils commencerent

G. Gue-
ret.

à exécuter leur projet dès la même année : ce qu'ils ont continué de faire jusqu'à la mort de *Gueret*. L'Ouvrage entier est en onze Volumes *in-4°*. dont le premier a paru à *Paris* en 1672. & le dernier en 1689. Il a été réimprimé avec des augmentations à *Paris* en 1701. *in-fol*. Deux Volumes. M. *de Bauval* parle ainsi des deux Auteurs dans son *Histoire des Ouvrages des Sçavans* du mois de Septembre 1690.

» Ils étoient nez l'un & l'autre avec
» un génie heureux & solide ; & ils
» avoient joint l'étude de la politesse
» avec celle de la Jurisprudence ,
» en sorte que les questions les plus
» épineuses sortoient de leurs mains
» dépoüillées de ce qu'elles ont de
» sec & de barbare. Ces deux amis
» par un commerce très-étroit s'é-
» toient tellement accoutumez à
» penser & à raisonner de la même
» maniere , que l'on voyoit regner
» le même esprit dans l'Ouvrage
» qu'ils faisoient en commun. Quel-
» ques uns prétendoient remarquer
,, quelque chose de plus vif , & de
,, plus égayé dans ce qui partoit de

» la plume de M. *Gueret*, & quel- G. Gue-
» que chose de plus ferme & de ret.
» plus noble dans le stile de M. *Blon-*
» *deau*; mais cette difference n'étoit
» pas sensible à la plûpart.

Au reste *Gueret* n'a fait qu'une
fort petite partie du onziéme Volume, qui a été donné après sa mort
par son ami, lequel n'a pas été plus
loin.

9. *Questions notables de Droit, décidées par plusieurs Arrêts de la Cour
du Parlement, par Claude le Prêtre ;
avec un traité des Mariages clandes-
tins, les Arrêts de la cinquiéme Chambre des Enquêtes, & des autres Chambres du Parlement, augmentées par
M. G. Gueret. Paris. 1679. in-fol.*

V. *Son éloge dans le Dictionnaire
de Morery.*

MATTHIAS ZIMMERMAN.

MAtthias *Zimmerman* naquit à M. Zim-
Eperies en Ongrie le 21. merman.
Septembre 1625. d'*Adam Zimmerman*, Marchand & Senateur de cette Ville, & de *Madeleine Brodkorb*.

M. ZIM-
MERMAN.

Après qu'il eut fait ses premiéres études dans sa patrie, on l'envoya à l'âge de quatorze ans les continuer dans le College de *Thorn* ; d'où il passa en 1644. à *Strasbourg*.

Il s'appliqua dans cette derniére Ville à la Philosophie & à la Théologie, & y fut reçû Maître ès Arts en 1644.

Il alla en 1648. à *Lipsic*, & s'y occupa de ses études Théologiques, jusqu'en 1651. qu'il fut rappellé par son pere à *Eperies*.

La même année il fut nommé Recteur du College de *Leutsch* dans la haute Hongrie. Il se maria au mois de Septembre de l'année suivante 1652. & épousa *Anne Schmuck*, fille d'un Professeur en Droit de cette Ville, dont il eut dix enfans, quatre garçons, & six filles, mais dont deux filles seulement lui survécurent.

Aussi-tôt après il quitta sa place de Recteur, & retourna à *Eperies* pour y être Ministre ; Emploi qu'il remplit pendant huit ans, c'est-à-dire, jusqu'en 1650. que *Jean George II.* Electeur de Saxe le nomma

Coadjuteur

Coadjuteur du Sur - Intendant de M. Zim-
Colditz. Cette nouvelle Dignité l'o- merman
bligea à prendre des degrés en Théologie , & il s'y fit recevoir Licentié
à *Leipsic* le 18. Novembre 1661.

Conrad Barthel , Ministre & Sur-
Intendant de *Meissen* étant mort le
27. Fevrier 1662. l'Electeur de Saxe
tira *Zimmerman* de *Colditz*, & le lui
donna pour Successeur.

Il prit le degré de Docteur en
Théologie à *Leipsic* en 1666.

Sa femme étant morte le 11. Fevrier 1683. il épousa en secondes
nôces *Dorothée - Madeleine Kuzs-
chreiter*, dont il n'eut point d'enfans.

Le 29. Novembre 1689. il se pre-
paroit à monter en Chaire pour prêcher , lors qu'il eut une attaque d'a-
poplexie , dont il mourut le jour
même , âgé de 64. ans.

Catalogue de ses Ouvrages.

I. *Historia Eutychiana , ortum ;
progressum , propagationem , errorum
enarrationem & refutationem , cum
consectario Lutheranos non esse Euty-
chianos , exhibens. Lipsiæ.* 1659. *in-*
4o. Il a publié cet Ouvrage sous le
nom de *Theodore Althusius.*

Tome XXXVI. G

M. ZIM-
MERMAN

20. *Differtatio ad dictum Tertulliani Apol. c.* 18. Fiunt, non nafcun-
tur Chriftiani. *Lipfiæ.* 1662. *in*-4o.

3. *Afciani Montes Pietatis Roma-
nenfes. Lipfiæ* 1670. *in*-4o.

4. *Oraifon funebre de Jean Jerôme
Kromayer.* (en Allemand) *Lipfic*
1670. *in*-4o.

5. *Predications fur les Evangiles
des* 6. 7. 8. & 9ᶜ *Dimanches après
la Trinité* (en Allemand) *Freyberg.*
1671. *in*-4o.

6. *Analecta mifcella menftrua Eru-
ditionis facræ & profanæ , Theologicæ,
Liturgicæ, Hiftoricæ, Philologicæ, Moralis , Symbolicæ , Ritualis , Curiofæ,
ex optimis & rarioribus autoribus collecta. Menfes XII. Mifenæ* 1674.
in-4o. Ces douze mois ou parties
renferment plufieurs traits d'érudition, recueillis fous 179. titres.

7. *Planctus Mifenenfis. Mifenæ.*
1680. *in*- 4o.

8. *Sermon de Preftation de Serment.*
(en Allemand) *Meiffen.* 1680. *in*-4o.

9. *De Presbyteriffis veteris Ecclefiæ
Commentariolus. Annæbergæ.* 1681.
in-4o. It. *Lipfiæ* 1704. *in*-4o.

10. *Amœnitates Hiftoria Ecclefiaf-*

ticæ hactenus bonam partem ordine hoc M. ZIM-
intactæ, cum fig. Dreſdæ. 1681. *in-40.* MERMAN-

11. *Eloge funebre de Jean Adam
Schertzer, Profeſſeur de Lipſic.* (en
Allemand) 1683. *in-fol.*

12. *Florilegium Philologico-Hiſto-
ricum aliquot Myriadum Titulorum,
cum optimis Auctoribus, qui de quavis
materia ſcripſerunt, quarum præcipuæ
curioſe & ex profeſſo tractantur. Ad-
hibita re Nummaria & Gemmaria.
Præmittitur Diatriba de eruditione
eleganti comparanda. Miſenæ in-4º.
Pars* 1a.1687.*pp.*368.*Pars* II.1689.*pp.*
456. Ce Recueil eſt rangé par ordre
alphabetique, & l'on y trouve toutes ſortes de matieres, de Philolo-
gie, de Theologie, & de Morale
principalement. L'Auteur ne fait
ſouvent qu'indiquer les endroits,
où l'on trouve quelque éclairciſſe-
ment ſur les matieres qui y ſont
traitées ; ſouvent auſſi il les tranſcrit.
Mais il n'y a apporté aucun choix,
& il ſe ſert également des livres
bons & mauvais qui ſont tombés
entre ſes mains.

13. *Diſputatio de acceptilatione Soci-
niana, imprimis injuria in meritum &*

M. ZIM-*satisfactionem Jesu-Christi. in 4°.*

MERMAN. V. *Son Eloge dans le livre d'Henri Pipping, intitulé : Sacer decadum septenarius Memoriam Theologorum exhibens. p.* 338. *Davidis Czvittingeri Hungaria Litterata,* cet Auteur en dit fort peu de choses.

ANDRE' CHEVILLIER.

A. CHE- ANdré *Chevillier* naquit à *Pontoise* l'an 1636. de parens peu accommodés des biens de la fortune.

Un de ses Oncles, Curé de *Veaux* au Diocèse de Rouën, prit soin de son éducation, & le forma lui-même à l'étude. Il l'envoya ensuite à *Paris*, où il prit des degrés en Théologie.

Chevillier parut en Licence avec tant de distinction, que M. l'Abbé *de Brienne*, qui étoit de la même Licence, & qui a été depuis Evêque de *Coutances*, lui ceda, pour faire honneur à son mérite, le premier lieu de la Licence, & en fit même les frais.

Il fut reçu Docteur de la Maison

& Societé de Sorbonne le 10. Juin A. CHE-
1664. & non pas en 1658. comme VILLIER.
on le dit dans le Supplement de
Morery.

Lors qu'il eut été nommé Biblio-
thecaire de Sorbonne, il se servit de
la facilité qu'il avoit par là d'étudier, pour se livrer à une application presque continuelle. C'est à
cette application que nous devons
les Ouvrages qu'il a publiés.

Au reste sa pieté étoit égale à sa
science, & on l'a vû souvent se dé-
poüiller lui-même, pour donner
aux pauvres.

Il mourut le 8. Avril 1700. âgé
de 64. ans.

Catalogue de ses Ouvrages.

1. *In Synodum Chalcedonensem Dis-*
sertatio de formulis fidei subscribendis.
Paris. 1664. *in-* 4o.

2. *L'Origine de l'Imprimerie de*
Paris. Dissertation Historique & Cri-
tique divisée en quatre parties. Paris.
1694. *in-* 4o. Cet Ouvrage est curieux & plein de grandes recherches.

3. *Le grand Canon de l'Eglise*
Grecque, traduit du Grec avec des no-
tes, & l'abregé de la Vie de Sainte

A. CHE-
VILLIER.
Marie d'Egypte, pour l'intelligence
de ce Canon. Paris. 1699. *in-* 12. Ce
Canon a été composé par *André de*
Jerusalem, Archevêque de *Candie*.
La traduction de Chevillier est moins
une traduction qu'une Paraphrase. Il
l'a dediée à Madame *de Miramion*,
qu'il connoissoit particulierément.
Il alloit même prêcher & confesser
quelquefois dans la Communauté
de cette Dame.

4. Il a eu quelque part au Catalogue des livres condamnés & défendus, qui parut en 1685. & qui
fut mis à la suite d'un Mandement de
M. *de Harlay*, Archevêque de *Paris*.

V. *La Table des Auteurs Ecclesias-*
tiques de M. Du Pin. Le Supplement
de Morery de l'année 1735.

MICHEL D'AMATO.

M. D'A-
MATO.
Michel *d'Amato* naquit à *Naples*
le 3. Octobre 1682. Ayant
embrassé l'état Ecclesiastique, il se
fit recevoir Docteur en Droit & en
Théologie, & fut depuis Protonotaire Apostolique & un des Confre-

res de la Congrégation érigée en l'E- M. D'A-
glise Cathédrale de *Naples* sous le MATO.
titre des Missions Apostoliques.

En 1707. il fut fait premier Cha-
pelain de l'Eglise Royale du Cha-
teau-neuf, & ensuite Pénitencier,
Théologien & Examinateur de la
Cour du Chapelain Majeur du
Royaume de *Naples*.

En cette qualité il fut chargé en
1719. de faire la visite de toutes les
Eglises & Chapelles Royales, &
il fut employé par les Vicerois en
diverses commissions par rapport à
la Jurisdiction du Prince.

Il mourut à *Naples* le 15. Novembre 1729. âgé seulement de 47.
ans.

C'étoit un Homme profond en
toutes sortes de sciences, & qui
possedoit parfaitement les Langues
Greque, Latine, Hébraïque, Syria-
que, Françoise, Espagnole, &
quelques autres.

Catalogue de ses Ouvrages.

1. *De Opobalsami specie, ad Sa-
crum Chrisma conficiendum requisita,
Dissertatio Historico-Dogmatico-Mo-
ralis. Neapoli* 1722. *in-* 8°. pp. 63.

G iiij

M. D'A-It. *Editio recognita & aucta. Neapoli.*
MATO. 1722. *in-* 80. pp. 71.

2. *De Piscium atque Avium esûs
consuetudine apud quosdam Christi fideles in antepaschali jejunio, quam
memorat Socrates libro V. suæ Historiæ
Ecclesiasticæ cap.* 22. *Dissertatio Historico - Philosophico-Moralis. Neapoli*
1723. *in-*12.

3. *Dissertationes quatuor Historico-
Dogmaticæ anno* 1728. *coram Littera-
rico consessu recitatæ in ædibus Erud.
Viri D. Josephi Ruffi, Patritii Neapo-
litani. Dissertatio I. in qua ad trutinam
revocatur, quibus de causis in antiquis
Fidei Symbolis, Nicæno & Cons-
tantinopolitano articulus ille,* Descen-
dit ad Inferos, *fuerit prætermissus.
Diss. II. De Inferni siu adversus novum commentum cujusdam natione An-
gli. Diss. III. in qua enucleatur, quo-
modo Christus in ultima Cœna Eucharistiam benedixerit, & utrum uno,
an pluribus calicibus usus fuerit. Diss.
IV. De ritu, quo in primitiva Ecclesia
Fideles S. Eucharistiam percepturi
manibus excipiebant : ubi expenditur
quidnam fuerit Dominicale, quod mu-
lieres adferre debere jubebantur. Nea-*

poli 1728. *in-* 40. pp. 64. La secon- M. D'A-
de diſſertation tend à refuter un MATO.
Anglois, qui avoit prétendu dans
un ouvrage publié en 1714. que l'Enfer étoit dans le Soleil.

Il a fait outre cela quelques Ouvrages, qui n'ont point été imprimés, & dont on peut voir la liſte
dans les Nouvelles Litteraires de
Veniſe de l'an 1729. p. 334.

V. *Son Eloge dans des Nouvelles
Litteraires de Veniſe de l'an 1729.
p. 332. & dans le tome 7. de la Bibliotheque Italique p. 265.*

CLAUDE AMELINE.

C Laude *Ameline* naquit à *Paris* C. AME-
vers l'an 1629. de *N. Ameline*, LINE.
Procureur au Châtelet, & d'*Anne
Thevenin.*

Il ſe tourna d'abord du côté de
la Juriſprudence, & s'étant fait recevoir Avocat, il ſuivit pendant
quelque temps le Barreau, & plaida
quelques Cauſes.

Mais il ſe dégoûta de bonne heure du Monde & entra dans la Con-

C. AME-
LINE.

gregation de l'Oratoire le 29.
Avril 1660.

Après son Institution on l'envoya
à *Saumur* pour y étudier en Théologie ; & ce fut là qu'il connut le
P. *Malebranche*, avec lequel il con-
tracta une étroite amitié.

Il fut élevé au Sacerdoce en 1663.
& vers le même temps, il fut fait
malgré lui Grand Chantre de l'E-
glise de *Paris*.

Mais cette Dignité ne donnant
presque aucune matiere à son zele,
il la permuta avec M. *Joly*, pour
celle de Grand Archidiacre, qui lui
donnoit le droit d'inspection sur
une partie des Curés du Diocèse.

Il mourut au mois de Septembre
de l'an 1706. âgé de 77. ans.

Catalogue de ses Ouvrages.

1. *Traité de la Volonté, de ses
principales actions, de ses passions, &
de ses égaremens; divisé en cinq parties. Paris.* 1684. *in-*12. *Bayle* avoit
dans les *Nouvelles de la République
des Lettres* du mois de Janvier 1685.
attribué cet ouvrage à M. *Nicole* ;
mais il s'est trompé dans ses conjec-
tures. Il est vrai qu'on y trouve la so-
lidité de ce fameux Auteur.

2. *Traité de l'amour du Souverain* C. AME-
bien, qui donne le veritable caractere LINE.
de l'Amour de Dieu oppoſé aux erreurs
de Molinos. Paris. 1699. *in-*12.

V. *Le Supplement de Morery de*
l'an 1735. *& la table des Auteurs*
Eccleſiaſtiques de M. Du Pin.

FRANÇOIS RAPHELINGIUS.

François Raphelingius naquit à F.RAPHE-
Lanoy, Ville de la Flandre Fran- LINGIUS.
çoiſe, le 27 Février 1539.

Il commença ſes études à *Gand*,
mais ayant perdu ſon pere dans ces
entrefaites, ſa mere les lui fit quitter, pour l'appliquer au commerce,
& le mit chez un Marchand qui l'envoya à *Nuremberg* pour avoir ſoin
de ſes affaires dans ce pays-là.

Raphelingius, qui n'avoit quitté
l'étude qu'à regret, & qui avoit une
forte inclination pour les ſciences,
ayant trouvé dans cette Ville l'occaſion de ſe livrer ſans contrainte à ſon
goût, reprit ſes études interrom-
puës.

Sa mere l'ayant appris, ne voulut

F.Raphe- point le gêner sur ce point , & lui
lingius. fournit les secours necessaires.

Après deux années de séjour à *Nu-remberg* , il retourna dans sa Patrie ,
où il ne demeura pas long-temps oi-sif. Il vint quelque temps après à *Pa-ris* , & s'y appliqua avec ardeur aux
Langues Grecque & Hebraïque ,
sous les fameux Professeurs qui les
enseignoient , & principalement
sous *Jean Mercier*.

Les Guerres civiles de France ne
lui permettant pas de joüir dans ce
Royaume de la tranquillité dont les
Muses ont besoin , il passa en An-gleterre. Il avoit déja acquis une si
grande connoissance de la Langue
Grecque , qu'il étoit en état de l'en-seigner lui-même aux autres , & c'est
ce qu'il fit pendant quelque temps à
Cambridge.

Voulant ensuite retourner dans son
Pays , il passa par *Anvers* , pour
acheter quelques Livres , qu'il n'a-voit pû trouver en Angleterre. Pen-dant le séjour qu'il y fit , il eut oc-casion de voir *Christophe Plantin* ,
dont il gagna l'affection , & qui
l'engagea à se charger de la corre-

tion de ſes épreuves.

Cet emploi plut à *Raphelingius*, qui l'accepta avec plaiſir , & s'en ac- quitta avec tant de diligence & d'ha- bileté , que *Plantin* voulant ſe l'at- tacher pour toujours , lui fit épou- ſer en 1565. ſa fille aînée, nommée *Marguerite.*.

Il contribua beaucoup à la perfec- tion des livres que ſon beau-pere imprima alors , & ſur-tout de ceux des Langues Orientales, qu'il cor- rigea avec ſoin, & qu'il illuſtra par de ſçavantes remarques, quoiqu'il permît rarement qu'on y mît ſon nom.

Plantin s'étant retiré à *Leyde* , pour s'éloigner des troubles, qui regnoient dans le Pays, laiſſa tout le ſoin de ſon Imprimerie à *Raphelingius* , qui la conduiſit ſeul juſqu'à la fin de l'année 1585. que *Plantin* retourna à *Anvers.*

Raphelingius quitta alors cette der- niere ville , & ſe tranſporta avec toute ſa famille à *Leyde* , où il ſe chargea de l'Imprimerie que ſon beaupere y avoit établie pen- dant le ſéjour qu'il y avoit fait.

Ce fut dans cette Ville qu'il s'appliqua à la Langue Arabe, par le secours des Livres que *Guillaume Postel*, & *André Maes* lui prêterent, & de ceux de *Joseph Scaliger* avec lequel il conferoit souvent touchant ses études.

Son habileté dans la Langue Hebraïque le fit choisir par les Curateurs de l'Université de *Leyde*, pour y enseigner cette langue, & il s'acquitta de cet emploi pendant quelques années.

Le chagrin que lui causa la mort de sa femme arrivée en 1594. & une paralysie qui l'attaqua, lui ayant rendu la vie à charge, il ne fit que languir pendant trois ans; au bout desquels il mourut le 20. Juillet 1597. âgé de 58. ans, & laissant trois fils & une fille.

C'étoit un petit homme, qui se faisoit aimer par sa modestie & sa candeur.

Catalogue de ses Ouvrages.

I. *Grammatica Hebræa.* Dans le premier Volume de l'Apparat Sacré que *Benoît Arias Montanus* a joint à la Bible Polyglotte d'*Anvers.*

2. *Thesauri linguæ Hebraicæ Sanc-* F. RAPHE-
tis Pagnini Epitome. Dans le même LINGIUS.
Volume. It. *Antuerpiæ.* 1572. *in-* 8°.
Imprimé plusieurs fois depuis.

3. *Variæ Lectiones & Emendationes*
in Chaldaicam Bibliorum paraphrasim.
Dans la Polyglotte d'*Anvers*, à laquelle il a eu beaucoup de part, par
le soin qu'il a pris de corriger les
textes Hebreu, Chaldéen & Grec.

4. *Dictionarium Chaldaicum.* Dans
le premier Volume de l'Apparat sacré.

5. *Lexicon Arabicum Lugd. Bat.*
1599. *in-* 8°. It. *Cum observationibus*
Thomæ Erpenii. Ibid. 1613. *in-*40. *M.*
De Thou, & quelques autres après
lui, ont dit qu'il avoit professé la
langue Arabe à *Leyde*; mais ni
Meursius, ni les Bibliothecaires des
Pays-Bas n'en disent rien, & parlent
seulement de la langue Hebraïque;
ainsi l'on peut regarder comme une
méprise ce que M. *de Thou* a dit sur
ce sujet, d'autant plus qu'il ne fait
aucune mention de l'Hebreu, auquel il paroit avoir substitué l'A-
rabe.

Un de ses fils, nommé comme

F.Raphe lui, *François Raphelingius*, a com-
lingius. posé quelques Ouvrages, dont on a
mis quelques-uns dans le Catalogue
de la Bibliotheque d'*Oxford*, sur le
compte du pere. Tels sont les suivans

*Notæ & Castigationes in L. Annæi
Senecæ Tragœdias. Lugduni Bat.* 1621.
in-8o.

*Elogia Carmine Elegiaco in Imagines
quinquaginta Doctorum virorum. Antuerpiæ* 1587. *in-fol.*

Et plusieurs autres piéces de Vers
imprimées séparément.

V. *Joannis Meursii Athenæ Bata-
væ. Francisci Swertii Athenæ Belgicæ.
Valerii Andreæ Bibliotheca Belgica.
Melchioris Adami vitæ Philosophorum
Germanorum. Joannis Conradi Zelt-
neri Théatrum virorum eruditorum,
qui Typographiis laudabilem operam
præstiterunt.* Ces deux Auteurs n'ajou-
tent rien aux précedens. *Les Eloges de
M. de Thou, & les additions de Teissier.*

JACQUES BARRELIER.

Jacques Barrelier naquit à *Paris* au mois de Septembre de l'année 1606. de *François Barrelier*, & de *Madelaine Bochetal*.

Après ses études d'Humanités, il passa à la Medecine, qu'il étudia à *Paris*, & dans laquelle il fut licen-tié. Il étoit prêt à recevoir le bon-net de Docteur, lorsqu'il quitta le monde, pour entrer chez les Jaco-bins Reformés de la Province de *S. Loüis*.

Il en prit l'habit en 1634. dans la maison du Noviciat du Fauxbourg *S. Germain*, & il y fit ses vœux le 29. Novembre de l'année suivante 1635.

Il s'appliqua depuis à la Théolo-logie, qui cependant ne lui fit point perdre de vûë la Botanique, qui avoit fait auparavant sa plus forte inclination.

Le *P. Thomas Turco*, Général des Dominicains, étant venu à *Paris* en 1646. pour visiter les Couvens de

Tome XXXVI.   H

son Ordre , conçut une si grande estime pour lui , qu'il le prit pour son compagnon , & son Secretaire.

Le P. *Barrelier* l'accompagna en Languedoc , en Guyenne , en d'autres Provinces de France , & ensuite en Espagne , où il assista l'année suivante à un Chapitre Général , qui se tint à *Valence* en 1647. Il passa après avec lui en Italie , & dans tous ces voyages , après s'être acquitté des devoirs de son Ministere , il employoit le temps qui lui restoit à chercher des Plantes , & à visiter les Botanistes des lieux où il passoit.

Turco étant mort en 1650. *Jean-Baptiste Marini* , qui lui succeda dans la dignité de Général , conserva à *Barrelier* les mêmes emplois , & le retint auprès de lui jusqu'à sa mort , qui arriva en 1670.

Il revint en France en 1672. & travailla alors à mettre en ordre les Recueils qu'il avoit amassés dans tous ses voyages , dans le dessein d'en composer un Herbier général sous le titre d'*Hortus Mundi* , ou d'*Orbis Botanicus*. Mais il ne put en venir à bout , étant mort le 17. Septembre

J. B A
RELIER.

de l'année ſuivante 1673. âgé de 67.
ans.

Il laiſſa quantité de Papiers ſans
ordre, quelques deſcriptions imparfaites, avec pluſieurs planches
gravées, qui furent long-temps laiſ-
ſées à l'abandon. Mais enfin M. *Juſ-*
ſieu a pris ſoin de raſſembler tout cela, de le mettre dans un ordre convenable, & de ſuppleer à ce qui
y manquoit; & l'ouvrage a paru ſous
ce titre :

Plantæ per Galliam, Hiſpaniam, &
Italiam obſervatæ, Iconibus æneis ex-
hibita à R. P. Jacobo Barrelicrio. Opus
Poſthumum, accurante Antonio de Juſ-
ſieu in lucem editum, & ad recentio-
rum normam digeſtum. Cui acceſſit ejuſ-
dem Autoris ſpecimen de Inſectis qui-
buſdam Marinis, Mollibus, Cruſta-
ceis & teſtaceis. Pariſ. 1714. in-fol.

V. *Scriptores ordinis Prædicatorum.*
tom. 2. p. 643. & ſa vie à la tête de
ſon Ouvrage.

☙

JEAN PIERRE CAMUS.

J. P. CA-
MUS.

*J*Ean Pierre *Camus* naquit à Paris le 3. Novembre 1582. de
Jean Camus , Seigneur de *S. Bon-
net.*

Sa science & son mérite l'eleve-
rent de bonne-heure à l'Episcopat.
Il n'avoit pas encore 26. ans ac-
complis , lorsque le Roy *Henry
IV.* le nomma en 1608. à l'Evêché de *Belley.*

Il fut sacré le 30. Août dè l'année suivante 1609. dans la Cathedrale de *Belley* par *S. François de
Sales* , assisté de *Jean le Févre* , Archevêque de *Tarse* , & de *Robert
Berthelot* , Evêque de *Damas.*

Il remplit aussi-tôt tous ses devoirs avec une entiere exactitude.
Il instruisoit lui-même les Peuples ,
il travailloit à la conversion des
pecheurs & des héretiques , & son
zéle , qui s'étendoit sur tout , lui
gagna l'estime & l'affection de tout
le monde.

Ce zéle s'alluma particulierement

contre la faineantise & la morale J. P. CA-
rélâchée de quelques Moines de MUS.
son temps ; & il ne cessa pendant
plusieurs années de déclamer contre eux , & de vive voix , & par
des Livres presque sans nombre.

Le Cardinal *de Richelieu* pressé
par ces Moines , de l'obliger à ne
plus prêcher ni écrire contre eux ,
tira à la fin parole de lui , qu'à l'a-
venir il les laisseroit en repos ; &
lui dit sur ce sujet ces paroles : *Je
ne trouve aucun autre défaut en vous,
que cet acharnement que vous avez
contre les Moines ; sans cela je vous
canoniserois. Plût à Dieu , M.* repondit aussi-tôt l'Evêque de *Belley,
que cela pût arriver , nous aurions
l'un & l'autre ce que nous souhaitons :
vous seriez Pape , & je serois Saint.*

Il écrivoit avec une facilité in
croyable ; mais il écrivoit trop ,
pour le faire avec exactitude. Le
nombre des Ouvrages de Contro-
verse , de Morale , & de Spiritua-
lité , qu'il a composés , est étonn-
nant. Son stile , quoique peu châ-
tié , plaisoit dans son temps , &
on aimoit la hardiesse de ses me-

taphores, quoiqu'un peu en-
taſſées les unes ſur les autres, à
cauſe de l'abondance des images
qu'elles forment, & du grand nombre de choſes qu'on y apprend en
même-temps. Mais comme le goût
a changé depuis, ce qui plaiſoit
alors, a déplû dans la ſuite, &
ſes Ouvrages ſont tombés entierement dans l'oubli.

Il faut avoüer auſſi que le jugement y manque, comme l'Auteur
le reconnoît avec une ingenuité
admirable dans *l'eſprit de S. François de Sales.* Ce qu'il dit ſur ce
ſujet eſt trop ſingulier, pour ne
le pas rapporter ici.

S. François de Sales s'étant plaint
un jour à lui de ſon peu de mémoire, il lui repondit : *Vous n'a-
vez pas à vous plaindre de votre
partage, puiſque vous avez la très
bonne part, qui eſt le jugement. Plût-
à-Dieu, que je pûſſe vous donner de
la mémoire, qui m'afflige ſouvent de
ſa facilité (car elle me remplit de
tant d'idées, que j'en ſuis ſuffoqué en
prêchant, & même en écrivant)
& que j'euſſe un peu de votre juge-*

ment ; car de celui-ci , je vous af- J. P. CA-
fûre que j'en fuis fort court. A ce mus.
mot *S. François de Sales* fe mit à
rire , & l'embraffant tendrement ,
lui dit : *En verité , je connois main-*
tenant que vous y allez tout à la
bonne foy. Je n'ai jamais trouvé qu'-
un homme avec vous , qui m'ait dit
qu'il n'avoit gueres de jugement : car
c'eft une piéce de laquelle ceux qui
en manquent davantage , penfent en
être les mieux fournis , & je n'en
trouve point de plus court , que ceux
qui penfent y abonder. Se plaindre de
fon défaut de mémoire , & même de
la malice de fa volonté , c'eft une cho-
fe affez commune , peu de gens en
font la petite bouche ; mais de cette
beatitude de pauvreté d'efprit ou de
jugement , perfonne n'en veut tâter ,
chacun la repouffe comme une in-
famie. Mais ayez bon courag e, l'âge
vous en apportera affez ; c'eft un
des fruits de l'experience & de la
vieilleffe.

Les Romans étoient fort à la
mode du temps de l'Evêque de
Belley , & le goût que l'on avoit
pour eux étoit venu de celui de

J. P. CA-
MUS.

l'Astrée, dont la beauté fit long-
temps les délices & la folie de toute
la France, & même des Pays étrangers. Ce Prélat touché des maux
que causoit une lecture capable de
reveiller les passions, résolut d'y
remédier. Il crut que s'il s'élevoit
de front contre les Romans, la
prévention favorable où l'on étoit
à leur égard, empêcheroit de lire
ce qu'il pourroit écrire sur ce sujet,
& rendroit par-là son travail inutile. Il prit donc le parti de faire
diversion en composant des Histoires, où il y eût de l'amour, &
qui par-là se fissent lire, mais qui
élevassent insensiblement les cœurs
à Dieu par les sentimens de pieté
qu'il y repandoit, & par la con-
clusion qui les terminoit; car on
y voyoit toûjours le crime puni,
la vertu recompensée, & souvent
les principaux Acteurs, reconnois-
sant la vanité des choses du monde, renoncer à tout pour se donner à Dieu, & embrasser même la
vie religieuse.

Ces nouveaux Romans furent
biens reçus, & passerent bientôt
dans

dans les mains de tout le monde : J. P. CA-
mais leur stile excessivement diffus, MUS.
suivant le goût de ce temps là , &
les trop longues réflexions dans lesquels les faits sont comme noyés ,
les en firent tomber dans la suite ,
& on ne les connoît plus main-
tenant.

En 1620. il établit dans la Ville
de *Belley* un Couvent de Capucins ;
& deux ans après il contribua à l'é-
tablissement d'un Monastere de Religieuses de la Visitation , qui se
fit dans la même Ville.

En 1629. le desir de travailler à
sa propre sanctification , après avoir
travaillé à celle des autres , le fit
songer à se demettre de l'Episcopat.
Il jetta les yeux sur *Jean de Pas-
selaigue* pour être son Successeur ,
& ayant obtenu l'agrément du Roi
en sa faveur , il se retira dans l'Abbaye d'*Aunay* en Normandie , de
l'Ordre de *Citeaux* , que le Roi lui
donna en acceptant sa démission.

François de Harlay , Archevêque
de *Roüen* , crut que la Providence
lui envoyoit , en la personne de
ce digne Evêque , un puissant se-

cours pour l'aider à soûtenir le
poids du gouvernement de son Dio-
cese, & songea d'abord à l'associer
à ses soins Episcopaux. Le Saint
Evêque, qui ne s'étoit point dé-
fait de son zéle, en se défaisant
de son Evêché, fut persuadé que
Dieu demandoit de lui par la bouche de l'Archevêque, qu'il reprît
de nouveau le travail. Il se rendit
à la proposition que lui fit *François de Harlay* ; & cet Evêque qui
venoit de conduire en chef une
Eglise, dont il n'avoit à rendre
compte qu'à Dieu, ne fit aucune
difficulté de se charger une seconde fois du fardeau de l'Episcopat,
en qualité de Vicaire-Général de
l'Archevêque de *Roüen*.

Après avoir rempli pendant quelque temps les devoirs de ce poste
avec une parfaite exactitude, il crut
que Dieu l'appelloit de nouveau à
la retraite. C'est pourquoi l'ayant
abandonné, il vint à *Paris*, & y
établit sa demeure dans l'Hôpital
des Incurables, dans le dessein de
passer le reste de sa vie avec les
pauvres.

Les difpofitions où il étoit fur J. P. CA-
cet article , n'empêcherent point MUS.
que le Roi , perfuadé qu'il pouvoit encore rendre fervice à l'E-
glife , ne le nommât à l'Evêché
d'*Arras*. Cette nomination lui parut un ordre du Ciel , & il s'y
foûmit. Mais avant que fes Bulles
fuffent venuës de *Rome* , il mourut dans le lieu de fa retraite le
26. Avril 1652. dans la 70me. année de fon âge. Il avoit fouhaité
être inhumé dans l'Eglife des Incurables , & fa volonté fut exécu-
tée.

Les foins de l'Epifcopat , & le
nombre prodigieux d'Ouvrages qu'-
il a compofés ne l'ont point empêché de fatisfaire le goût particulier qu'il avoit pour la prédication. Il a prêché des Carêmes & des
Avens en un grand nombre d'E-
glifes du Royaume , & il étoit toûjours prêt à contenter fur cet article ceux qui defiroient l'entendre.
On a confervé quelques traits fin-
guliers de fes Sermons , qui font
voir qu'il difoit fort librement la
vérité, & qu'il donnoit fouvent dans

I ij

J. P. CA
MUS.

des pensées fausses & peu justes. En voici quelques-unes.

Chevreau alla un Lundi de Pâques l'entendre aux Incurables ; » Comme il étoit, dit-il, tom. 1. » du *Chevræana* p. 297. à l'*Ave* » *Maria*, M. le Duc d'*Orleans* en- » tra, suivi d'un Cortége confide- » rable, & entre autres de M. l'Ab- » bé *de la Riviere*, insigne flatteur, » & de M. *Tubeuf* alors Intendant » des Finances. Après que Mon- » sieur eut pris sa place, & que » l'auditoire fut tranquille, il fit » prier M. de *Belley* de recommen- » cer pour lui son Sermon, dont » il n'avoit fait que l'ouverture. » L'Evêque obéit, & après l'avoir » salué fort humblement, il lui » dit : *Monseigneur*, *Dimanche der-* » *nier*, *je prêchai le triomphe de Je-* » *sus-Christ à Jerusalem*, *Vendredi* » *sa mort*, *hier sa résurrection*, *&* » *aujourd'hui*, *je dois prêcher son pe-* » *lerinage à Emmaüs avec deux de* » *ses Disciples. J'ai vû, Monsei-* » *gneur, Votre Altesse Royale dans le* » *même état. Je vous ai vû triom-* » *phant dans cette Ville avec la Rei-*

» *ne Marie de Medicis votre Mere* ; J. P. CA-
» *je vous ai vû mort par des Arrêts* MUS.
» *ſous un Miniſtre ; je vous ai vû*
» *reſſuſcité par la bonté du Roi votre*
» *Frere ; & je vous vois aujourd'hui*
» *en pelerinage. D'où vient , Mon-*
» *ſeigneur , que les grands Princes*
» *ſe trouvent ſujets à ces changemens ?*
» *Ah , Monſeigneur , c'eſt qu'il n'é-*
» *coutent que les flatteurs , & que la*
» *verité n'entre ordinairement dans*
» *leurs oreilles , que comme l'argent*
» *entre dans les coffres du Roi ; un*
» *pour cent.* Chacun fut ſurpris de
la hardieſſe de l'Evêque.

Le trait eſt a peu près ſemblable
à celui ci qu'on lit dans le *Mena-*
giana tom. 4. p. 154.

» M. l'Evêque de *Belley* prê-
» chant la Paſſion à *S. Jean* en Grè-
» ve devant M. le Duc *d'Orleans*
» *Gaſton* , s'apperçut que ce Prince
» étoit placé entre M. *d'Emery* &
» M. *de Bullion* , Intendans des Fi-
» nances. Il prit de-là occaſion de
» faire cette exclamation équivo-
» que. *Ah ! Monſeigneur ,* s'écria-
» t-il *, quand je vous vois entre deux*
» *larrons ,* &c. Cela fut remarqué

J. P. CA-
MUS.

» par une bonne partie de l'assem-
» blée, qui ne put s'empêcher d'en
» rire. Monsieur, qui dormoit,
» se réveillant en sursaut, deman-
» da ce que c'étoit. *Ne vous inquie-*
» *tez pas*, lui dit M. de Bullion,
» en lui montrant M. *d'Emery*,
» *c'est à nous deux qu'on parle.*

» Prêchant un jour devant M.
» l'Archevêque de .... dont les ma-
» nieres étoient fort bizarres, *Mon-*
» *seigneur*, lui disoit-il, *quand je*
» *m'imagine votre tête, je crois voir*
» *une Bibliothéque. D'un côté je vois*
» *les Livres de S. Augustin, de S.*
» *Jerôme, de l'autre ceux de S. Cy-*
» *prien & de S. Chrysostome, &*
» *quantité de places pour en mettre*
» *d'autres.* C'étoit lui dire honnête-
» ment qu'il avoit des Chambres
» à loüer. *Ibid.* p. 156.

» Dans un Sermon qu'il faisoit
» aux Cordeliers le jour de S. Fran-
» çois: *Mes Peres*, leur disoit-il,
» *admirez la grandeur de votre Saint,*
» *ses miracles passent ceux du Fils*
» *de Dieu. Jesus - Christ avec cinq*
» *pains & trois poissons ne nourrit*
» *que cinq mille hommes une fois* en

» *fa vie , & S. François avec une* J. P. CA-
» *aune de toile , nourrit tous les jours ,* MUS.
» *par un miracle perpetuel , quaran-*
» *te mille faineans. Ibid.*

Prêchant dans l'Assemblée des
Trois Etats du Royaume le 1. Dimanche de l'Avent 1614. un Sermon, qu'il a fait imprimer , il parla
ainsi : *Qu'eussent dit nos Peres de*
voir passer les Offices de Judicature
à des femmes & à des enfans au
berceau ? Que reste - t - il plus , si-
non , comme cet Empereur ancien ,
d'admettre des chevaux au Sénat ?
Et pourquoi-non ? Puisque tant d'ânes
y ont entrée.

Il n'aimoit point les Saints nouveaux , & disoit un jour en Chaire
sur ce sujet. *Je donnerois cent de*
nos Saints nouveaux pour un ancien.
Il n'est chasse que de vieux chiens ;
il n'est châsse que de vieux Saints.

Il se plaisoit fort à faire des al-
lusions , quelques mauvaises qu'elles fussent. » Prononçant un jour
» le Panegyrique de *S. Marcel ,*
» son texte fut le nom Latin de
» ce Saint, *Marcellus ,* qu'il coupa
» en trois pour les trois parties de

J. P. CA
MUS.

» ſon diſcours. Il dit qu'il trou-
» voit trois choſes cachées dans le
» nom de ce grand Saint. 1°. Que
» *Mar* vouloit dire qu'il avoit été
» une mer de charité & d'amour
» envers ſon prochain. 2°. Que *Cel*
» montroit qu'il avoit eu au ſou-
» verain degré le ſel de la ſageſſe
» des enfans de Dieu. 3°. Que *Lus*
» prouvoit aſſez , comme il avoit
» porté la lumiere de l'Evangile à
» tout un grand Peuple , & com-
» me lui-même avoit été une lu-
» miere de l'Egliſe , & la lampe
» ardente qui brûloit du feu de
» l'amour divin. *Valeſiana.*

Parlant un jour des Couvens ,
il diſoit : *Dans les anciens Monaſte-*
res , on voyoit de grands Moines , de
venerables Religieux ; à preſent illic
paſſeres nidificabunt : *l'on n'y voit*
plus que des Moineaux. Menagian.
tom. 4. p. 156.

Il diſoit dans le même goût qu'-
après leur mort les Papes devenoient des Papillons , les Sires des
Cirous , & les Rois des Roitelets.
Ibid. tom. 1. p. 182.

Ce qu'il dit un jour à Notre-

Dame , avant que de commencer J. P. CA-
son Sermon , est plus spirituel : MUS.
Messieurs , on recommande à vos cha-
ritez une jeune Demoiselle qui n'a pas
assez de bien pour faire vœu de pau-
vreté. Ibid.

Il n'y a gueres de jugement dans
ce qu'il dit une autre sois , qu'*un*
homme seul pouvoit faire plusieurs pe-
chés , blasphemer , mentir , dérober ,
assassiner , &c. Mais que le peché de
la chair étoit si grand , qu'il falloit
être deux pour le commettre. Chevræa-
na , tom. 2. p. 33.

Catalogue de ses Ouvrages.

1. *Panegyrique de la Mere de*
Dieu : par *Jean-Pierre Camus , nom-*
mé à *l'Evêché de Belley. Paris.* 1608.
*in-*12. Feüill. 95. C'est le premier
Ouvrage de notre Auteur , qui l'a
depuis inseré dans le 10. tome de
ses *Diversitez.* p. 390.

2. *Parenetique de l'amour de Dieu.*
Paris. 1608. *in-*8°. Feüill. 192.

3. *Les Diversitez de M. J. P.*
Camus. Paris. 1609. *& suiv. in* 8°.
onze volumes. Cet Ouvrage a été
réimprimé à *Lyon* en 1619. & a
Douay en 1620. C'est un recueil de

J. P. CA-
MUS.

differens lieux communs, sous lesquels l'Auteur a rassemblé tout ce qu'il avoit trouvé dans ses lectures, & ses propres réflexions. Le 8me. volume n'est composé que de Lettres Morales , & le 9me. traite des passions de l'ame.

4. *Premieres Homelies Quadragesimales. Paris.* 1615. *in* 8°. pp. 418. It. en Latin. *Primæ Homiliæ Quadragesimales , & in Passionem Christi. Coloniæ.* 1621. *in*-8°.

5. *Homelie des trois Simonies , Ecclesiastique , Militaire , & Judiciaire , prononcée à l'Assemblée générale des trois Etats de France , en l'Eglise des Augustins à Paris le premier Dimanche de l'Avent* 1614. *Paris.* 1615. *in*-8°. pp. 62.

6. *Homelie des trois fleaux des trois Etats de France , prêchée en l'Assemblée générale des trois Ordres , en l'Eglise des Augustins à Paris le Dimanche dans l'Octave de Noël. Paris.* 1615. *in*-8°. p. 55.

7. *Homelie des desordres des trois Etats de cette Monarchie , haranguée en l'Assemblée des Etats Généraux du Royaume à Paris en l'Eglise*

des Auguſtins le 5me. *Dimanche après* J. P. CA-
l'Epiphanie. Paris. 1615. *in* - 8°. MUS.
pp. 86.

8. *Homelies ſur la Paſſion de Nô-
tre-Seigneur.* La premiere édition
doit être de l'année 1616. ou de
1617. puiſque l'Approbation eſt du
14. Novembre 1 6 1 6. It. *Paris.*
1623. *in-8°.* pp. 525. It. *Roüen* 1641.
in-8°. pp. 541. C'eſt un Carême
entier ſur la Paſſion de *J. C.* qu'il
prêcha dans ſa Cathedrale de *Belley*
en 1616. On en a une traduction
Latine , que j'ai marquée ci-deſſus
au n°. 4.

9. *Premieres Homelies Dominicales. Paris.* 1617. *in-8°.* pp. 488. It.
*Nouvelle édition augmentée de plu-
ſieurs excellens Sermons , traitant des
dignitez & Cérémonies de l'Egliſe.
Roüen.* 1636. *in-8°.* It. traduites en
Latin avec les ſuivantes : *Homiliæ
Dominicales & Feſtivales. Coloniæ.*
1619. *in-8°.*

10. *Premieres Homelies Feſtives.
Paris.* 1 6 1 7. *in* - 8°. pp. 627. It.
Roüen 1635. *in-8°.* It. *Ibid.* 1640.
in-8°. pp. 627. It. *Ibid.* 1647. *in* ·8°·
pp. 627.

J. P. CA-
MUS.

11. *Méditations sur le mystere de
la naissance du Sauveur, dressée suivant la methode de sa direction à l'O-
raison mentale. Paris.* 1617. *in* - 12.
pp. 333.

12. *Direction à l'Oraison Men-
tale.* 2me. *édition. Paris.* 1618. *in* - 12.
pp. 756. Comme le Privilege est du
21. Novembre 1616. La premiere
édition doit être de cette année, ou
de la suivante It. *Paris.* 1645. *in* - 12.

13. *Premieres Homelies Eucharis-
tiques, prêchées à Paris en l'Eglise
de S. Mederic l'octave de l'An,* 1617.
Paris. 1618. *in* 8o. pp. 252. It. traduites en Latin : *Primæ Homiliæ de
Eucharistiæ Sacramento. Coloniæ.* 1621.
in - 8o.

14. *Premieres Homelies Mariales.
Paris.* 1619. *in* - 8o. pp. 256. It.
Cambray. 1620. *in* - 8o. It. *Roüen.* 1628.
in - 8o. pp. 256. It. traduites en Latin.
*Homiliæ Mariales de præcipuis festivi-
tatibus B. Mariæ. Coloniæ.* 1621. *in* - 4o.

15. *Premieres Homelies diverses
de M. J. P. Camus prêchées tant en
son Diocèse, comme en divers lieux,
selon les occurrences extraordinaires.
Paris.* 1619. *in* - 8o. pp. 604. It.

Cambray. 1620. *in* 8°. pp. 427.

16. *Metanée ou de la Penitence.*
Homelies prêchées à Paris en l'Egli-
se de S. Severin, l'Advent de l'an
1617. *Paris.* 1619. *in-* 80. pp. 329.
It. Cambray 1620 *in-*80. pp. 176.

17. *La Metanaearpie, ou des*
fruits de la Penitence, qui sont l'O-
raison, l'Aumône, & le Jeûne. Ho-
melies prêchées en l'Eglise de S. Jac-
ques de la Boucherie, l'Advent de l'an
1618. *Cambray* 1620.*in-*80. pp. 416.

18. *Homelies spirituelles sur le Can-*
tique des Cantiques, prêchées à Paris
en l'Eglise de la Congrégation de l'O-
ratoire. Paris. 1620. *in-*8°. pp. 488.

19. *La Mémoire de Darie, où se*
voit l'idée d'une dévotieuse vie, &
d'une religieuse mort. Paris. 1620. *in-*
12. pp. 500. *It. Paris.* 1625. *in-*8°.

20. *Agathonphile, où les Martyrs*
Siciliens, Agathon, Philargyrippe,
Tryphine, & leurs Associez. Histoire
devote, où se découvre l'art de bien
aimer, pour antidote aux deshonnê-
tes affections. La premiere édition
doit être de l'an 1621. puisque le
Privilege est du 17. Decembre 1620.
& l'Approbation du 15. du même

J. P. CA-
MUS.

mois It. 3e. *édition revûë & aug-*
mentée de nouveau. Paris. 1638. *in*-8°.
pp. 938. Cet Ouvrage est divisé en
douze livres, qui sont suivis d'un
long éloge des Histoires devotes.
On en a donné un Abregé, déga-
gé de tout le verbiage que l'Evêque de *Belley* mêloit ordinairement dans ses Ouvrages, sous ce
titre : *Les pieux delassemens de l'esprit.*
Agathon & Tryphine, *Histoire Sici-*
lienne. Nancy. 1711. *in*-12. pp. 354.

21. *Elise*, *ou l'innocence coupable.*
Evenement tragique de nôtre temps.
Paris. 1621. *in*-80. pp. 427.

22. *Dorothée*; *ou récit de la pi-*
toyable issuë d'une volonté violentée.
Paris. 1621. *in*-80. pp. 320.

23. *Parthenice*, *où Peinture d'u-*
ne invincible chasteté. *Histoire Napo-*
litaine. Il doit y avoir eu une édition de l'an 1621. l'Approbation
étant du 28. Mars de cette année.
It. *Paris.* 1624. *in*-8°. It. *Ibid.* 1637.
in-8°. pp. 744.

24. *Alexis*, *où sous la suite de di-*
vers pélérinages sont déduites plusieurs
histoires tant anciennes que nouvelles,
remplies d'enseignemens de pieté. Paris.

in-8º. six volumes. Les quatre pre- J. P. CA-
miers en 1622., & les deux autres MUS.
en 1623.

25. *Agathe à Lucie ; Lettre pieu-
se. Paris.* 1622. *in* 12. pp. 169. C'est
une Lettre , qui ne contient que
des enseignemens de pieté ; ainsi
c'est mal-à-propos qu'on l'a fait entrer dans la *Bibliotheque des Romans* ,
en substituant à son veritable titre
celui d'*Agathe & Lucie.*

26. *Mélange d'Homelies. Paris.*
1622. *in*-8º. pp. 632. Ce Recueil est
different de celui que j'ai marqué
au nº. 15.

27. *Homelies Panegyriques de S.
Charles Borromée. Paris.* 1623. *in*-8º.
pp. 224. Il y en a huit.

28. *Homelies Panegyriques de S.
Ignace de Loyola , Fondateur de la
Compagnie de Jesus. Lyon.* 1623. *in*-
8º. pp. 598. Elles sont au nombre
de treize.

29. *Eugene ; Histoire Grenadine ,
offrant un spectacle de pitié. Paris.*
1623. *in*-12. pp 387.

30. *Spiridion , Anacorete de l'A-
pennin. Paris.* 1623 *in* 12. pp. 329.

31. *Roselis, où l'Histoire de Sain-*

J. P. CA-te *Susanne. Paris.* 1623. *in-*8°. pp.
MUS. 670.

32. *Le Saint desespoir d'Oleastre.*
Lyon. 1623. *in-*12. pp. 351.

33. *Hermiante, où les deux Her-*
mites contraires, le reclus & l'instable. Histoires admirables, ès quelles
est traité de la perfection Religieuse.
Lyon. 1623. *in* 80. It. *Roüen* 1639.
*in-*8°. pp. 573. La seconde de ces
deux Histoires a été reimprimée
sous ce titre. *L'Hermite Pelerin, &*
sa peregrination, perils, dangers, &
divers accidens tant par mer, que
par terre. Ensemble de son voyage de
Montferrat, de Compostelle, Rome,
Lorette, & Hierusalem. Douay. 1628.
in 80.

34. *Soliloques. Paris.* 1623. *in-*16.
pp. 175. Ouvrage de pieté.

35. *Acheminement à la devotion*
civile. Toulouse. 1624. *in-*12. pp. 733.
Sur un Privilege de cette année. It.
Douay. 1625. *in-*12. pp. 623.

36. *Aristandre, Histoire Germa-*
nique. Lyon. 1624. *in-*12. pp. 382.
On trouve à la fin une *Lettre de*
Clitophon à Chrisante sur les Oeuvres
de M. l'Evêque de Belley. pp. 46.
Elle

Elle eſt de la même main que J. P. CA-
l'Hiſtoire.

37. *La pieuſe Julie. Hiſtoire Pa-*
riſienne. Paris. 1625. *in-8o.* pp. 584.

38. *Alcime. Relation funeſte , où*
ſe découvre la main de Dieu ſur les
impies. Paris. 1625. *in-12.* pp. 680.

39. *Palombe ; ou la femme hono-*
rable. Hiſtoire Catalane. Paris. 1625.
in-8o. pp. 590.

40. *Iphigene. Rigueur Sarmatique.*
Lyon. 1625. *in-12.* Deux vol. pp.
745. & 765.

41. *Daphnide ; ou l'integrité victo-*
rieuſe. Hiſtoire Arragonnoiſe. Lyon.
1625. *in-12.* pp. 402.

42. *Le Cleoreſte. Hiſtoire Françoi-*
ſe - Eſpagnole , répréſentant le ta-
bleau d'une parfaite amitié. Lyon.
1626. *in 8o.* Deux tom. pp. 821. &
819.

43. *Petronille ; Accident pitoyable*
de nos jours , cauſe d'une vocation
Religieuſe. Lyon. 1626. *in-8o.* pp.
484. It. *Paris.* 1632. *in-8o*. pp. 484.
It. *Roüen.* 1639. *in-8o.*

44. *Diotrephe. Hiſtoire Valentine.*
Lyon. 1626. *in-8o.* pp. 226.

45. *Flaminio & Colman ; deux*

Tom XXXVI.   K

J.P. CA-
MUS.

miroirs , l'un de la fidelité , & l'autre de l'infidelité des Domestiques. *Lyon.*
1626. *in* 12. pp. 309.

46. *Aloph*, où le Paratre malheu-
reux. *Histoire Françoise. Lyon.* 1626.
in-12.

47. *Damaris*, où l'implacable *Ma-*
ratre. *Histoire Allemande. Lyon.* 1627.
in-12. pp. 210. It. Avec *Aloph. Lyon.*
1649. *in*-8o.

48. *Hyacinthe. Histoire Catalane* ,
où se voit la difference d'entre l'a-
mour & l'amitié. *Paris.* 1627. *in*-8o.
pp. 366.

49. *Regule. Histoire Belgique. Lyon.*
1627. *in*-8o. pp. 533.

50. *Hellenin* , & *son heureux mal-*
heur. Ensemble *Callitrope* , ou le changement de la droite de Dieu. *Lyon.*
1628. *in*-8o. pp. 390. Sur un Privilege du 15. Septembre 1627.

51. *Casilde* , ou le bonheur de l'honnêteté. *Paris.* 1628. *in*-12. pp. 230.

52. *Honorat*, & *Aurelio. Evenemens*
curieux. *Roüen* 1628. *in*-8o.

53. *Les occurences remarquables. Pa-*
ris. 1628. *in*-8o. pp. 478. It. *Ibid.*
1638. *in*-8o. It. *Roüen.* 1642. *in*-8o.
pp. 472. C'est un Recueil de diffe-

rentes Histoires, de même que l'ouvrage suivant.

54. *Les Evenemens singuliers , divi-
sez en quatre livres. Lyon.* 1628. *in-
8°.* It. *Paris.* 1631. *in* 80. It. *Lyon.*
1638. *in-8°.* It. *Roüen* 1643. *&* 1659.
in - 80. It. *Revûs & corrigés. Paris.*
1660. *in-80.* pp. 420. & 495.

55. *Marianne , ou l'innocente victime. Evenement tragique arrivé au
Fauxbourg S. Germain. Paris.* 1629.
in-12. pp. 253.

56. *Clearque & Timolas. Roüen.*
1629. *in-12.* pp. 319. It. *Avec l'Ou-*
vrage marqué au nº. 52. sous ce titre : *Clearque , Timolas , Honorat
& Aurelio. Roüen* 1630. *in-12.*

57. *Les spectacles d'horreur , où
se découvrent plusieurs tragiques effets
de notre Siecle. Paris* 1630. *in - 80.*
pp. 552. It. *Ibid.* 1633. *in-80.* Recueil d'Histoires , de même que les
Livres suivans.

58. *L'Amphitheatre sanglant ; où
sont représentées plusieurs Histoires tragiques de notre temps ; en deux parties. Paris.* 1630. *in-80.* pp. 503.

59. *Bouquet d'Histoires agreables.
Paris.* 1630. *in-80.* It. *Roüen.* 1639.
in 80. pp. 478.   K ij

60. *Les succès differens. Paris.* 1630. *in-8o.*

61. *Le voyageur inconnu. Histoire curieuse & Apologetique pour les Religieux. Paris.* 1630. *in-8o.* pp. 420.

62. *Apologie pour les Réguliers, ou continuation de l'Histoire curieuse d'un voyageur inconnu. Paris.* 1630. *in-8o.* It. 2e. *édition. Angers.* 1656, *in-8o.* pp. 266. It. *Paris.* 1657. *in-12.* pp. 229.

63. *Traité du Chef de l'Eglise. Paris.* 1630. *in-8o.* pp. 402.

64. *De la primauté & principauté de S. Pierre & de ses Successeurs Traité Chronologique. Paris.* 1630 *in-8o.* pp. 803. Ouvrage different du précédent.

65. *Les Rélations Morales. Paris.* 1631. *in-8o.* pp. 666. It. *Roüen.* 1638. *in-8o.* pp. 475. Nouveau recueil d'Histoires.

66. *La Tour des Miroirs. Ouvrage Historique. Paris.* 1631. *in-8o.* pp. 747.

67. *Le Pentagone Historique, montrant en cinq façades autant d'accidens signalés. Paris.* 1631. *in-8o.* pp. 826.

68. *Traité de la réformation inte-*

rieure selon l'esprit du B. François de
Sales. Paris. 1631. *in · 12.* pp. MUS
347.

69. *De l'Unité vertueuse ; secret*
spirituel , pour arriver par l'usage d'u-
ne vertu au comble de toutes les au-
tres. Tiré de la doctrine du B. Fran-
çois de Sales. Paris. 1631. *in-*12.
pp. 276.

70. *Le Directeur spirituel desinte-*
ressé , selon l'esprit de S. François
de Sales. Paris. 1631. *in - 12.* pp.
431. C'est la 1e. édition. It. 2e. *édi-*
tion Paris. 1632. *in-*12. pp. 477. It.
Roüen. 1634. *in* 12.

71. *Les observations Historiques.*
Douay. 1631. *in* 12. pp. 565. Recueil de petites Histoires , à la fin
desquelles est un Catalogue des
Ouvrages de l'Auteur.

72. *De la pure dilection. Discours*
spirituel selon la doctrine de S. Fran-
çois de Sales. Lyon. 1632. *in-*16. pp.
363.

73. *De la Synderese.* J'ignore la
date de cet Ouvrage , qui est marqué dans son Catalogue , de même
que du suivant , qui s'y trouve
aussi.

74. *La Luitte Spirituelle.*

75. *Crayon de l'éternité. Rouën* 1632. *in* 8°. pp. 539.

76. *Divertissemens Historiques. Paris* 1632. *in*-80. It. *Rouën* 1642. *in*-8°. pp. 464. Nouveau Recueil d'histoires.

77. *Leçons exemplaires. Paris* 1632. *in* 80. pp. 549. It. *Rouën* 1642. *in*-8°. pp. 470. Ouvrage du même goût que le précedent.

78. *L'Antimoine bien préparé , ou défense du Livre de M. l'Evêque de Belley , intitulé :* Le Directeur désintéressé *; contre les réponses de quelques Cenobites. Par B. C. O. D.* 1632. *in*-8°. pp. 24. Quoique cet Ouvrage ne soit point dans le Catalogue de ceux de Mr. l'Evêque de *Belley* , il est cependant à présumer qu'il est de lui , puisque tout le monde le lui donne , & qu'on y trouve son stile. C'est une réponse au Livre , qui a pour titre. *Defense des Cenobites , ou réponse au Directeur desinteressé.* 1631 *in*-8°.

79. *Lettre de M. le Cardinal de Richelieu à M. l'Evêque de Belley sur le sujet des Religieux ; avec la réponse du-*

dit ſieur Evêque de Belley , enſemble J. P. CA-
la Lettre des Religieux à M. le Cardi- M U S.
nal. *Paris* 1633. *in-*8°. La Lettre de
M de Belley eſt du 15. Avril 1632.
Le Cardinal *de Richelieu* vouloit , à
la requiſition des Religieux , lui perſuader de ne point faire paroître ſon
livre de l'ouvrage des Moines ; mais
il ne put rien gagner ſur lui.

80. *S. Auguſtin de l'Ouvrage des
Moines, enſemble quelques piéces de S.
Thomas , & de S. Bonaventure ſur le
même ſujet, le tout rendu en notre Langue , & aſſorti de reflexions ſur l'uſage
du temps.* Rouën 1633. *in-*8°. pp. 878.
ſur un Privilege du 1. Mars de cette
année. Cet Ouvrage ſouleva contre
lui la plûpart des Ordres Mendians ;
mais il leur répondit dans la ſuite.
Long-temps après il en parut une
eſpéce d'abregé ſous ce titre. *L'Apo-
calypſe de Meliton ; ou Revelation des
Myſteres Cenobitiques. Par Meliton.*
S. Leger. 1662. *in-*24. pp. 267. It.
Ibid. 1668. *in-*12. Il y en a deux
éditions de cette année , l'une de
230. pages , & l'autre de 205. Cet
abregé ſe trouve dans pluſieurs Catalogues attribué fort mal-à-propos à

G. P. CA-
MUS.

Jean-Pierre Camus, qui étoit mort
dix ans avant qu'il parût. *Bayle* nous
en fait connoître le véritable Auteur
dans ses *Réponses aux questions d'un
Provincial* tom. 1e. » C'est, dit-il,
» l'ouvrage d'un Minime, qui s'est
» fait de la Religion. Il étoit de la
» Province de Champagne, & s'ap-
» pelloit le P. *Pithois*. Il se distingua
» dans son Ordre par l'éloquence de
» la chaire, & passa pour un grand
» Prédicateur. Ayant eu dessein de
» quitter le froc, il se retira à *Sedan*,
» & y fit profession ouverte de la Re-
» ligion Protestante. Il se fit recevoir
» Avocat, & réussit au Barreau. Il fut
» aussi Professeur en Philosophie
» dans l'Academie de *Sedan* avec
» beaucoup de réputation ; il enten-
» doit à merveille les subtilités des
» Scholastiques. Il mourut à *Sedan* en
» 1676. à l'âge d'environ 80. ans. Ce
» fut dans cette ville-là, si je ne me
» trompe ; qu'il fit imprimer son
» *Apocalypse de Meliton.*

81. *De la Foy vive ; exercice spirituel. Paris.* 1633. *in*-12. pp. 564.

82. *Le Discernement interieur, recueilli de quelques entretiens spirituels
de*

de M. J. P. C. E. de Belley. Rouën. J. P. CA-
1634. *in-*12. pp. 188. MUS.

83. *Traité de la Pauvreté Evange-
lique. Besançon* 1634. *in-*8°. pp. 386.

84. *Traité de la désapropriation
claustrale. Besançon* 1634. *in* 8°. pp.
355. Cet ouvrage & le précedent
furent attaqués dans un livre anonyme intitulé : *Anti-Camus* ; *ou Censure des erreurs de M. Camus, Evêque de Belley, touchant l'état des Religieux, divisée en deux parties* ; *où est
particulierement refuté son Livre de la
désapropriation claustrale, & de la
pauvreté Religieuse. Douay.* 1634. *in-*
8°. pp. 144. & 174.

85. *Le Rabat-joye du Triomphe
Monacal, tiré de quelques Lettres, recueillies par P. D. S. Hilaire. Lisle*
1634. *in-*8°. pp. 238. Le sieur de S.
Hilaire, n'est autre que notre Auteur, qui donne ici un Recueil de
ses Lettres.

86. *La suite du Rabat-joye du triomphe Monacal, recueillie par le sieur de
S. Hilaire.* 1634. *in-*8°. pp. 256.

87. *De la mendicité légitime des pauvres séculiers. Douay.* 1634. *in-*12.
pp. 162.

Tome XXXVI. L

88. *De l'Unité de la Hierarchie.*
Douay. 1634. *in*-16. pp. 157.

89. *Deux Discours pour le Roy faits
en Avril* 1632. *Paris.* 1635. *in*-8º. pp.
116. L'un est intitulé : *Discours sur
les trophées du Roy*, & l'autre : *Discours de piété pour le Roy.*

90. *Les éclaircissemens de Meliton
sur les Entretiens curieux d'Hermodore*, *à la justification du Directeur dé-
sinteressé. Par le sieur de saint Agatange.* 1635. *in*-40. Deux Vol. L'E-
vêque de *Belley*, qui a pris ici le nom
de *Saint Agatange*, y répond à un
Livre que le P. *Jacques de Chevanes*,
natif d'*Autun*, Capucin, avoit publié sous ce titre : *Les entretiens curieux d'Hermodore*, *ou Apologie des
Moines contre J. P. Camus*, *Evêque
de Belley*, *par le sieur de S. Agran.
Lyon* 1634. *in*-4º.

91. *Les justes quêtes des Ordres
Mendians*, *tirez d'un écrit de M. l'E-
vêque de Belley*, & *publiées par* J.
D. A. *Douay* 1635. *in*-12. pp. 89.

92. *Theodoxe*, ou *de la gloire de Dieu.
Opuscule. Caen.* 1637 en 8. feüill. 190.
It. *Rouen* 1639. *in*-8º. pp. 138.

93. *Le renoncement de soi-même.*

Eclaircissement spirituel. Paris 1637. MUS.
in-8° .pp. 163.

94. *Le Banquet d'Assuere. Paris.*
1638. *in*-8°. pp. 238. C'est un Livre
de Morale, que l'on a eu tort de faire
entrer dans la *Bibliotheque des Romans.*

95. *Conference Académique.* Marquée dans son Catalogue.

96. *Varietez Historiques. Paris.*
1638. *in*-8°. It. *Rouen* 1642. *in*-8°.
pp. 364.

97. *Le Devot à la Vierge, recueilli des Sermons de M. J. P. C. E. de
Belley, par P. L. R. P. Caen* 1638.
in-12. Feuill. 190. y compris les
deux Ouvrages suivans, qui portent
cependant la date de l'an 1637.

98. *Le Chapelet de Notre-Dame de
Lorette présenté aux devots de la Sacrée
Vierge Marie. Caën* 1637. *in*-12.

99. *L'Iris, ou Couronne de la Mere de la belle Dilection, sur quatre excellentes vertus de Notre-Dame. Caën*
1637. *in*-12.

100. *De la volonté de Dieu. Secret
ascétique. Paris* 1638. *in*-8°. pp.
155.

101. *Instruction spirituelle sur la perfection Chrétienne. Caën* 1638. *in*-16. pp.

188. sur un Privilege de l'an 1635.

**J. P. CA-
MUS.**

102. *Sujets de Méditation sur la volonté de Dieu. Caën* 1638. *in*-16. Feüil. 109. sur une approbation de 1635.

103. *Catechese sur la correspondance de l'Ecriture Sacrée & de la sainte Eglise. Ensemble la réponse à douze demandes, faites par un Protestant. Caën.* 1638. *in*-12. *pp.* 106.

104. *Industries spirituelles contre les stratagêmes de l'amour propre. Caën* 1638. *in*-16. Feuil. 107. sur une Approbation de 1636.

105. *Points considerables sur les parfaites intentions. Caën* 1638. *in*-16. Feüill. 148. sur une approbation de 1635.

106. *Préparation pour une personne, qui se dispose à la reception de l'habit conventuel. Caën* 1638. *in*-16. Feuill. 20.

107. *Pensées affectives sur un moyen familier pour avancer en perfection. Caën* 1638. *in*-16. Feuill. 100. Approb. de 1636.

108. *Enseignemens sur l'exercice de mortification.* Caen. 1638. *in*-16. feüil. 50.

109. *Retraite spirituelle de dix jours* J.P.CA-
sur l'union de l'ame avec Dieu. Caen. MUS.
1638. *in-16.*

110. *Consideration sur le progrès
interieur. Caen.* 1638. *in-16.* Feüill.
55. Toutes ces piéces imprimées à
Caen. in-16. sur une Approbation de
1636 , sont les *petits Exercices Spirituels* marqués dans son Catalogue.

111. *Réparties succintes à l'abregé
des Controverses de M. Charles Drelincourt. Caen.* 1638. *in* 8°. pp. 627.
Avec l'Ouvrage suivant.

112. *Antitheses Protestantes ; ou
opposition de l'Ecriture Sainte , & de
la Doctrine des Protestans , selon les
versions de leurs propres Bibles. Caen.*
1638. *in*-8°. pp. 275. A la suite du
Livre précédent.

113. *La démolition des fondemens
de la Doctrine Protestante par les animadversions sur les lieux communs recueillis par les Ministres , & attachez
aux Bibles Rocheloises & Genevoises.
Paris.* 1639. *in*-8°. pp. 430.

114. *Confrontation des Confessions
de foy de l'Eglise Romaine & de la
Protestante avec l'Ecriture Sainte. Paris.* 1639. *in*-8°. pp. 210. A la suite
de l'Ouvrage précédent.　L iij

J. P. Ca-
mus.

115. *De la souveraine fin des actions chrétiennes. Opuscule. Roüen.* 1639. *in-8°.* pp. 285. C'est une suite de l'Ouvrage, que j'ai rapporté au n°. 92.

116. *La Couronne de l'An, ou Méditations pour tous les jours de l'année ; suivant l'Office & la devotion de l'Eglise. Caen.* 1639. *in-16.* trois tomes.

117. *Les entretiens Historiques. Paris.* 1639. *in-8°.* pp. 677. Ce sont differentes Histoires.

118. *Decades Historiques. Douay.* 1639. *in-8°.* It. *Roüen.* 1642. *in-8°.* pp. 411. Approbation de 1631.

119. *La Creche, la Circoncision, & l'Epiphanie Mystiques. Roüen.* 1640. *in-8°.* pp. 99. 71. 65.

120. *Deux solitudes spirituelles ; l'une de dix jours sur la purgation, illumination, & perfection de l'ame ; l'autre de cinq jours sur les vœux Monastiques. Paris.* 1640. *in-12.* pp. 309.

121. *De la perfection du vrai Chrétien. Exercitations pieuses. Paris.* 1640. *in-8°.* pp. 627.

122. *L'Ecole de perfection, tirée de quelques leçons spirituelles, faites par M. J. P. C. E. de Belley. Paris.*

1640. *in*-12. pp. 279. Ouvrage diffe- **J. P. CA-**
rent du précédent. **MUS.**

123. *La folitude interieure , tirée de quelques leçons fpirituelles , faite par M. J. P. C. E. de Belley. Paris.* 1640. *in*-12. pp. 74.

124. *La défenfe du pur amour de Dieu, contre les attaques de l'amour propre. Paris.* 1640. *in*-8°. pp. 623.

125. *La Theologie Myftique. Paris.* 1640. *in*-12. pp. 460.

126. *Les enfeignes de la paffion de J. C. deployées. Ou entretiens fpiri-tuels pour la Semaine Sainte. Paris.* 1640. *in*-12. pp. 332. It. *Ibid.* 1644. *in*-12.

127. *L'avoifinement des Proteftans vers l'Eglife Romaine. Paris.* 1640. *in* 8°. pp. 170. It. *Roüen.* 1648. *in*-8°. It. fous ce titre : *Moyens de réünir les Proteftans avec l'Eglife Romai-ne, publiez par M. Camus, Evêque de Belley, fous le titre de l'*Avoifinement des Proteftans vers l'Eglife Romai-ne *, nouvellement corrigés & augmen-tés de remarques , par M.. Paris.* 1703. *in*-12. pp. 310. C'eft *Richard Simon* , qui a donné cette nouvel-le édition , & qui y a joint fes re-

J. P. CA-
MUS.

marques. L'Ouvrage en lui-même,
est le meilleur qu'ait fait notre Auteur.

128. *L'Homme Apostolique en la
vie de saint Norbert, Archevêque
de Magdebourg; avec des observations
touchant les prérogatives de l'institut
Clerical & Canonical des Chanoines
de Prémontré. Caen* 1640. *in* 8º.
Feuill. 234. pour la 1ᵉ. partie, &
pp. 209. pour la seconde.

129. *L'esprit du B. François de Sales, Evêque de Geneve, représenté en
plusieurs de ses actions & paroles remarquables; recueillies de quelques sermons, exhortations, conferences, con-
versations, livres, & lettres de M. J.
P. Camus, E. de Belley. Paris* 1641.
*in-*8o. Six Vol. It. *Paris.* 1727. *in-*8º.
Cette seconde Edition ne contient
qu'un Volume, & renferme cependant tout ce qu'il y a d'essentiel
dans l'Ouvrage, parce que l'Editeur
en a retranché tout ce qui n'avoit
point de rapport au but principal de
l'Ouvrage, c'est-à-dire, tout ce que
l'Auteur accoutumé à sortir de son
sujet, y avoit fourré d'étranger. Il
y a dans ce Livre bien des traits sin-

guliers, qui font concevoir une idée J. P. CA-
avantageuſe de la pieté & de la vertu MUS.
de *Saint François de Sales*, & il mérite d'être lû par ceux qui veulent
éviter les bizarreries, les caprices,
& le zele mal reglé de la fauſſe devotion.

130. *Les Entretiens de Pieté. Rouen*
1641. *in-8°.* Deux vol. pp. 557. &
447. Il y a en tout quinze entretiens.

131. *Eloge de pieté à la benite mé-*
moire de M. Claude Bernard, appellé *le pauvre Prêtre. Paris* 1641. *in 8°.*
pp. 694.

132. *La Carité*, *ou le portrait de la*
vraie charité. Hiſtoire devote tirée de
la vie de S. Louis. Paris 1641 *in-8°.*
pp. 652.

133. *Deux Opuſcules ſpirituels. Le*
premier de la volonté de Dieu, *dans*
les traverſes qui nous arrivent par la
malignité d'autrui. Le ſecond de l'eſ-
prit Chrétien. Roüen. 1641. *in-8°.*
pp. 166.

134. *Récits Hiſtoriques*, *ou Hiſtoi-*
res divertiſſantes entre-mêlées de plu-
ſieurs agreables rencontres & belles re-
parties. Paris. 1641. *&* 1644. *in-8°.*
pp. 494.

J. P. CA-
MU

135. *La Corisande.* Marquée dans le Catalogue parmi les Ouvrages Historiques.

136. *Les devoirs du bon Paroissien.* Paris. 1641. *in-*8º. pp. 766. It. *Ibid.* 1681. *in* 12.

137. *Le Catechisme spirituel pour les personnes qui desirent faire progrès en la pieté Chrétienne.* Paris. 1642. *in* 8º. pp. 606.

138. *Les Offices du Pasteur Paroissial.* Paris. 1642. *in-*8º. pp. 534.

139. *Speculations affectives sur les attributs de Dieu, les vertus de la Sainte Vierge, & des Saints.* Paris. 1642. *in* 8º. pp. 507. On trouve à la fin le Catalogue des Ouvrages de M. *Camus.*

140. *Les fonctions du Hierarque parfait, où se voit le tableau de l'Evêque accompli.* Paris. 1642. *in* - 8º. pp. 684.

141. *Catalogue des Livres imprimez de M. l'Evêque de Belley.* (1641.) *in-* 12 pp. 8. L'Auteur y a distribué ses Ouvrages en differentes classes; mais il n'y a point mis les dates, & ne les a pas même rangés exactement par l'ordre des temps. Il con-

tient tous ceux que j'ai rapportés J. P. CA-
ci-deſſus , & quelques autres qu'il MUS.
n'avoit pas encore donnez au Public.

142. *Exercice ſpirituel de douze
jours. Paris.* 1642. *in-*8o. pp. 260.

143. *Enſeignemens Catechiſtiques, ou
explication de la Doctrine Chrétienne.
Paris.* 1642. *in-*8o. pp. 470.

144. *Inſtructions Catholiques aux
Neophites. Paris.* 1642. *in -* 8o. Il y
en a douze ſur differens points de
Controverſes , qui ſont toutes chiffrées ſéparément.

145. *Animadverſions ſur la Préface du Livre intitulé :* la défenſe de
la vertu. *Par Jean Pierre Camus.
Paris.* 1642. *in-*8o. pp. 155. Le P.
Antoine Sirmond , Jeſuite , avoit publié l'année précédente *la défenſe de
la vertu. Paris.* 1641. *in-*8o : L'Evêque de *Belley* ſoutient ici , que cette prétenduë défenſe eſt la ruine
de la veritable vertu. Il revint encore à la charge dans la ſuite contre elle , comme on le verra plus
bas.

146. *Conſiderations Hierarchiques.
Paris.* 1642. *in-*8o. pp. 764.

J.P.CA-
MUS.

147. *Consideration du mot de Re-*
ligieux. Par J.P. Camus. 1642. *in-8o.*
pp. 115. On fit une réponse à cet
Ouvrage, sous le titre de *Lettre à*
M. le Prince de Guimené, touchant
l'usage commun & fort ancien du mot
de Religieux. 1642. *in-8o.* pp. 41.

148. *Remarques amiables sur un*
traité du pouvoir qu'ont les Religieux
privilegiés d'entendre les Confessions.
1642. *in-12.* pp. 205. Ce Traité
avoit paru la même année.

149. *Paisible justification des devoirs*
du bon Paroissien. Paris. 1642. *in-8o.*
pp. 319. en quatre Parties.

150. *Revision de l'avis d'un Doc-*
teur, touchant les devoirs d'un bon
Paroissien. Paris. 1642. *in 8o.* pp. 448.

151. *Prérogatives du Pastorat Pa-*
roissial defenduës contre les Lettres Sa-
tyriques d'Agathon à Eraste. Tome. I.
Paris. 1642. *in-8o.* pp. 482. C'est le
premier des quatre Volumes, qu'il
a composés pour répondre à l'Ouvrage intitulé : *Lettres d'Agathon à*
Eraste sur les devoirs prétendus du
bon Paroissien ; où il est montré que
les Seculiers peuvent sans scrupule fai-
re leurs devotions dans les Eglises des

Religieux. Paris. 1642. *in-8°.* pp. 315. J. P. CA-
M. l'Evêque de *Belley* nous apprend MUS.
dans la Préface du Livre précédent
qu'outre l'*Avis d'un Directeur*, auquel il y répond, les *Lettres d'A-
gathon*, dont il s'agit ici, & la *défense de la vertu*, de laquelle j'ai parlé plus haut, on avoit encore publié contre lui, dans l'espace de
six mois, deux autres Livres, dont
voici les titres : *La conduite de Meliton en la Correction fraternelle*, *qu'il
exerce à l'endroit des Religieux. Par
le Sieur de Saint Romain.* 1641. *in-
8°.* pp. 139. *Les avantages de la vie
Religieuse*, *recueillis de la Doctrine
reçuë communément en l'Eglise*, *&
défendus contre les maximes de Meliton. Par Etienne de la Croix*, *Prêtre
& Docteur en Théologie. Paris.* 1641.
in 8°. pp. 86.

152. *Les devoirs Paroissiaux soûte-
nus contre les invectives couchées dans
les Lettres d'Agathon à Eraste.* Tome.
2e. *Paris.* 1642. *in* - 8°. pp. 466.

153. *L'honneur & la fréquentation
des Paroisses maintenus contre leur mépris & desertion*, *insinuez dans les
Lettres calomnieuses d'Agathon à E-*

raste. Tome 3ᵉ. Paris. 1642. *in*-8°.
pp. 252.

154. *La Direction Pastorale justifiée
contre les opprobres des Lettres contu-
melieuses d'Agathon à Eraste. Tome
4ᵉ. Paris. 1642. in*-80. pp. 467.

155. *Mémoriaux Historiques. Paris.* 1643. *in* 8°. pp. 400. It. *Roüen.*
1658. *in*-8°. Recueil d'Histoires.

156. *Speculations Historiques. Paris.* 1643. *in*-12. pp. 317.

157. *La sainte égalité d'esprit. Paris.* 1643. *in*-80. pp. 147.

158. *Le Noviciat Clerical. Paris.*
1643. *in*-80. pp. 480.

159. *Le Passavant pour reponse à
l'Avantcoureur de M. Drelincourt ,
touchant l'honneur , qui doit être rendu à la Ste. & B. Vierge Marie. Paris.* 1643. *in*-80. pp. 245.

160. *Dissection de l'Examen de M.
Drelincourt , sur la qualité de l hon-
neur , qui est dû à la Sainte Vierge
Marie. Paris.* 1643. *in*-8°. pp. 261.

161. *Réplique aux additions faites
par M. Drelincourt à son écrit , touchant l'honneur qui est dû à la Sainte
Vierge Marie. Paris.* 1643. *in*-8°. pp.
294.

162. *Quatre Exercices touchant la vie* J. P. CA-
interieure. Paris. 1643. *in*-8°. pp. 424. MUS.

163. *Sommaire de la vie spirituelle.*
Paris. 1643. *in*-16. pp. 279.

164. *Notes sur un Livre intitulé* :
La défense de la vertu , *extraites*
de plus amples animadversions. Par P.
L. R. P. Paris. 1643. *in* 8°. pp. 456.
Cet Ouvrage est de M. *Camus* ,
quoique les Lettres initiales mar-
quées dans le titre semblent dire le
contraire.

165. *Les emplois de l'Ecclesiastique*
du Clergé. Paris. 1643. *in*-80. pp. 682.

166. *Les Missions Ecclesiastiques.*
Paris. 1643. *in*-80. pp. 520.

167. *Rencontres funestes , ou fortu-*
nes infortunées de notre temps. Paris.
1644. *in*-80. pp. 289.

168. *Les Tapisseries Historiques.*
Paris. 1644. *in*-80. pp. 247.

169. *Deux Conférences par écrit* :
l'une touchant l'honneur dû à la Sainte
Vierge Marie ; l'autre du Sacrifice de
la Messe. in-8°. pp. 270. pour la
premiere , & 88. pour la deuxié-
me. J'ignore la date de cet Ouvrage.

170. *L'usage de la Penitence &*
Communion. Paris. 1644. *in*-40. pp.
320. & 283.

171. *Du rare & fréquent usage de l'Eucharistie. Paris.* 1644. *in*-12. p. 156.

172. *Pratique de la fréquente Communion, où l'on voit ce que l'Eglise primitive a observé touchant ce sujet, plusieurs abus refutez, & la doctrine des SS. Peres proposée. Avec un traité de la préparation à la fréquente Communion. Paris.* 1644. *in*-8°. Il n'y a dans ce Volume, que la préparation à la fréquente Communion, qui soit de l'Evêque de *Belley*. Elle tient seulement 55. pages. La Pratique, &c. est une nouvelle impression d'un Livre intitulé : *Pratique de la fréquente Communion, composée en Espagnol par le R. P. Hernand de Salazar de la Comp. de Jesus, & mise en François par le R. P. Jean Guillot, de l'Ordre des Freres Prêcheurs du Couvent de Nôtre-Dame de Confort de Lyon. Paris.* 1624. *in*-12.

173. *Le Verger Historique. Paris.* 1644. *in* 8°. pp. 499. Nouveau Recueil d'Histoires.

174. *L'Anti-Basilic, pour reponse à l'Anti-Camus. Par Olenix du Bourg-l'Abbé. Paris.* 1644. *in*-40. L'Evêque de *Belley* s'est caché ici sous le nom de *Bourg-l'Abbé.* J'ai
parlé

parlé de l'*Anti-Camus* au N°. 84.

175. *La fausse allarme du côté de
la Penitence. Paris.* 1645. *in-*8°. p. 93.

176. *Brieve introduction à la Théologie. Paris.* 1645. *in-*12. pp. 216.

177. *Exposition des passages des Peres , des Papes , & des Conciles , al-
leguez dans un Livre intitulé : de la
fréquente Communion ; où se voyent
leurs convenances avec l'usage présent
de l'administration des Sacremens de
Penitence & de l'Eucharistie. Paris.*
1645. *in-*80. pp. 568.

178. *Prosnes Paroissiaux pour tous
les Dimanches de l'année. Paris.* 1649.
*in-*80. pp. 599.

179. *Les Prosnes Evangeliques sur
l'Evangile de chaque Dimanche de
l'année. Paris.* 1649. *in-*80. pp. 387.

180. *Les Prosnes Epistolaires sur
les Epitres de chaque Dimanche de
l'année. Paris.* 1649. *in-*80. pp. 274.

181. *Instructions populaires à l'usage des Curez de la Campagne , pour
servir de Prosnes aux Messes Parois-
siales de tous les Dimanches & Fêtes
principales de l'Année. Paris.* 1650.
*in-*80. pp. 306.

182. *Harangue funebre aux obse-*

J. P. CA-
MUS.

ques de M. Josias Comte de Rantzau ;
Maréchal de France le 23. Septembre
1650. Paris. 1650. in-4°.

183. *Le Flambeau de la vie spiri-*
tuelle. Paris. 1651. in-16. pp. 176.

184. *Prosnes Catech-Evangeliques*
pour tous les Dimanches & Fêtes princi-
pales de l'année ; où sur le sujet de
chaque Evangile est traité un point de
la Doctrine Chrétienne. Paris. 1651.
in-8°. pp. 294.

185. *Epitres Théologiques sur les*
Matieres de la Prédestination , de la
grace & de la liberté ; où la Neutrali-
té dans les diverses opinions du temps
est observée & maintenue ; conformé-
ment aux Constitutions des Papes Cle-
ment VIII. & Innocent X. Paris. 1652.
in-8°. Deux Tom. pp. 469. & 353.

186. *Exhortations Pastorales pour*
l'usage des Curez & des Missionnai-
res en leurs Prosnes & instructions sur
les élemens de la Doctrine de Salut.
Paris. 1652. in-80. pp. 336.

V. *Les Hommes Illustres de Perrault.*
Tome I Sa vie à la tête de son esprit
de S. François de Sales de l'édition de
1727. On trouve aussi quelques particu-
larités de sa vie, & quelques dates dans
cet Ouvrage.

BARTHELEMI ALBIZI.

BArthelemi *Albizi* étoit natif de
Pise ; ce qui lui fait donner
communément le nom de *Barthelemi de Pise.*

B. ALBI-
ZI.

Etant entré dans l'Ordre des Cordeliers, il s'y distingua par la prédication & par la composition de
divers Ouvrages. Il alla en 1399.
au Chapitre Général de son Ordre
assemblé à *Assise*, & il y présenta
son Livre des conformités. Ce Livre fut reçu par cette Assemblée avec
de si grands applaudissemens, qu'on
accabla l'Auteur de loüanges, &
qu'on crut ne le pouvoir mieux
récompenser, qu'en lui faisant présent de l'habit complet, que S.
François avoit porté pendant sa vie.
On en a jugé bien differemment depuis, & l'on n'a pû s'empêcher de
se recrier sur l'ignorance & la grossiereté des Moines de ce temps-là,
qui avoient jugé si favorablement
d'un Ouvrage, où les impertinences, les blasphêmes & les impiétés

M ij

B. Albi- se produisent de toutes parts.
21.

    Barthelemi ne sur-vêcut pas beaucoup à l'honneur qu'il reçut alors ; puisqu'il mourut dans son Couvent de *Pise* le 10. Décembre 1401. dans un âge fort avancé.

    Il n'est rien de plus ridicule que ce qu'on lit dans la *Magna Bibliotheca Ecclesiastica*, imprimée à *Geneve* sous le titre de *Cologne* en 1734. *in-fol.* qu'il avoit eu un fils, nommé *Humbert*, qui se fit Dominicain, & fut Evêque de *Pistoie*. Le seul fondement de cette prétenduë filiation, est qu'*Humbert Albizi* étoit fils d'un *Barthelemi*, qu'il étoit du même Pays, & vivoit un peu après lui.

    Catalogue de ses Ouvrages.

    1. *Liber Conformitatum. Mediolani per Gotardum Ponticum*, anno 1510. *die* 18. *Septembris.in-fol.* Feuill. 256. C'est la premiere édition de ce fameux Ouvrage, qui est d'une rareté extraordinaire ; & même parmi le peu d'exemplaires qu'on en trouve, il n'y en a gueres dans lequel il ne manque quelque feuille. Je n'en ai vû qu'un complet &

parfaitement bien conſervé , qui eſt B. Albi-
dans le riche Cabinet de M. *de Bo-* zi.
ze , Secretaire de l'Académie des
Inſcriptions & Belles-Lettres. Cette
édition eſt Gothique de même que
la ſuivante. It. ſous ce titre : *De*
Conformitate vitæ B. Franciſci ad vi-
tam D. N. J. C. Redemptoris noſtri
per Fr. Bartholomæum de Piſis , Or-
dinis Minorum S. Franciſci. Medio-
lani in ædibus Janoti Caſtilionei 1513.
in-fol. Feuil. 229. On voit à la tête
une Epitre de *Jean Mapelli* , Cordelier de *Milan* , datée de cette
Ville le 27. Avril 1513. Je ne ſçai
comment cet Editeur oſe dire qu'il
tiroit cet Ouvrage des tenebres ,
puiſqu'il avoit été imprimé trois ans
auparavant. Cette Edition eſt auſſi
bonne que la précédente , car on n'y
a rien retranché , & elle eſt auſſi
fort rare ; mais elle n'eſt pas ſi recherchée.

On a fait depuis de grands re-
tranchemens à l'Ouvrage , dont on
a ôté les choſes qui avoient le plus
choqué. C'eſt dans ce nouvel état
qu'il a paru ſous ce titre : *Liber*
aureus inſcriptus : Liber conformita-

B. ALBI-
ZI.

tum vitæ Beati ac Seraphici Patris
Francisci ad vitam J. C. D. N. nunc
denuo in lucem editus atque infinitis
propemodum mendis correctus à Rev.
& doctissimo P. Fr. Jeremia Bucchio,
Utinensi, Sodali Franciscano, Doctore Theologo, laboriosis ornatissimisque
lucubrationibus illustratus ; cui pla-
ne addita est perbrevis & facilis Historia omnium virorum, qui sanctitate,
probitate, innocentia vitæ ac doctrina, Ecclesiasticisque dignitatibus in
Franciscana Religione usque ad nostra
hæc tempora excelluerunt. Bononiæ.
Apud Alexandrum Benatium 1590.
in-fol. Feuill. 330. It. sous le même
titre : *Bononiæ. Apud Victorem Be-*
natium. 1620. in-fol. Feuill. 330. C'est
la même édition que celle de 1590.
dont on a seulement changé les deux
premiers feuillets. Dans le premier
on a substitué l'année 1620. & le
nom de *Victor Benatius*, à l'année
1590. & au nom d'*Alexandre Be-*
natius. Le second de l'édition de
1590. contenoit une Epitre Dédicatoire au Cardinal *Jerôme de la*
Rovere, Protecteur des Mineurs
Conventuels. Mais comme ce Car-

dinal étoit mort en 1592. on a mis B. Albi-
à sa place en 1620. l'Approbation 21.
du Chapitre Général des Franciscains, datée du 2e. Août 1399.

Barthelemi de Pise avoit composé cet Ouvrage en 1385. La grossiereté & l'ignorance dans laquelle
on vivoit, lorsqu'il parut, le fit
recevoir avec applaudissement par
plusieurs personnes, mais on ne fut
pas long-temps sans en appercevoir
les impietés. Il semble en effet que
tout le but de l'Auteur ait été de
relever *S. François* au-dessus de Notre Seigneur; puisque dans toutes
les parties de son Parallele il prétend faire voir, que *Jesus-Christ*
n'a rien fait de merveilleux, que
S. François n'ait fait aussi, & même plus parfaitement & plus fré-
quemment.

Les excès, où il est tombé à cet
égard, fournissoient trop de matiere à la critique des Protestans, dans
les commencemens de la P. Rè-
formation, pour qu'ils n'en pro-
fitassent pas. *Erasme Albere*, Allemand, Disciple de *Luther*, ayant
trouvé le Livre dans un Couvent

B. ALBI-
ZI.

de Franciscains, où il faisoit la visite par Ordre de l'Electeur de *Brandebourg*, fit des Extraits de tout ce qu'il y trouva de plus choquant, le traduisit en Allemand, & publia le tout en cette Langue avec une Preface de *Luther*, à qui quelques-uns ont attribué mal-à-propos cette collection, & un Avertissement sous son propre nom, dans lequel il nous instruit de ce détail. En voici le titre.

Der Barfusser Münche Eulenspiegel und Alcoran. (l'Alcoran des Cordeliers) *Wittemberg* 1542. *in* - 4°. Ce fut le même *Albere* qui donna l'année suivante le même Ouvrage en Latin, conformément au texte du Livre des conformités, & sous ce titre.

Alcoranus Franciscanorum, id est, Blasphemiarum & Nugarum Lerna, de stigmatisato Idolo, quod Franciscum vocant, ex Libro conformitatum. Anno 43. *in*-8o. *petit.* pp. 222. non chiffrées. Il n'y a ici que le premier Livre, comme dans l'Allemand. On voit à la fin *Præfatio M. Lutheri Germanico Libro præfi-*

xæ

xa, & enſuite l'Avertiſſement d'*Albere* au Lecteur, traduit en Latin
de l'édition Allemande. Ces deux
piéces ſe trouvent dans toutes les
éditions ſuivantes.

Conrad Badius traduiſit depuis
l'Ouvrage en François, & y joignit
un ſecond Livre, compoſé de divers paſſages du Livre des Conformités qu'*Albere* n'avoit point rapportés dans le premier. Sa traduction parut avec le texte Latin ſous
ce titre.

*L'Alcoran des Cordeliers tant en
Latin qu'en François ; c'eſt-à-aire, la
Mer des blaſphêmes & menſonges de
cet Idole ſtigmatiſé, qu'on appelle S.
François : lequel Livre a été recueilli
mot à mot par le Docteur Eraſme Albere du Livre des Conformités de ce
beau S. François à J. C. Livre méchant, & abominable, s'il en fut
oncques, compoſé par un Cordelier,
& imprimé à Milan l'an 1510. Nouvellement a été ajoûté le ſecond Livre
prins au même reſtraict, afin de mieux
découvrir la ſainteté de cette Secte in-
fernale que le monde adore. Geneve.
Conrad Badius 1560. in 8⁰. pp. 279.*
Tome XXXVI.   N

pour le premier Livre. On voit à
la tête une longue Epitre Françoise de *Conrad Badius* à l'Eglise de J.
C. fort envenimée contre les Catholiques, & aux marges, des notes du même, qui sont aussi ma-
lignes. Ce Traducteur en a mis de
semblables au second Livre, qui a
ce titre particulier. *Le second Livre
de l'Alcoran des Cordeliers, extrait
comme le premier mot à mot de ce mal-
heureux Livre des Conformités de S.
François, par lequel tant plus est évi-
dente l'impieté de cette maudite Secte,
& duquel chacun peut juger combien
de mal le Monde a reçu d'icelle, &
combien il en recevra, si elle est sup-
portée, comme elle a été ; traduit du
Latin en François, avec brieves an-
notations, qui sont comme contre-poi-
sons & préservatifs à l'encontre de la
fausse Doctrine qui y est contenuë. Conrad Badius,* 1560. *in-*8o. *pp.* 303.

Il en a paru depuis une autre édition sous cet autre titre : *l'Alcoran
des Cordeliers, tant en Latin, qu'en
François, c'est à-dire, Recueil des
plus notables bourdes, & blasphêmes
impudens de ceux, qui ont osé com-*

parer S. François à J. C. tiré du B. ALBI-
grand Livre des Conformités, jadis 21.
composé par Fr. Barthelemi de Pise,
Cordelier en son vivant; parti en deux
Livres. Le tout de nouveau revû & corrigé. Geneve. Guillaume Laimarie.
1578. in. 8o. petit. pp. 344. pour le
premier Livre, & 382. pour le second. It. Avec le même titre : *Nou-*
velle Edition ornée de figures par B.
Picart. Amsterd. 1734. *in-12.* Deux
vol. pp. 396. & 419. Ce qu'il y a
de particulier dans cette édition,
est que le texte Latin est à côté
de la traduction Françoise, au lieu
qu'ils se suivent dans les autres, &
que les notes, qui avoient été jusques-là dans les marges, sont au
bas des pages. Les figures qui sont
en assez grand nombre, représentent
diverses particularités rapportées
dans la vie de S. François.

On s'est avisé long temps après
les éditions du 16e. Siécle d'en faire une nouvelle, seulement en Latin. Elle est intitulée : *Alcoranus*
Franciscanorum, id est, Blasphemia-
rum & Nugarum Lerna de stigmati-
sato Idolo quod Franciscum vocant, ex

in 12. pp. 248. Mais il n'y a que
le premier Livre.

Ce sont là toutes les éditions que
j'ai vûës ; il y en a d'autres que je
ne connois que par les Catalogues,
& dont je ne puis rien dire de po-
sitif. Telles sont celles de *Geneve*
1610. *in-8o.* & d'autres, dont quelques Auteurs font mention.

On a un Arrêt du Parlement de
Paris du 30. Juin 1565. rendu contre l'*Alcoran des Cordeliers* & quelques autres Ouvrages semblables,
& imprimé cette année *in-12.*

Henri Sedulius, Cordelier Flamand, jaloux de la gloire de son
Ordre, a tâché de réfuter ce Livre
par un Ouvrage qu'il a intitulé :
*Apologeticus adversus Alcoranum
Franciscanorum, pro Libro Conformitatum. Antuerpiæ* 1607. *in-4o.* Mais
il auroit mieux fait de ne point en-
treprendre cette Apologie, & de
ne se point mêler de cette affaire,
dont il n'est pas sorti avec honneur.

Malgré les contradictions que le
Livre des Conformités avoit éprou-

vées, il s'est trouvé dans le milieu B. ALBI-
du 17e. Siécle un Recolet, qui a 21.
entrepris de le mettre en François,
ou plûtôt d'en donner un en cette
Langue dans le même goût, & qui
en est tiré pour la plus grande partie.
Ce nouvel Ouvrage a paru avec Privilege & Approbation sous ce titre :
Traité des Conformitez du Disciple
avec son Maître ; c'est-à-dire, de S.
François avec Jesus-Christ, en tous
les Mysteres de sa naissance, vie,
passion, mort, &c. Le tout recueilli,
ajancé, & divisé en deux parties.
Par un Frere Mineur Recollet. Lie-
ge. 1658. *in-* 4°. pp. 595. pour la
premiere Partie, & 576. pour la seconde. Ce Recollet est nommé après
Valentin Marée.

J'ajoûterai ici, que dans un Livre intitulé : *Firmamenta trium Or-*
dinum B. Patris nostri Francisci. Pa-
ris. Joan. Trellon. 1512. *in-* 4°. On
trouve feüill. 54. de la 4e. partie.
Declaratio Magistri Bartholomæi de
Pisis super Regulam Fratrum Mino-
rum, ex Libro Conformitatum assumpta.

2. *Quadragesimale Magistri Bar-*
tholomæi de Pisis, de contemptu mun-

B.ALBI-
ZI.
di , sive de triplici Mundo , sensibi-
li scilicet , Microcosmo , & Arche-
typo. A la fin on lit. *Editum à M.*
Bart. de Pisis anno D. ˙1398. Cura
pervigilis Magistri Johannis de Ma-
pello ejusdem Ordinis Conventus Me-
diolani correctum , impressum Medio-
lani anno 1498. *in-*4°. Avec une Epitre de *Mapelli* à la tête. It. *Brixiæ.*
1503. *in* 80.

3. *Sermones lucidissimi & insig-*
nes dubiorum & Casuum conscientia-
lium contemplativi & elucidativi su-
per Evangeliis Quadragesimalibus R.
P. F. Bartholomæi de Pisis , Ordi-
nis Minorum , hactenus nusquam im-
pressi , diligenter revisi , visitati &
correcti per certum Fratrem in almæ
Parisiensi Universitate famosum , Re-
ligiosum ejusdem Ordinis. A la fin on
lit. *Impressi Lugduni Opera Romani*
Morini, Calcographi & Bibliopolæ, an-
no 1519. *die* 3. *Mensis Februarii. in-*
80. feüill. 115.

4. *De laudibus B. Virginis Liber.*
Venetiis. 1596. *in-fol.*

V. *Henr. Wharton Appendix ad His-*
toriam Litterariam Guilielmi Cave Lu-
cæ Wadding scriptores Ordinis Mino-
rum.

RODOLPHE CUDWORTH.

R*Odolphe Cudworth*, naquit l'an
1617. à *Aller* dans le Comté
de *Sommerset*.

Son pere, nommé *Rodolphe* comme lui, étoit Licentié en Théologie. Il fut d'abord membre du Collége d'*Emanuel* à *Cambridge*, & en
même temps Ministre de l'Eglise de
S. André dans cette Ville, d'où il
passa à *Aller*, pour y exercer son
ministere. Il fut aussi un des Cha-
pelains du Roi *Jacques I*. Quoiqu'il
ne manquât ni de génie, ni de sçavoir, il ne se picqua point de se
produire en public comme Auteur,
& on n'a de lui qu'un Supplément
au Commentaire de *Guillaume Per-*
kins sur l'Epitre aux Galates. Comme ce fameux Théologien Anglican
avoit été son intime ami, il ne voulut
pas laisser imparfait ce Commentaire
Posthume, dont il fut l'Editeur,
aussi bien que de quelques autres
Ouvrages du même Auteur. Son
Supplement se trouve traduit de

N iiij

R. Cud-
vvorth. l'Anglois en Latin par A. T. dan
les Oeuvres de *Perkins* imprimée'
en cette langue à *Geneve* l'an 1618
in fol. deux vol.

La mere de nôtre *Cudvvorth* étoit
de la famille des *Machell*, & elle
eut l'honneur de servir de nourrice
au Prince *Henri* fils de *Jacques I.*
qui mourut le 12. Novembre 1612.
âgé de 18. ans. Ayant perdu son
mari dans le bas âge de notre Auteur, elle se remaria avec le Docteur *Stoughton*, un des grands Pré-
dicateurs de son temps, qui étoit
aussi Membre du Collége d'*Emanuel*
à *Cambridge*.

Le jeune *Cudvvorth* ne souffrit
point de ce changement. Son beau-
pere lui tint lieu de pere, & prit
un grand soin de son éducation. Il
parut d'abord d'un excellent naturel, d'un esprit pénétrant, & d'u-
ne sagesse au-dessus de son âge. A
peine sorti de sa treiziéme année,
il fut reçu dans le Collége d'*Emanuel* au nombre des Pensionnaires;
& son beau-pere lui rendit alors ce
témoignage, *qu'il n'étoit jamais venu à l'Université aucun enfant de cet*

âge , qui eût plus de connoiſſance de R. Cud-
ce qu'on apprend dans les Ecoles. vvorth.

Deux ans après , c'eſt-à-dire le 5.
Juillet 1632. il fut immatriculé comme Etudiant de l'Univerſité de *Cambridge* , & depuis ce temps-là il s'attacha ſi fort à toutes les parties des
Belles-Lettres & à la Philoſophie ,
qu'il fut reçu Maitre ès Arts en
1639. avec beaucoup d'applaudiſſe-
ment.

Preſque dans le même temps il
fut fait Membre du Collége d'*E-
manuel* , & ſa réputation lui attira
bientôt la confiance de pluſieurs
perſonnes, qui lui donnerent leurs
enfans à inſtruire. Il eut juſqu'à 28.
Diſciples à la fois; choſe rare alors ,
& qu'on n'avoit jamais vû dans les
plus grands Colléges de l'Univerſité ; & parmi ces jeunes gens ſe
trouva le fameux *Guillaume Temple.*

Peu de temps après *Cudvvorth* fut
nommé Recteur de *North Cadbury*
dans le Comté de *Sommerſet* ; benefice qui valoit trois cens livres
ſterling par an. On ne ſçait préci-
ſément ni en quelle année il l'obtint , ni combien de temps il le gar-

da. Il doit aussi avoir été fait Bachelier en Théologie dans cet in-
tervalle, quoiqu'on ignore la date
de sa création. Ce fut peut-être en
1644. Car on voit, qu'il soutint
alors, dans les Vesperies des Actes
publics qui se font pour prendre
les degrés, les deux Theses suivantes ; *Qu'il y a des raisons éternelles
& indispensables du bien & du mal ;
& qu'il y a des substances incorporel-
les, immortelles de leur nature.* Ce
qui fait voir que *Cudworth* rouloit
dès lors dans son esprit, & exami-
noit avec soins les matieres & les
questions importantes, qu'il a tant
approfondies long-temps après dans
son *systême intellectuel*, & dans quelques autres Ouvrages, qui n'ont
pas été imprimés.

La même année 1644. il fut fait
Principal de *Clare-Hal* dans l'Université de *Cambridge*, à la place du
Docteur *Pasky*, qui avoit été des-
titué de cette charge ; & il eut l'honneur d'avoir alors sous sa direction
le celebre *Jean Tillotson*, devenu depuis Primat d'Angleterre.

L'année suivante 1645. le Doc-

teur *Metcalſy* s'étant démis de la R. Cud-
Chaire de Profeſſeur Royal en Lan-worth.
gue Hébraïque , *Cudvvorth* lui ſuc-
ceda par une nomination unanime
des ſept Electeurs , faite le 15. Octobre. Depuis ce temps-là , il renonça à l'exercice du Miniſtere Ec-
cleſiaſtique , & ſe donna tout entier aux occupations & aux études
Academiques. Il commença ſes leçons publiques , qu'il faiſoit tous
les Mercredis , par expliquer la ſtruc-
ture & le plan du Temple de *Je-
ruſalem.* Lorſque des affaires indiſ-
penſables l'obligeoient à s'abſenter
de l'Univerſité , il ſubſtituoit , pour
faire ſes leçons , *Jean vvorthinghton* ,
ſon ami , qui fut depuis Chef du
Collége de *Jeſus.*

En 1651. il poſtula & obtint ai-
ſément le dégré de Docteur en
Théologie.

Quelque honorables que fuſſent
les emplois qu'il avoit , on ne ſçait
comment les revenus qu'il en tiroit ,
ne ſuffiſoient pas pour ſon entretien. Auſſi penſa - t- il , pour cette
raiſon , à quitter l'Univerſité , & il
ſe retira effectivement ailleurs ; mais
il n'y fut pas long temps.

R. Cud-
vvorth.

Samuel Bolton, Docteur en Théologie, & Principal du Collége de *Christ* étant venu à mourir en 1654. on donna cette place à *Cudvvorth*, qui revint ainsi à l'Université, où il étoit desiré. Il se maria la même année ; mais on ignore le nom & la famille de sa femme. Il en eut quelques fils, qui moururent apparemment dans la fleur de leur âge, & une fille nommée *Damaris*, qui s'est distinguée par son sçavoir. Le Chevalier *François Masham* l'épousa en secondes nôces, & en eut un fils, qui a voulu conserver le nom de son Ayeul maternel, en se faisant appeller *François Cudvvorth Masham*. Cette Dame à composé en Anglois un *discours sur l'Amour Divin*, dont M. *Coste* à donné en 1705. une traduction Françoise.

La vie de *Cudvvorth* fut assez longue. Il mourut à *Cambridge* le 26. Juin 1688. âgé de 71. ans ; comme on le voit par son Epitaphe. Il y est qualifié Professeur en Langue Hébraïque, parce qu'il a conservé cet emploi jusqu'à sa mort, & de plus Prebendier de *Glocester*.

On n'y voit point le titre de prin- R. Cud-
cipal de Collège de *Christ* , ce qui vvorth.
fait préfumer qu'il n'avoit plus alors
cette place.

Cudvvorth réüniſſoit en lui des
connoiſſances , qui ne ſe trouvent
gueres jointes enſemble. Grand Lit-
terateur , très-verſé dans les Langues ſçavantes , & dans les Antiquités , il étoit en même temps Ma-
thematicien , Philoſophe ſubtil , &
Métaphyſicien profond. Il défendit
la Religion naturelle & la révela-
tion d'une maniere qui montroit
bien , que rien ne lui tenoit tant
au cœur. La Philoſophie , qu'on appelle Méchanique & Corpuſculaire,
fut celle à laquelle il s'attacha , &
qu'il travailla beaucoup à éclaircir.
Pour ce qui regarde Dieu , les in-
telligences , les idées primitives , en
un mot les principes de toutes les
connoiſſances humaines , il ſuivit
ſur tout *Platon* , & les Sectateurs
de ce Philoſophe. Mais il porta trop
loin ſon attachement pour lui; non-
ſeulement il défendit conſtamment
tous ſes dogmes , même les plus
faux , il en imita encore le ſtile ,

chargé de termes difficiles à entendre, & de Metaphores dures.

En matiere de Théologie, on dit qu'il étoit du nombre de ceux que l'on blâme ordinairement comme trop moderés , & à qui l'on donne pour cela le nom de *Latitudinaires.* Mais il est difficile de montrer par les écrits de *Cudvvorth* , qu'il ait été de cet ordre. Car quoique , sur bien des choses, il allegue les raisons pour & contre , laissant aux Lecteurs la liberté de prendre tel parti qu'ils voudront , & quoiqu'il s'exprime quelquefois d'une maniere peu circonspecte, il declare neanmoins partout qu'il approuve & suit la doctrine reçuë. Mais il avoit beaucoup d'eloignement pour l'opinion commune des Calvinistes rigides sur les Decrets absolus de Dieu ; éloignement que lui avoit inspiré l'abus qu'en a fait *Hobbes* pour établir ses principes impies.

Quelques-uns loüent sa prudence ; mais d'autres l'ont accusé de dissimulation : quoiqu'il en soit , il est certain qu'en parlant de plusieurs Dogmes , il s'est exprimé dans ses Ecrits avec tant de reserve , & quelquefois d'une maniere si ambiguë , qu'on ne peut gueres sçavoir ce qu'il en pensoit.

Catalogue de ses Ouvrages.

1°. *Discours , où l'on donne une juste idée de la sainte Céne par R. C.*(en Anglois) *Londres* 1642. *in-*4°. Cet Ouvrage a été imprimé plusieurs fois *in-*12.& même *in-fol.* pour pouvoir être joint au *systême intellectuel.* It. en Latin. *De vera notione Cœnæ Domini Libellus. Ex Anglico Latinè vertit , observationes varias & Præfationem addidit Jo. Laur. Moshemius. Jenæ.* 1733. *in-fol.* A la suite de la traduction Latine du *Systême intellectuel.*

2. *L'Union Typique de Jesus-Christ & de l'Eglise.* (en Anglois) *Londres* 1642. *in-*4°. Avec l'Ouvrage précédent. It. en Latin : *Conjunctio Christi & Ecclesiæ in Typo. Latinè vertit , & adnotationes subjecit Joan. Laurent. Moshemius. Jenæ* 1733 *in-fol.* A la suite du *Systême intellectuel.*

3. *Le veritable Systême intellectuel de l'Univers. I*^e. *Partie ; dans laquelle on réfute toutes les raisons &*

R. Cud
vvorth.

toute la Philosophie des Athées , &
l'on demontre l'impossibilité de l'Atheis-
me. (en Anglois) Londres. 1678.
in fol. Il y a eu diverses éditions de
ce fameux Ouvrage. *It.* en Latin :
Radulphi Cudvvorthi systema intellec-
tuale hujus Universi ; seu de veris
Naturæ rerum originibus Commenta-
rii , quibus omnis eorum Philosophia ,
qui Deum esse negant , funditus ever-
titur. Accedunt reliqua ejus opuscula.
Joan. Laurent. Moshemius omnia ex
Anglico Latine vertit , recensuit , va-
riisque observationibus & dissertatio-
nibus illustravit & auxit. Jenæ 1733.
in fol. Deux vol. Les notes de *Mos-*
heim sont sçavantes & curieuses ;
quelques - unes sont si étenduës ,
qu'elles peuvent passer pour des dissertations. Celles qui sont séparées
du texte sont les deux suivantes ,
la 1e. qui s'étend depuis la p. 956.
jusqu'à la p. 1000. a pour titre : *J.*
L. Moshemii Dissertatio in qua solvi-
tur hæc quæstio : num Philosophorum à
vera Religione aversorum aliquis Mun-
dum à Deo ex nihilo creatum esse do-
cuerit ? Elle est précédée de quelques

Se trou-
vent à Pa-
ris chez
Briasson.

ques obſervations de *Jean le Clerc* R. Cud-
traduites du François du 7e. tome vvorth.
de la *Bibliotheque Choiſie.* p. 66. Joan-
*nis Clerici Contra eos , qui negant
ex nihilo ulla ratione fieri poſſe aliquid , obſervationes.* La 2e diſſertation , qui ſe trouve à la fin parmi les divers Ouvrages de *Cudworth,*
avoit déja été imprimée à *Helmſtadt,*
en 1725. *in* - 4°. Mais elle eſt ici
corrigée & augmentée : *J. L. Moshemii de turbata per recentiores Pla-
tonicos Eccleſia Commentatio.*

Cet Ouvrage renfermé long-temps
dans l'enceinte de l'Angleterre , a
commencé à nous être connu par
les Extraits curieux que M. *le Clerc*
en a donnés dans ſa *Bibliotheque
choiſie.* Voici les titres de ſes differens Extraits , qui pourront donner une idée de ce qu'ils renferment.

*Hiſtoire des ſentimens des Anciens
touchant les Atomes , ou les Corpuſcu-
les , deſquels tous les corps ſont com-
poſez , & touchant les conſequences
Theologiques , qui en naiſſent.* Bibl.
choiſ. tom. 1. p. 63. C'eſt l'Extrait
du premier Chapitre.

Hiſtoire des Syſtêmes des anciens

Tome XXXVI. O

R. CUD-
VVORTH.

Athées , tirée des Chapitres 2. & 3. du Systême Intellectuel. Bibl. ch. t. 2. p. 11.

Preuves & examen du sentiment de ceux qui croyent qu'une Nature, qu'on peut nommer Plastique , a été établie de Dieu , pour former les corps organisés. Ceci est tiré d'une digression du Chapitre 3e. Ibid. p. 78.

Que les Payens les plus éclairés ont crû qu'il n'y a qu'un Dieu suprême. Tiré du Chapitre 4e. du Systême Intellectuel. Bibliot. choif. tom. 3. p. 11.

Reponse aux objections des Athées , contre l'idée que nous avons de Dieu, avec des preuves de son existence. Tirée de la Section 1. du Chap. 5. & dernier du Systême Intellectuel. Bib. choif. tom. 5. p. 30.

Réfutation des objections des Athées, contre la création du Neant ; tirée du Chap. 5. Bibliot. choif. tom. 7. p. 19.

Reponse aux objections des Athées , contre l'immaterialité de Dieu ; tirée de la Section 3e. du 5. Chap. Bibl. choif. tom. 8. p. 11.

De l'immaterialité de l'ame avec

la réfutation des objeƐtions que l'on fait R. Cud-
contre cette DoƐtrine. Sentimens des vvorth.
anciens Chrétiens sur cette matiere.
Raisons des Immaterialistes Platoni-
ciens & Pythagoriciens, pour l'imma-
terialité des natures intelligentes. Tiré
du même Chapitre. Ibid. tom. 8.
p. 43.

　Reponse à diverses objeƐtions des
Athées, touchant l'origine du mouve-
ment, de la pensée & de la vie ;
tirée de la 4e. SeƐtion du Chap. 5e.
Bibl. choif. tom. 9. p. 1.

　Reponse aux objeƐtions des Athées
sur la Providence Divine, à quel-
ques-unes des questions qu'ils font sur
la conduite de Dieu, & à leurs rai-
sonnemens pour montrer qu'il seroit à
souhaiter qu'il n'y eût point de Reli-
gion pour l'interêt du genre humain.
Tiré de la derniere SeƐtion du Ch.
5e. Bibl. choif. tom. 9. p. 41.

　Thomas Wise a donné en Anglois
un abregé de l'Ouvrage de *Cud-*
vvorth, sous ce titre : *Réfutation*
des raisons & de la Philosophie des
Athées. Ouvrage, dont une grande
partie est un abregé ou un supplement
de ce que le DoƐteur Cudvvorth a dit.

R. Cud- *dans son Systême Intellectuel. Avec*
vvorth. *une introduction, où entr'autres cho-*
ses qui se rapportent à ce Traité, on
a examiné sans partialité ce que ce
Sçavant a avancé touchant la Doctri-
ne Chrétienne de la Trinité, & sur
la résurrection des Corps. Londres.
1706. *in-4°. deux tom.* Cet Abregé
est bien fait. Le stile en est clair &
aisé ; l'Auteur y a rangé en bon ordre les pensées de *Cudvvorth*, sans
toucher aux digressions sçavantes &
trop longues. Mais il a ajouté par-
ci, par-là, sur-tout à la fin, bien
des choses, tirées des Livres, qui
ont paru depuis en Angleterre,
contre ceux qui attaquent la Religion. L'introduction est sur-tout
destinée à défendre la memoire &
la doctrine de *Cudvvorth* contre les
accusations de ses ennemis.

4. *Traité de l'éternité & de l'im-*
mutabilité du juste & de l'injuste (en
Anglois) Londres 1731. *in-8°.* It.
en Latin : *De æterna & immutabili*
rei moralis, seu justi & honesti natura
liber. Auctore Rad. Cudvvortho. Præ-
missa est Præfatio R. P. Eduardi,
Episcopi Dunelmensis. Latinè vertit

& Notularum aliquid subjecit J. L. R. Cud-
Moshemius. Jenæ. 1733. *in-fol.* A la vvorth.
suite du *Systême Intellectuel.* Quoique l'Auteur n'ait pas mis la derniere main à cet Ouvrage , on y
reconnoit la subtilité & la pénétration de son esprit.

5. *Sermon sur la résurrection des
Corps.* L'Abbreviateur du *Systême Intellectuel* , fait mention de ce Sermon , comme joint à quelque édition du *Systême Intellectuel.* Mais
quelques recherches qu'ait faites M.
Mosheim , il n'a pû en recouvrer
un exemplaire. Ce n'est pas apparemment le seul Sermon que *Cudvvorth* ait fait imprimer. On voit
du moins dans la Préface du 9e.
tome de la *Bibliotheque Choisie* , qu'il
avoit donné un Traité de l'Eucharistie, avec quelques Sermons ; dont
M. *le Clerc* se proposoit de parler
dans la suite. Ce qu'il n'a pas cependant fait. D'ailleurs M. *de la
Roche* dans le 5e. tome de la *Bibliotheque Angloise* p. 438. parle d'un
Sermon de *Cudvvorth* , prononcé
devant la Chambre des Communes
l'an 1647. & imprimé cette année

R. Cud-
vvorth.

à *Cambridge in* 4°. comme on le voit par le Catalogue de la Bibliotheque d'*Oxford.*

Il a laissé aussi un grand nombre d'Ouvrages, qui n'ont point été imprimés.

V. *Sa vie par* J. *Laurent Mosheim,* a la tête de la *Traduction Latine du Système Intellectuel.* Cet Auteur paroît avoir fait de grandes recherches pour être instruit des particularités de sa vie.

HUGUES SALEL.

H. Salel.

HUgues *Salel* nâquit à *Casals* en Quercy vers l'an 1504. Il se donna de bonne - heure à la Poësie Françoise, & se fit connoitre par là. Ce fut ce qui lui acquit l'estime & l'affection du Roi *François* I. qui lui donna la qualité de son Poëte, & le combla de biens. Comme il avoit embrassé l'état Ecclesiastique, il eut de la liberalité de ce Prince plusieurs Benefices, entre autres l'Abbaye de *S. Cheron* près de *Chartres.* Il fut outre-cela

Valet de Chambre ordinaire du Roi, H.Salel. qualité qu'il prend à la tête de ses Oeuvres , imprimées en 1539. & ensuite l'un des grands Maîtres d'Hôtel du Roi , comme il est appellé dans sa traduction de l'Iliade.

Après, la mort de *François I.* arrivée le 31. Mars 1547. il se retira à son Abbaye de *S. Cheron*, pour y passer le reste de sa vie dans le repos & la tranquillité.

Ce fut en ce lieu qu'il mourut après une longue maladie , l'an 1553. âgé de 49. ans & six mois.

Pierre Paschal, son ami , lui dressa l'Epitaphe suivante , qui nous instruit d'une partie de ces faits.

D. O. M. S.

Hugoni Salellio , Cadurco , Francisci Gallorum Regis Poëtæ , vita integerrimo , qui tranquillioris vitæ desiderio , ex Regia , mortuo Francisco , ut se totum otio & doctrinæ dederet , Carnutum venit , ubi aliquot post annos diuturno & mortifero morbo affectus , de vita humanæ conditionis memor placide & constanter decessit. Huic hic quiescenti , & dissoluti corporis renovationem expectanti Petrus

H. SALEL. *Paschalius amicus dolens P. & sub*
ascia D. Anno a salute mortalibus res-
tituta 1553. *vixit ann.* 49. *Mens sex.*

J ajouterai ici l'Epitaphe qu'*Etien-*
ne Jodelle lui a faite.

> *Quercy m'a engendré , les neuf*
>   *Sœurs m'ont appris ,*
> *Les Roys m'ont enrichi , Homere*
>   *m'éternise ,*
> *La Parque maintenant le corps*
>   *mortel a pris ;*
> *Ma vertu dans les Cieux l'ame*
>   *immortelle a mise.*
> *Donc ma seule vertu m'a plus de*
>   *vie acquise ,*
> *Plus de divin sçavoir , plus de ri-*
>   *chesse aussi ,*
> *Et plus d'éternité , que n'ont pas*
>   *fait ici*
> *Quercy , les Sœurs , les Roys , l'I-*
>   *liade entreprise.*

Catalogue de ses Ouvrages.

1. *Dialogue non moins utile que*
delectable ; auquel sont introduits les
Dieux Jupiter & Cupidon , disputant
de leur puissance , & par fin un an-
tidote & remede pour obvier aux dan-
giers amoureux. in-8°. pp. 19. sans
date ; mais l'Epitre Dédicatoire , si-
gnée

gnée *Hugues Salel de Caſals* en Quercy, eſt datée de *Lyon* le 28. Août
1558. Ainſi l'impreſſion eſt de cette
année & apparemment de *Lyon.*

2. *Les Oeuvres de Hugues Salel,
Valet de Chambre ordinaire du Roi,
imprimées par le commandement dudit Seigneur. Paris. Etienne Roffet,
dit le Faucheur. m-8°.* Feüill. 64.
ſans date ; mais le Privilege eſt de
1539. On trouve dans ce Recueil
de Poëſie entr'autres piéces les ſuivantes.

*Chaſſe Royale, contenant la priſe
du Sanglier diſcord par l'Empereur
Charles V. & le Roi François I.* Cette piéce eſt fort longue; elle ſe trouve au feüillet 4.

*De la miſere & inconſtance de la
vie humaine.* Feüill. 21.

*Eglogue marine ſur le trépas de feu
M. de Valois, Dauphin de Vien-
nois, fils aîné du Roi.* Feüil. 25. Ce
Prince mourut en 1536.

Blaſon de l'Anneau. Feüil. 58.
Blaſon de l'Epingle. Feüil. 59.

3. Il a écrit quelques Vers de la
Nativité de M. le Duc, premier
fils de M. le Dauphin de France,

Tome. XXXVI. P

H. SALEL. imprimez à *Paris* par *Jacques Ny-*
verd l'an 1543. Comme le marque
la *Croix du Maine.*

4. *Les dix premiers Livres de l'I-*
liade d'Homere traduits en vers Fran-
çois. Paris. Sertenas. 1545. *in-fol.* It.
Sous cet autre titre. *L'Iliade d'Ho-*
mere traduit du Grec en vers Fran-
çois par M. Hugues Salel , Abbé
de S. Cheron , & l'un des grands
Maîtres d'Hôtel du Roi. L'augmenta-
tion outre les précédentes impreſſions.
L'Umbre dudit Salel par Olivier de
Magny. Avec le premier & le ſecond
de l'Odyſſée d'Homere par Jacques
Peletier du Mans. Autres Poëſies par
P. de Ronſard , & par autres Poëtes
de ce temps. Paris , Claude Gautier
1574. *in - 8°. Feüill.* 244. pour la
traduction de l'Iliade par *Salel* , qui
ſe termine aux douze premiers Livres & à une petite partie du treiziéme. On voit à la tête de cette
édition les Epitaphes de *Salel* par
Paſchal , & par quelques autres perſonnes , qu'on a omis mal-à propos
dans les ſuivantes , auſſi-bien que
ſa traduction du 12. Livre & du
commencement du 13. à laquelle

on a fubftitué celle d'*Amadis Ja-* H.SALEL.
myn. Les éditions pofterieures ont
pour titre : *Les 24. Livres de l'Ilia-*
de d'Homere , traduits du Grec en
vers François ; les onze premiers par
Hugues Salel , & les treize derniers
par Amadis Jamyn , Secretaire de
la Chambre du Roy , tous les 24. re-
vûs & corrigez par ledit Amadis Ja-
myn. Avec les trois premiers Livres
de l'Odyffée d'Homere , traduits en
vers par ledit Jamyn. Paris , l'An-
gelier 1584. in-12. & Roüen. 1606.
in-12.

5. Il a traduit de Grec en François la Tragedie d'*Helene d'Euripi-*
de ; mais il ne paroît pas que cette
traduction ait été imprimée.

V. *Les Bibliotheques Françoifes de*
la Croix du Maine & de du Verdier.
Les Epitaphes de Salel.

ALPHONSE CIACONIUS.

ALphonfe *Ciaconius* , en Efpa- A. CIA-
gnol *Chacon*, naquit l'an 1540. CONIUS.
à Baeza , Ville d'Efpagne dans l'An-
dalouſie.

P ij

Il entra à *Seville* dans l'Ordre de
S. Dominique, & fut depuis Prieur
du Couvent de cette Ville. Après
avoir été reçu Docteur en Théologie, & avoir long-temps professé,
il s'appliqua tout entier à l'Histoire
& aux Antiquitez Ecclesiastiques &
Profanes. Il s'y rendit assez habile,
mais la critique & le jugement necessaire pour discerner la verité des
faits lui manquerent.

Ayant été appellé à *Rome*, il acquit la bienveillance du Pape *Gregoire XIII.* qui le mit au nombre
des Penitenciers de *Sainte Marie
majeure.* Comme cet emploi ne l'oc-
cupoit pas beaucoup, il eut lieu
de satisfaire le goût particulier,
qu'il avoit pour l'étude, & il trouva le temps de composer un grand
nombre d'Ouvrages.

Quelques-uns prétendent que le
Pape Clement VIII. voulant recom-
penser son mérite le nomma Patriar-
che d'*Alexandrie*, & qu'il fut sacré
en cette qualité. Mais c'est une chose avancée sans aucun fondement,
puisque les Auteurs Dominicains
n'en disent rien, & que son Ne-

veu, qui a publié fon Hiftoire des A. Cia-
Papes après fa mort, ne lui en a conius.
pas donné la qualité, mais feule-
ment celles de Dominicain & de
Penitencier Apoftolique.

Il mourut à *Rome* âgé de 59. ans,
non point en 1590. comme *Schott*
le dit mal-à-propos dans fa Bibliotheque d'Efpagne; mais le 14. Février 1599. comme M. *de Thou* le
marque dans fon Hiftoire, qu'il
compofoit alors; & il fut enterré
dans l'Eglife de *Sainte Sabine.*

Nicolas Antonio, qui avoit fuivi
la date de M. *de Thou* dans fa *Bibliotheca Hifpana* tom. 1. p. 14. l'a
abandonné dans les additions & les
corrections qu'il a mifes à la fin du
2e. tom. p. 653. fur ce qu'il a trouvé un Livre imprimé à *Rome* en
1601. avec une Epitre dédicatoire
d'*Alphonfe Ciaconius,* fous ce titre:
*Elegantiarum ex M. Tullii Cicero-
nis Epiftolis Libri tres Georgii Fabri-
cii, fublata Germanica lingua, &
fubrogata verfione Italica locupletati;
Gonfalvo à Cardona & Corduba ado-
lefcenti Sueffani Ducis Regis Hifpa-
niæ apud Clementem VIII. Oratoris*
P iij

A. Cia- *Filio inscripti ab Alphonso Ciaconio.*
CONIUS. Les Bibliothecaires des Dominicains
ont suivi sa correction ; mais ils
n'ont point fait attention que cet
Alphonse Ciaconius, de qui est cette dédicace, n'est point notre Auteur, mais son Neveu, qui a publié son Histoire des Papes. Ils n'ont
point pris garde non-plus à un Bref
du Pape *Clement VIII.* daté du 13.
Decembre 1599. & accordé au Neveu pour l'impression de cette Histoire, par lequel il paroît que nôtre sçavant Dominicain étoit mort
alors.

Catalogue de ses Ouvrages.

1. *Historia utriusque belli Dacici à*
Trajano Cæsare gesti, ex simulacris
quæ in ejusdem columna Romæ visun-
tur, collecta. Romæ. Cum figuris æneis
Hieronymi Mutiani. 1576. *in - fol.*
Ciaconius entreprit ces explications
à la priere de *Mutiani*, & pour accompagner ses desseins. Il avoüe
dans sa Préface qu'elles sont super-
ficielles, & qu'il ne doute point
qu'il ne s'y soit trompé en plusieurs
choses ; & il promet d'en donner
dans la suite d'autres plus amples

& plus exactes ; mais cette promeſ-
ſe n'a point eu d'exécution. It. *Cum*
iiſdem figuris à Franciſco Villame-
na ab interitu vindicatis , curis Pau-
li Gratiani. Romæ. 1585. *in-fol.* It.
Cum iiſdem figuris Villamenæ. Romæ.
Typis Jacobi Maſcardi. 1616. *in-fol.*
It. en Italien. *Colonna Trajana eret-*
ta dal Senato e Populo Romano all'-
Imperatore Trajano Auguſto nel ſuo
foro in Roma , ſcolpita con l'Hiſto-
ria della Guerra Dacica , la prima e
la ſeconda eſpeditione e vittoria contro
il re Decebalo nuovamente diſegnata
& intagliata da Pietro Santi Bartoli ,
con l'eſpoſitione Latina d'Alfonſo Ciac-
cone compendiata nella volgare lingua
ſotto ciaſcuna imagine , accreſciuta di
medaglie , iſcrittioni , e trofei da Gio.
Pietro Bellori. In Roma 1680. *in-fol.*
Les additions faites ici à l'Ouvrage
de *Ciaconius* par un Anonyme , tendent à le réfuter en pluſieurs points;
mais *Raphaël Fabretti* a pris la défenſe de *Ciaconius* contre ſon critique dans une 5e. édition qu'il a
donnée de ſon Ouvrage , avec des
additions de ſa façon , ſous ce titre :
Raphaëlis Fabretti de Columna Tra-

A. CIA-
CONIUS.
-jani *syntagma*, *cum Alphonsi Ciaco-*
nii Historia utriusque Belli Dacici a
Trajano gesti, *&c. Romæ.* 1690. *in-*
fol. sans figures.

2. *Historia de anima Trajani pre-*
cibus D. Gregorii Papæ ab Inferis
erepta. Avec l'Ouvrage précédent
dans les deux premieres éditions de
1576. & 1585. It. *Venetiis* 1583. *in-*
4°. It. *Regii Lepidi* 1585. *in-*4°. It.
en Italien. *Istoria della liberazione*
dell'Anima di Trajano dell'Inferno per
le preghiere di Gregorio Papa, *in vol-*
gare Italiano tradotta da Francesco
Pifferi, *Monacho Camaldolese. In*
Siena 1595. *in-*4°. It. en François.
Histoire veritable, *comment l'ame de*
l'Empereur Trajan a été délivrée des
tourmens de l'Enfer par les prieres
de S. Gregoire, *traduite du discours*
Latin, *fait par F. Alphonse Ciaco-*
no. Paris. Jean Gisselin 1607. *in-*8°.
pp. 95. Cette traduction est de *Pier-*
re-Victor Cayet. La prétendue déli-
vrance de *Trajan*, admise par *Cia-*
conius, a été refutée par plusieurs
sçavans hommes.

3. *De S. Hieronymi Cardinalitia*
dignitate quæstio. Venetiis. 1583. *in-*4°.

Avec l'Ouvrage précédent. It. *Romæ.* **A. Cia-**
1591. *in-4°.* Cet Opuscule, dans le- **conius.**
quel *Ciaconius* soutient que *S. Je-*
rôme a été Cardinal, a merité aussi
la censure des critiques, & principalement de *Baronius.*

4. *De signis SS. Crucis, quæ di-*
versis Orbis regionibus & nuper an-
no 1591. *in Gallia & Anglia divi-*
nitus ostensa sunt, & eorum explica-
tione Tractatus. Romæ. 1591. *in-8°.*
pp. 187.

5. *De* 200. *Martyribus Monaste-*
rii S. Petri de Cardona in Burgensi
Diœcesi Tractatus. Romæ. 1594. *in-8°.*

6. *Vitæ & Gesta summorum Ponti-*
ficum à Christo Domino usque ad Cle-
mentem VIII. nec non S. R. E. Car-
dinalium, cum eorundem insignibus.
Romæ. 1601. *in-fol.* en deux Livres.
Le premier, qui finit à la mort de
Celestin IV. en 1254. fut imprimé
du vivant de l'Auteur en 1598. Le
second qui étoit imparfait lorsqu'il
mourut, fut achevé par *François Ca-*
brera Morales, Espagnol, qui y fit
les additions necessaires, principalement depuis le Pontificat d'*Alexan-*
dre VI. Alphonse Ciaconius, Neveu

A. CIA-CONIUS. de l'Auteur, prit soin de les publier tous deux ensemble sous la date de l'an 1601. It. *Cum additionibus Andreæ Victorelli & hujus continuatione ad Urbanum VIII. operam conferentibus Ferdinando Ughello, Hieronymo Aleandro, Luca Wadingho & Cæsare Becillo. Romæ. 1630. in-fol.* Deux vol. It. *Tertia editio, novis additionibus Augustini Oldoini Soc. Jesu locupletata, & ad Clementem IX. aucta. Romæ. 1677. in-fol.* Quatre vol. Les vies de la plûpart des Cardinaux sont nouvelles dans cette édition.

7. *Vita Jesu Christi, & Vita B. Virginis.* Cet Ouvrage est marqué imprimé dans le Catalogue de la Bibliotheque des Jesuites de *Palerme.*

8. *Alphonsi Ciaconii Epistolæ, ex autographo Chigiano eruit Mabillonius.* Dans le 3e. tome de *Veterum Scriptorum & Monumentorum Collectio. Paris. 1724. in-fol.* par les soins des PP. *Martenne & Durand.* pp. 1311. Ces Lettres sont au nombre de sept. La sixiéme a été inserée dans la Préface de l'Ouvrage suivant. Elle est adressée au Cardinal *Guillau-*

me Sirlet, & datée de *Rome* le der- A. C1A-
nier Mars de l'an 1581. *Ciaconius* conius.
y rapporte ce qui retardoit la publication de sa Bibliotheque. On
trouvoit a redire. 1. Qu'il eût copié *Gesner*, homme qu'on prétendoit ne mériter en qualité d'Hére-
tique aucune créance. 2. Qu'il par-
lât des Rabbins. La 7e. Lettre est
la Preface même qu'il avoit mise
à sa Bibliotheque, & qui a été imprimée avec elle.

9. *Bibliotheca Libros & Scriptores
fere cunctos ab initio mundi ad annum* 1583. *ordine alphabetico complectens. Auctore & Collectore F. Alphonso Ciaconio. Nunc primum in lucem prodit studio & cum observationibus Francisci Dionysii Camusati,
Vesuntini. Paris.* 1731. *in-fol.* Cette
Bibliotheque, qui ne va que jusqu'à la Lettre *E.* & finit par *Epi-
menides*, étoit fort souhaitée du Public, sur les loüanges que lui avoient
données plusieurs Sçavans ; mais à
peine a-t'elle paru que personne n'en
a plus fait de cas. En effet *Ciaconius*
n'y a presque fait que copier les
Epitomes de *Gesner*, ausquels il a

A. CIA-
CONIUS.

ajouté fort peu de choses.

V. *Andreæ Schotti Bibliotheca Hispaniæ.* p. 242. *Nicolas Antonio , Bibliotheca Hispana. Scriptores Ordinis Prædicatorum Jacob. Quetif & Echard.* tom. 2e. p. 344. *L'Histoire de M. de Thou sur l'année* 1599.

PIERRE CIACONIUS.

P. CIA-
CONIUS.

Pierre *Ciaconius* en Espagnol *Chacon* , naquit à *Tolede* l'an 1525. de parens d'une fortune médiocre, mais honnêtes gens. *Schott* , & *Nicolas Antonio* , se sont trompés en mettant sa naissance en 1527. Il falloit qu'il fût né deux ans plûtôt , puisqu'il avoit 56. ans , lorsqu'il mourut en 1581.

Après avoir fait ses études dans sa Patrie , il alla à *Salamanque* se perfectionner dans les connoissances qu'il avoit acquises. Il y apprit la langue Grecque & les Mathematiques sans l'aide d'aucun Maître , & s'y rendit même en peu de temps si habile , qu'on voulut l'engager à les enseigner dans cette Université. Mais le dessein qu'il avoit d'aller plus loin lui fit refuser cet emploi ; & il s'appliqua avec une nouvelle ardeur à la Philosophie & à la Théologie.

Ayant fait de grands progrès dans cette derniere science , il alla par le conseil de ses amis à *Rome* , où il se fit bientôt connoître d'une maniere avantageuse. Le Pape *Gregoire XIII.* instruit de son mérite , lui donna un Benefice à *Seville* , pour le mettre en état de travailler sans inquiétude pour les besoins de la vie , & le chargea de revoir avec quelques Sçavans la Bible , le Decret de *Gratien* , & divers autres Ouvrages que l'on vouloit donner au Public. Car il avoit une adresse merveilleuse pour corriger & rétablir les Auteurs corrompus.

C'est à cela , aussi-bien qu'à la composition de quelques Ouvrages, que s'est passé la meilleure partie de sa vie.

Il mourut à *Rome* le 26. Octobre 1581. âgé de 56. ans , & fut enterré dans l'Eglise de l'Hôpital de *S. Jacques* des Espagnols , auquel

P. Cia-
conius.

il laissa le peu de bien qu'il avoit, pour l'entretien des pauvres de sa Nation. On lui dressa cette Epitaphe.

D. O. M. S.

Petro Ciaconio , Presbytero Toletano , in quo multiplicis doctrinæ copia cum vitæ ac morum integritate certabat , qui à Gregorio XIII. Pontifice Maximo Sanctorum Patrum Libris , Sacrisque Canonibus & Sacrosanctis Bibliis repurgandis præpositus , in eo munere obeundo , eruditione , judicio , fide ac diligentia præstitit.

Ecclesia S. Jacobi Hispanorum , qui urbem colunt , hæres ab eo instituta , Monumentum hoc posuit.

Vixit annis 56. Obiit anno 1581. 7. Kalend. Novembris.

C'étoit un homme qui vivoit fort retiré & qui étoit uniquement attaché à ses Livres , qu'il appelloit ses fideles compagnons & ses bons amis. Quoiqu'à *Rome* il fût admiré de tout le monde pour son érudition , & qu'au rapport de *Vittorio Rossi* on le montrât au doigt comme un homme incomparable , il fit toujours paroître une modes-

tie & une humilité extraordinaire. P. CIA-
On aſſure même, qu'il étoit ſi peu CONIUS.
jaloux de ſa réputation, qu'ayant
communiqué un de ſes écrits à quelqu'un de ſes amis, il voulut bien
le priver de la gloire que cette pro-
duction de ſon eſprit pouvoit lui
donner dans le monde, priant ſon
ami de la publier comme s'il en
étoit l'Auteur. Auſſi a-t-il donné
peu de choſes au Public de ſon vivant, & la plûpart de celles que
nous avons de lui n'ont paru qu'-
après ſa mort par le ſoin de ſes
amis. C'étoit un effet de la ſeverité
avec laquelle il jugeoit de ſes Ouvrages, dont il n'étoit jamais content; ſeverité qu'il étendoit auſſi
ſur ceux des autres, qu'il critiquoit
impitoyablement. Il avoit un petit
nombre d'amis, qu'il n'avoit re-
connus pour tels qu'après les avoir
long-temps éprouvés, & qu'il tâ-
choit de conſerver par toutes ſortes de bons offices. Comme il n'a-
voit point d'ambition, & qu'il ſe
contentoit de peu, il ne ſe ſou-
cioit pas de faire la cour aux Grands;
il les fuyoit même le plus qu'il pou-

P. CIA-
CONIUS.
voit, persuadé de la verité de cette
maxime d'*Horace*, qu'il repetoit
souvent.

> *Dulcis inexpertis cultura potentis*
> *amici ;*
> *Expertus metuit.*

Du Pin s'est trompé, lorsqu'il a
avancé dans sa Bibliotheque des Auteurs Ecclesiastiques, que le fameux
Jacobin, *Alphonse Ciaconius*, étoit
son frere, car ils n'étoient pas même parens.

Catalogue de ses Ouvrages.

1. *Calendarium Vetus Romanum ;*
cum Petri Ciaconii Notis, curante
Benedicto Ario Montano. Antuerpiæ.
1568. Les notes de *Ciaconius* se trouvent aussi avec le Calendrier, dans
le 8e. tome des Antiquitez Romaines de *Grævius*.

2. *Joannis Cassiani Opera, cum*
notis Petri Ciaconii. Romæ. 1580.
1588. 1611. *in-8o.*

3. *Arnobii Disputationum adversus*
Gentes Libri VIII. Minutii Felicis Oc-
tavius. Ex editione Fulvii Ursini, cum
ejus & P. Ciaconii notis. Romæ. 1583.
in-4°. Pierre *Ciaconius* étoit prêt à
donner une édition de ces Ouvrage

ges, lorsqu'il fut surpris par la mort. P. Cia-
Fulvius Ursinus fut chargé de revoir conius.
son travail, y fit les corrections &
les additions necessaires, & mit le
tout en état de paroître.

4. *Sextus Pompeius Festus de ver-*
borum significatione, ex Bibliotheca
Farnesiana, cum notis Fulvii Ursini.
Roma 1581. *in-8°.* C'est *Ciaconius*,
qui a revû & corrigé cet Ouvrage,
qu'*Ursinus* a donné après sa mort.

5. *In Tertulliani opera Conjectu-*
ræ. Imprimées avec celles de *Lati-*
nus Latinius. Romæ. 1584. Il s'en est
fait aussi une édition à *Paris.*

6. *Inscriptio Columnæ Rostratæ,*
Caio Duillio Consuli ob Victoriam a
Carthaginensibus reportatam erecta,
suppleta, & Commentario illustrata
a Petro Ciaconio; cujus accedunt O-
puscula de Ponderibus, de Mensuris
& de Nummis. Romæ. 1586. *&* 1608.
in-8°. L'explication que *Ciaconius* a
donnée de l'inscription se trouve
dans le 4e. tome des Antiquitez Romaines de *Grævius.*

7. *De Triclinio Romano, sive de*
modo convivandi apud Romanos, &
conviviorum apparatu, liber singula-

P. CIA-
CONIUS.

-ris ; *cum Appendice Fulvii Ursini.
Romæ.* 1588. *in-8o.* It. *Accedit Hie-
ronymi Mercurialis de Accubitus in
Cœna Antiquorum origine Dissertatio.
Amstelod.* 1689. *in-12.*

8. *In* C. *Julii Cæsaris Commentarios Scholia uberiora ,* & *in* C. *Cris-
pum Sallustium breviora. Fulvius Ursinus* les a mêlées avec celles qu'il
a faites sur plusieurs Historiens Latins , & qui ont été imprimées à
Rome. Celles de Ciaconius sur Ce-
sar ont été inserées séparément dans
une édition de cet Auteur faite à
Francfort en 1606. *in-40.* & celles
sur Salluste se trouvent dans les éditions de cet Historien, qui ont paru à *Leyde* en 1594. & 1602. *in-8º.*

V. *Andreæ Schotti Bibliotheca Hispaniæ, p.* 556. *Nicolas Antonio , Bibliotheca Hispana tom.* 2. *Les Eloges
de* M. *de Thou* & *les additions de
Teissier. Jani Nicii Erythræi Pinaco-
theca prima.*

GUY PAPE.

Gvy Pape, ou *de la Pape*, en Latin *Guido Papæ*, naquit au commencement du quinziéme Siecle, à *Saint Saphorin d'Ozon*, petite Ville à trois lieuës de *Lyon*, de *Jean de la Pape* & de *Catherine Aimar*.

Le Fief noble de *la Pape*, distant seulement d'une lieuë de la Ville de *Lyon* avoit appartenu anciennement à sa Famille, qui en avoit pris le nom, & le conserva toujours, quoique par un renversement de fortune elle eût perdu ce Fief.

Jean de la Pape étoit natif de *Lyon*; mais s'étant marié à *Saint Saphorin d'Ozon*, il s'y établit : & ce fut en ce lieu que notre Auteur vint au monde, & non point à *Lyon* même, comme quelques-uns l'ont dit, sous pretexte qu'il regardoit cette derniere Ville comme sa Patrie.

Un de ses Oncles paternels, nom-

G u y mé *Pierre de la Pape*, qui étoit Of-
P a p e. ficial de *Lyon*, & Chantre de *S.
Nizier*, le fit venir de bonne heure auprès de lui, & prit soin de
le pousser dans ses études. Il nous
apprend lui-même qu'il étudioit à
Lyon en 1415. & qu'il y avoit alors
entendu prêcher *S. Vincent Ferrier*.

Après avoir fait ses Humanités,
il se tourna du côté de la Jurisprudence, à laquelle il commença à
s'appliquer en France. Mais comme on étoit alors persuadé, qu'on
ne pouvoit gueres y réussir, à moins
qu'on n'eût étudié dans quelque
Université d'Italie, il passa dans ce
Pays, & s'arrêta à *Pavie*, où il prit
des leçons de *Pierre de Bezuccio*, &
de *Jean de Gambarano*, Professeurs
fort estimés. Ce fut de leurs mains
qu'il reçut en 1430. le bonnet & le
titre de Docteur en Droit.

A son retour, la réputation du
Professeur *Jean de Grassis* l'arrêta
quelque temps à *Turin*, où il fit des
leçons publiques, qui lui acquirent
beaucoup d'honneur.

A peine fut-il arrivé dans sa Patrie, qu'il eut le chagrin de perdre

fa mere , & quelque temps après   G u y
Pierre de la Pape , fon Oncle. Ce- P a p e.
lui-ci lui laiffa en mourant fa Bibliotheque.

Il fut quelque temps indécis fur
le lieu qu'il choifiroit pour exercer
la Profeffion d'Avocat ; mais enfin
il fe détermina pour *Lyon* , quoique fon Pere fouhaitât qu'il choi-
fît *Vienne*.

Il merita dans cette Ville par fa
capacité & fa pénétration, les louanges des Magiftrats , & les applau-
diffemens des Peuples. Les differentes affaires , qui lui pafferent par
les mains , lui donnerent lieu d'a-
jouter à la parfaite connoiffance qu'-
il avoit du Droit Romain , celle
du Droit François , qui lui fut depuis très utile en plufieurs occafions.

Quoiqu'il aimât la Ville de *Lyon*,
il étoit né pour *Grenoble*. *Etienne
Guillon* , Confeiller du Confeil Delphinal , qui s'y tenoit , étoit , comme lui , natif de *S Saphorin*. Cette
Patrie commune , & la conformité
de leurs études avoient formé entr'eux une liaifon étroite. *Guillon* lui
perfuada de venir s'établir à *Greno-*

G u Y *ble*, en lui promettant fa protec-
P A P E. tion, fon amitié & fon alliance; &
il lui tint parole.

Lorfque *Pape* fe fut transporté
dans cette Ville, où il fe vit encore plus recherché qu'il n'avoit été
à *Lyon*, il époufa *Louife Guillon*, fille de fon Protecteur, & acquit quelque temps après la Terre de *Saint-
Auban* dans le Gapençois. Mais ces
deux affaires lui cauferent dans la
fuite bien des chagrins & des peines.

Sa femme ne fut pas long-temps
heureufe avec lui. C'étoit un homme fevere, & fa fombre feverité
participoit quelquefois de cette du-
reté & de cette rudeffe, qui font
peu propres à entretenir la paix &
la tranquillité dans le ménage. Il
rendit par fon peu de complaifance
fa femme moins raifonnable, fon jugement s'affoiblit & fe troubla.

L'acquifition de la Terre de *Saint-
Auban* lui donna auffi des inquiétu-
des, qui firent plus de bruit que
fes chagrins domeftiques. *Lancelot*,
Pâtard de *Poitiers*, qui la lui avoit
venduë, prétendit avoir été furpris

dans les conventions qu'il avoit faites avec lui , & lui intenta procès
fur ce fujet ; mais après bien des
procedures , *Guy Pape* fut mainte-
nu dans la poffeffion de cette Terre , qui éft toujours demeurée dans
fa famille ; il y en ajouta dans la
fuite deux autres , qui en font for-
ties depuis , celle de *Montclar* dans
le Diois , & celle de *Cornillon* près
de *Grenoble.*

Etant libre & débaraffé de ce procès , il fe rengagea dans l'exercice
de fa Profeffion , qu'il continua avec
tant d'habileté & de probité , qu'-
on le jugea digne d'être Confeiller
du Confeil Delphinal. Il fut revê-
tu de cette dignité en 1440. par
le crédit de *Guillon* , fon beau-pere ,
qui en étoit alors Préfident.

Quelque temps après il s'éleva
contr'eux une tempête fi violente ,
qu'ils crurent leur naufrage inévi-
table. On avoit conjuré leur perte ;
leurs ennemis ne manquoient point
de pretexte ; mais ils avoient plus
de prife fur le beau-pere que fur le
gendre. En effet *Guillon* fut trop
foible pour réfifter ; il fut dépoüil-

G u y lé de sa Charge, & *Guillaume Cou-*
P a p e. *sinot* fut mis en sa place l'an 1442.
sa chute ne l'étourdit pas, il sçut
trouver dans la venalité où étoient
alors toutes choses, le moyen de se
relever, & il fut rétabli par l'abo-
lition qu'il obtint.

Le Dauphin *Louis*, qui fut depuis le Roi *Louis XI.* s'étant atti-
ré l'indignation de *Charles VII.* son
pere, se retira dans le Dauphiné, &
y conçut tant d'estime pour *Guy Pape*, que le Pape *Nicolas V.* ayant
succedé en 1447. à *Eugene IV.* il le
choisit pour aller de sa part à *Rome*
feliciter le nouveau Pontife sur son
exaltation.

Ce Prince l'employa depuis en
plusieurs affaires importantes. Il fut
un des Commissaires, qui décide-
rent en 1448. la question des re-
presailles, que le Procureur général du Dauphin demandoit contre
les Suiets de l'Evêque de *Valence*,
Louis de Poitiers. Son opinion fut
suivie; elles furent accordées, quoiqu'avec beaucoup de précaution.
Mais ce Prelat apprehendant les suites, proposa un accommodement,
&

& *Guy Pape* eut la commission de le concerter & de le conclure ; ce qui se fit au mois de Septembre de l'an 1450.

GUY PAPE.

Ces services n'empêcherent pas que la persécution ne se reveillât contre lui, & contre son beau-pere. On ranima les poursuites criminelles, que la grace du Prince avoit éteintes, & ce même Prince voulut qu'elles se fissent par son autorité. *Guillon* avoit de puissans ennemis auprès du Dauphin, & *Guy Pape* étant à *Guillon* ce qu'il lui étoit, il n'étoit pas possible qu'ils lui fussent amis.

Guillon n'eut pas assez de crédit pour se soutenir ; il fut contraint de se mettre à couvert par la fuite, des disgraces qui le menaçoient, & perdit une seconde fois sa Charge de Président, avec une partie de ses biens, qui furent pillés.

Guy Pape, à qui on n'en vouloit qu'à cause de lui, n'eut pas de peine à se tirer d'affaire, lorsque ses ennemis l'eurent vû renversé. Il fut absous, & le Dauphin, qui eut occasion de connoître sa probité, le

Tome XXXVI. R

G u y dédommagea du mal, qu'on lui avoit
P a p e. fait , en l'honorant de la charge
de Maître des Requêtes de son Hôtel.

Guy Pape eut dans ce temps-là la
consolation de recevoir chez lui son
pere , qui quitta la Ville de *Saint
Saphorin* , pour venir demeurer à
Grenoble.

Le Conseil Delphinal ayant été
érigé l'an 1453. en Parlement , *Guy
Pape* fut conservé au nombre de ses
Conseillers ; & le Dauphin , qui
avoit toujours de l'affection pour
lui , se servit de son ministere en
plusieurs occasions , qui survinrent
depuis.

Un Juif de la Ville de *Crest* ayant
été accusé d'avoir commis une irré-
verence insolente devant une image
de la Vierge , le Dauphin envoya
Guy Pape , pour faire le procès à ce
miserable ; mais les preuves s'étant
trouvées trop foibles , il fut laissé
en repos.

Une affaire plus considerable l'ap-
appella quelques mois après à *Gap.*
Les Habitans de cette Ville imploye
rent la protection du Dauphin ,

contre *René* Roy de *Naples*, &
Comte de Provence, qui les fati-
guoit par des taxes, qu'il leur avoit
imposées. Dès qu'il y fut arrivé de
la part du Dauphin, un parti prit
les armes sous l'Etendart de *René*,
& fit grand bruit pour intimider
Guy Pape; mais celui ci se mocqua
d'eux, & exécuta avec courage la
commission dont il étoit chargé.

Cependant *Charles VII.* indigné
de l'opiniâtreté du Dauphin, qui
refusoit toujours de retourner auprès de lui, malgré les ordres pres-
sans qu'il lui en avoit fait réïterer
plusieurs fois, résolut enfin de l'y
contraindre par la force. Il fit pour
cela filer des Troupes vers le Dauphiné, & se disposa à les suivre lui-
même.

Le Dauphin allarmé crut qu'il
étoit temps d'appaiser le Roy, son
pere, & envoya pour cela *Guy Pape*
à *Angers*, où ce Prince étoit alors.
Cet envoyé s'acquitta de sa commission avec toute l'habileté, dont
il étoit capable. Le Roy le reçut favorablement, & l'écouta avec bonté; mais toute la réponse qu'il put

G u y en avoir par rapport au Dauphin,
P a p e. étoit qu'il falloit qu'il se soumît.

Le succès de cette négociation mit
Guy Pape dans un grand embarras.
Il apprehenda d'un côté que le Dauphin, qui ne jugeoit des services
qu'on lui rendoit que par la réussi-
te, ne lui sçût mauvais gré de n'a-
voir rien obtenu ; & d'un autre que
le Roi ne lui voulût du mal, pour
avoir paru être dans les interêts du
Dauphin. Ainsi pour ne donner à
aucun des deux sujets de le soupçonner de partialité, il se retira en Suis-
se, & n'en sortit point que tout
ne fût pacifié.

Charles VII. étant entré dans le
Dauphiné, remit tout dans l'ordre,
& rapella *Guy Pape* de son exil volontaire.

Il y avoit alors à *Vienne* quelque semence de division. Le Corps
de Ville, & le Chapitre de l'Eglise Cathedrale étoient animés l'un
contre l'autre, pour un droit que
le Chapitre exigeoit. *Guy Pape* y
fut envoyé pour prévenir les desordres. Il entendit les Témoins que
les Parties produisirent ; & voyant

que les Habitans se disposoient à
en venir à des voyes de fait , il mit
le Droit en Sequestre , & en fit faire la Recette par ceux qu'il nomma. Ceci arriva au mois de May
1459. & quelque temps après , cette affaire fut reglée.

Charles VII. mourut en 1461. &
Louis XI. son fils qui lui succeda ,
destitua aussi-tôt *Jean de Baile* , Président unique du Parlement de
Grenoble , dont tout le crime étoit
d'avoir obéi trop ponctuellement
aux ordres de *Charles VII. Guy Pape* , qui étoit son ami , commença
depuis ce temps-là à ne plus aller
au Palais que rarement.

Il perdit cette année sa femme
Louise Guillon , qui témoigna par
son testament l'aversion qu'elle avoit
pour lui , en laissant tous ses biens
à *Jean* & *Etienne Guillon* ses freres ,
sans faire la moindre mention de
lui. Il s'en consola aisément , & se
remaria bientôt avec *Catherine de
Cizerin* , dont il eut quatre fils &
deux filles.

Guy Pape , en se retirant du Palais , se renferma dans son Cabi-

G u y net pour la consultation, & pour
P a p e. la composition. Il aimoit la solitude, & il la trouvoit dans une maison qu'il avoit au *Fontanil* auprès
du Prieuré de *Saint Robert*, à une
lieuë de *Grenoble*. C'est là qu'il faisoit de frequentes retraites, pour
être tout à soi, en se refusant aux
affaires, qui venoient à lui de toutes parts.

On ne sçait pas au juste le temps
de sa mort. Il fit son testament en
1472. & il vivoit encore en 1475.
puisque dans son 118e. Conseil,
il employe un Arrêt du 25. Septembre de cette année. Selon Mr.
Doujat, il mourut en 1485. âgé de
83. ans; & suivant *Denys Simon* ce ne
fut qu'en 1487. Il y a apparence
qu'ils retardent trop sa mort, &
qu'il ne survêcut pas de beaucoup
à l'an 1475. puisqu'on n'entend plus
parler de lui depuis ce temps-là.
Quoiqu'il en soit, il mourut *à Grenoble*, & fut enterré dans l'Eglise
des Jacobins, dans le tombeau de
son pere.

Ses Ouvrages l'ont fait mettre
au nombre des plus habiles Juris-

consultes. *Du Moulin* dit à sa louange , qu'il a parlé sans prévention
& de bonne foi dans ses décisions ,
mais il ajoute qu'il n'en a pas usé
de même dans ses conseils , où il
s'est déterminé suivant l'interêt des
consultans.

Catalogue de ses Ouvrages.

1. *Decisiones Gratianopolitanæ. Gra-*
tianopoli. 1490. C'est la premiere édition , qui a été suivie de plusieurs
autres. It. *Lugduni.* 1554. *in-*8°. It.
*Venetiis.*1558. *in-*8°. It. *Antonii Ram-*
baudi , Francisci Pisardi , Stephani
Ranchini , & Laurentii Rabotii glos-
sis ac notis illustratæ , opera Petri
Matthæi. Lugduni. 1593. *in -* 4°. *&*
Francofurti. 1609. *in-fol.* It. *Acces-*
serunt Jacobi Ferrerii , Nicolai Bon-
netoni , & Joannis à Cruce annota-
tiones. Genevæ. 1624. *in-fol. Chorier*
cite une édition de 1617. dans laquelle on a fait entrer des notes
de *Gaspar Baro* , Conseiller au Parlement de *Grenoble.* Cet Ouvrage
est le plus important de tous ceux
de *Guy Pape* , & celui qui lui a acquis le plus de réputation. Les raisonnemens y sont judicieux , les

GUY
PAPE.

preuves fortes & solides , & les loix y sont employées dans leur vrai sens. Si l'expression n'en est pas bien pure ni bien Latine , on y voit du moins une admirable netteté ; rien n'y est embarrassé ni obscur. *Guy Pape* n'est pas Auteur de la 633e. décision , qui est de *Claude Pascal* , Conseiller de *Grenoble* , qui avoit joint à la science du droit, une grande connoissance des Belles-Lettres.

2. *Consilia. Francofurti.* 1574. *in-fol.*

3. *Lectura & Commentarii in Infortiatum , videlicet Librum* 30. *Pandectarum, qui est de Legatis primus ; & in Digesti novi , seu lib.* 42. *Titulum primum de re judicata, cum argumentis & summariis , nec non additionibus Joannis Thierii ; item præfatione quâ Magistratus & Officia in Gallia , tum de Guidone Papa scitu digna explicantur. Francofurti.* 1576. *in-fol.*

4. *Lectura super IV. & VI. libros Codicis , cum additionibus, concordantiis & summariis D. Joannis Thierii , absolutam Conditionum & ultimarum voluntatum tractationem complectens.*

Francofurti. 1576. *in fol.*

5. *Tractatus singulares & in Praxi frequentissimi , cum quibusdam additionibus D. Joannis Thierii, Lingonensis. Francofurti* 1576. *in-fol.* Les onze traités qui se trouvent ici , sont les suivans.

De Præsumptionibus. Ce traité a été inseré dans le 8e. vol. des *Tractatus Juris* , feüil. 155. de l'édition de *Lyon.* 1544. & dans le 5e. vol. feüil. 300. de celle de *Venise.* 1584.

Forma inventarii conficiendi , ne hæres teneatur ultt a vires hæreditarias. It. dans les *Tractatus Juris* , tom. 5e. feüil 137. de l'édition de *Lyon*; & tom. 8. part. 2. feüil. 323. de celle de *Venise.*

Tractatus Rescriptionum & Clausularum derogatoriarum. It. dans les *Tractatus Juris* , tom. 8. feüil. 12. de l'édition de *Lyon* ; & tom. 3e. part. 2e. feüil. 28. de celle de *Venise.*

Tractatus in quibus casibus sit locus pœnitentiæ.

De Contractibus illicitis seu Usaris. It. dans le *Tractatus Juris* , tom. 4e. feüil. 206. de l'édition de *Lyon* ;

G u y tom. 7e. feüil. 71. de celle de *Venise.*

P a p e. *De Appellationibus tam in civilibus*, *quàm in criminalibus.* It. dans les *Tractatus Juris*, tom. 5. feüil 75. de l'édition de *Venise.* It. dans un Recueil intitulé : *Guidonis Papæ, Hieronymi Manfredi, & Francisci de Herculanis de Appellationibus, & de Attentatis appellatione pendente, Tractatus tres. Coloniæ.* 1573. *in-8o. & Mulhusii.* 1602. *in-4o.*

Quædam Consilia D. Petri Papæ de electione Pontificum & Episcoporum. Cet opuscule est de *Pierre de la Pape*, Official de *Lyon*, Oncle de nôtre Auteur.

Libellus tractans quibus casibus Laïci subditi Imperio Ducis Sabaudiæ possint trahi ad Judicem Ecclesiasticum.

Allegationes Petri de Supervilla, de infeudatione, & alienatione rerum ad Ecclesiam pertinentium.

Casus Matrimoniales D. Guidonis Papæ.

Tractatus authenticus de primo & secundo Tractatu D. Petri de Grassis Petris.

6. *De Compulsoriis Litteris.* Dans les *Tractatus Juris*, tom. 11. feüil. 103. de l'édition de *Lyon* ; & tom.

3ᵉ. part. 2ᵉ. feüil. 70. de celle de
Venise.

7. *De primo & secundo Decreto.*
Dans les *Tractatus Juris*, tom. 3ᵉ.
feüil. 115. de l'édition de *Lyon.*

8. On trouve quelques piéces de
sa façon dans un Recueil intitulé :
Perillustrium Doctorum in Libros De-
cretalium aurei Commentarii ; vide-
licet Abbatis antiqui , cum additioni-
bus Sebastiani Medices ; Bernardi
Compostellani , cum additionibus Ant.
de Crevant Abbatis de Ferrariis ; Gui-
donis Papæ , cum additionibus Joan-
nis Thierry , & Joannis à Capistra-
no. Venetiis. 1588. *in-fol.* Ces piéces avoient déja été imprimées séparément sous ce titre : *Guidonis Pa-*
pæ Lectura super Decretales. Lugduni.
1517. *in-4º.*

9. *La Jurisprudence de Guy Pape*
dans ses décisions : avec plusieurs re-
marques importantes , dans lesquelles
sont entr'autres employez plus de sept
cens Arrêts du Parlement de Greno-
ble. Enrichie d'une Table instructive
sur les principales matieres. Par Ni-
colas Chorier. Lyon. 1692. *in - 4º.*
Guy Pape n'avoit mis , ni ordre ,

G u y
P a p e.
ni liaison dans ses décisions ; mais
Chorier en a formé ici un corps
suivi. Il n'y a omis aucune des
questions que cet Auteur avoit décidées par l'autorité des Arrêts du
Parlement de *Grenoble* ; mais il n'a
pas eu la même exactitude pour
celles qu'il n'a décidées que par ses
opinions particulieres.

V. *Sa vie par Chorier à la tête de
sa Jurisprudence.* Elle est fort circonstanciée, & faite avec beaucoup
d'exactitude. *Guido Pancirolus, de
Claris Legum Interpretibus, liv.* 3.
ch. 43. Cet Auteur est peu exact
dans les dates & dans les faits,
de même que les autres qui suivent.
*Bibliotheque des Auteurs du Droit,
par Denis Simon, tom.* 1. p. 233. *Histoire Litteraire de Lyon. par le P. Colonia. tom.* 2. p. 360. *Les vies des
Jurisconsultes par Pierre Taisand. p.*
296.

PIERRE RESENIUS.

Pierre *Refenius* (*a*) naquit a *Copenhague*, le 17. Juin 1625. de *Jean Refenius*, qui étoit alors Profeſſeur en Morale dans l'Univerſité de cette Ville, & qui fut depuis en 1652. Evêque de *Seeland*, & de *Thalie Winſtrup*.

Il fit ſes premieres études dans une Ecole particuliere & enſuite dans l'Ecole publique, & fut reçu dans l'Académie le 30. Mai 1643.

Il y étudia en Philoſophie & en Théologie pendant trois années; au bout deſquelles il fut fait au mois de Février 1646. Régent de l'Ecole Publique de *Copenhague*.

Après avoir rempli cette place pendant un an, il prit le dégré de Bachelier, & partit au mois de

_____

(*a*) Quelques Auteurs l'ont appellé mal *Petrus Johannes Refenius*, il falloit dire *Petrus Johannis*, c'eſt-à-dire, *Pierre* fils de *Jean*, ſuivant l'uſage des Danois, qui joignent le nom de leur pere au leur.

P. Re-
senius.

Mai 1647. pour voyager.

Il alla d'abord en Hollande, &
demeura quatre ans à *Leyde*, où il
prit des leçons de *Daniel Heinfius*,
de *Marc Zuerius Boxhornius*, de
Bernard Schotanus, de *Meftertius*, &
d'*Arnold Vinnius*. Le peu d'interrup-
tion qu'il y mit à ses études, fut
employé à visiter les principales
Villes de la Hollande, de la Frise,
du Brabant, & de la Flandre.

Il vit ensuite pendant les années
1651. & 1652. la France & l'Espagne, & alla enfin en Italie. Il
demeura un an à *Padoue*, où il ache-
va ses études de Droit, & il y fut
reçu Docteur en cette Faculté le
11. Septembre 1653.

De retour à *Copenhague* au mois
de Novembre suivant, il s'y occupa de ses études particulieres jusqu'à l'an 1657. qu'il fut nommé
Professeur en Morale. Il prit possession de cette place l'année suivante, & la conserva jusqu'à l'année 1662. qu'il fut fait second Professeur ordinaire en Droit.

En 1664. il fut élû Conful de
Copenhague, & passa depuis par di-

verses dignités. Il fut élevé en 1669.
à celle d'Assesseur du Conseil Souverain ; en 1672. à celle de Prevôt
des Marchands de la Ville de *Copenhague* , & en 1677. & 1684. à
celle de Conseiller de Justice &
d'Etat ; enfin en 1680. il fut honoré des Privileges des Nobles.

Il mourut le 1. Juin 1688. âgé
de 63. ans , sans laisser d'enfans.

C'étoit un homme d'une grande
lecture , & qui avoit étudié à fond
les Antiquités de son Pays : mais
il n'avoit pas assez de critique pour
discerner la verité d'avec les fables,
ni assez d'ordre dans sa maniére d'é-
crire.

Catalogue de ses Ouvrages.

1. *Disputatio inauguralis Ethico-
Juridica de Justitia & Jure. Hafniæ.*
1658. *in* 4°. Il fit soutenir cette dispute pour prendre possession de la
Chaire de Morale , le 1. Mars de
cette année.

2. *Edda Islandorum Snorronis Stur-
læ , Islandice , Danicè , & Latinè ,
ex antiquis Codicibus MSS. edita :
cum præfatione duplici : una de quatuor rationibus docendi Ethicam , scri-*

P. Re-
senius.

ptoribusque complurimis Ethicis ; altera de Eddæ Sæmundi & Snorronis editione. Hafniæ. 1665. in-4o. Cette Edda ou Matrice de la tradition des
Islandois contient l'ancienne My-
thologie Poëtique des Peuples du
Nord. *Snorron Sturl*, ou *Sturleson*,
qui étoit du Pays , la rassembla
vers l'an 1215. & l'accompagna d'un
Index Alphabétique , qui en expli-
que les expressions Poëtiques les
plus difficiles. *Resenius* y a joint une
tradition Danoise faite par un Anonyme , & une autre Latine , que
Magnus Olai avoit composée en
1625. avec les notes de ce dernier
Auteur & les siennes.

3. *Eddæ Islandicæ Vetustioris, & Sæ-
mundo Sigfusonio , Parocho circa An-
num* 1077. *Oddensi , Rythmis exara-
tæ Islandicis obscurrissimis , Pars I.
Voluspa (id est , Vaticinium Sibyllæ)
Philosophia antiquissima Norvvego-
Danica. Pars II. Haavamaal (id est,
Sermo Celsus) Ethica Odini ; ejus-
que Appendix Runa Capitule (Ma-
gia Odini) Islandice ; cum Versione
Latina Stephani Olai , ejusdem &
Gudmundi Andreæ Scholiis , ac variis
Codicum*

Codicum Regiorum & Noldiani Lec- P. RE-
tionibus. Haſniæ. 1665. *&* 1673. SENIUS.
in-4º.

Diſſertatio de Gradibus Academi-
cis. Haſniæ. 1667. *in fol.*

5. *Inſcriptiones Haſnienſes, Latinæ,*
Danicæ, & Germanicæ, una cum Inſ-
criptionibus Amagrienſibus, Vranibur-
gicis, & Stellæburgicis, Synopſi item
vitæ Tychonis Brahæi è Gaſſendo aliiſ-
que collecta, duabuſque Epiſtolis, nec-
dum editis, una Tychonis Brahæi ad
Caſp. Peucerum, altera ſororis ejus,
Sophiæ, Metrica Latina ad Nobilem
Danum, Nicolaum Langium. Haſniæ.
1668. *in-4º.* L'Abregé de la vie de
Tycho Brahé par *Pierre Reſenius* ſe
trouve auſſi dans la premiere De-
cade des *Memoriæ Philoſophorum re-*
novatæ Hennengi Witten. p. 5.

6. *Jus Aulicum vetus Regum Nor-*
wagorum, dictum Hirdskraa ; item
Jus aulicum vetus Regum Danorum,
à Canuto II. anno 1035. *conditum, dic-*
tum Vitherlagsret, è Bibliotheca Olai
Wormii, Iſlandicè, Danicè, & La-
tinè, cum Annotationibus. Haſniæ.
1673. *in-4º.*

7. *Delineatio Haſniæ Topogra-*

P. RE-
SENIUS.

phica , æri insculpta , cum brevi loco-
rum enarratione ; Danico-Germanicè.
Hafniæ. 1674.

8. *Descriptio & Delineatio Samsoæ*
Insulæ , cum figuris. Hafniæ. 1675.
in fol.

9. *Chronique de Frederic II. Roi*
de Dannemarc , de Norvege, &c. qui
a regné avec honneur pendant 29.
ans , depuis l'an 1559. *jusqu'en* 1588.
qu'il est mort , tirée de divers Ma-
nuscrits. (en Danois) *Copenhague*
1680. *in-fol. Resenius* a composé cette Chronique pour servir de supplément à l'Histoire du Dannemarc
d'*Harald Huitfeldt. Beughem* a mis
mal à propos dans sa *Bibliographia*
Historica cet Ouvrage parmi les
Historiens Latins.

10. *Gudmundi Andreæ , Islandi ,*
Lexicon Islandicum , à Petro Resenio
auctum , cum Præfatione de vita Au-
toris. Hafniæ. 1683. *in-*40.

11. *Jura Antiqua Civitatum Da-*
niæ , Hafniensis , & Ripensis , Mu-
nicipalia ; Latino Danico-Germanicè.
Hafniæ. 1683. *in-*12.

12. *Erici Krabbii versio Germani-*
ca Legum Juticarum Waldemari II.

Regis Daniæ ; cum Prolegomenis Pe- P. RE-
tri Resenii Danicis. Hafniæ. 1684. SENIUS.
*in-*40.

13. *Christiani II. Regis Daniæ Le-*
ges Civiles & Ecclesiastica, cum Mo-
numentorum Regiorum, in Æde D. Al-
bani Ottoniensi extantium , illustratio-
ne. (en Danois) *Hafniæ.* 1684.
*in-*4°.

14. *Catalogus Bibliothecæ suæ. Haf-*
niæ. 1685. *in-*4° C'est lui même qui a
publié ce Catalogue de sa Bibliotheque , qu'il donna alors à l'U-
niversité de Copenhague ; on y voit
un grand nombre d'Historiens du
Nord ramassés avec beaucoup de
soin , mais ils n'y sont pas rangés
dans un ordre convenable.

V. *Erasmi Vindingii Regia Acade-*
mia Hauniensis p. 424. *Alberti Bar-*
tholini de scriptis Danorum liber , &
ad eum Joannis Molleri Hypomne-
mata.

CHARLES MUSITANO.

C Harles *Musitano* naquit le 5.
Janvier 1635. à *Castrovillari*,
Ville de la Calabre citerieure dans
le Royaume de *Naples*, de *Scipion
Musitano*, & de *Laure Pugliese*.

Il fit ses études avec beaucoup
de rapidité, & ayant embrassé l'é-
tat Ecclesiastique, il fût ordonné
Prêtre en 1659.

Il passa après cela à *Naples*, où
ayant entendu parler de la nouvelle Philosophie, il l'apprit tant par
les leçons des Maîtres qui l'enseignoient, que par la lecture des Livres.

Son inclination particuliere le
portoit à l'étude de la Medecine;
& il s'y donna avec ardeur sous les
Professeurs les plus habiles de *Naples*; il commença aussi-tôt après
à la pratiquer, après avoir obtenu du Pape *Clement IX.* un Bref,
qui le lui permettoit.

Il paroît qu'il se partageoit entre

les fonctions de la Medecine , & C. Mu-
celles de la Prêtrise ; puisque le SITANO.
Cardinal *Antoine Pignatelli* , alors
Archevêque de *Naples* , lui donna
depuis qu'il eut embrassé la pratique de la Medecine , les pouvoirs
necessaires pour confesser.

Ces fonctions , & la composition
de plusieurs Ouvrages l'ont occupé
jusqu'à la fin de sa vie.

Il jouit d'une santé parfaite jusqu'en 1698. mais ses forces s'affoi-
blirent depuis peu à peu , & il
mourut à *Naples* en 1714. dans sa
80e. année.

Il étoit de l'Académie de *Spensierati* de *Rossano* , des *Pelegrini* de
Rome , & des *Paresseux* de *Barri*.

Catalogue de ses Ouvrages.

1. *Meditationes speculativæ in lin-
guam Latinam. Neapoli.* 1682. *in-*80.

2. *Pyrothecnia Sophica rerum natura-
lium. Neapoli.* 1683. *in-*40. C'est une
Chimie , où l'on trouve toutes les
préparations Chimiques , qu'on a
coutume de faire dans les trois
Regnes.

3. *Trutina Medica antiquarum &
recentiorum disquisionum gravioribus*

C. Mu- *de morbis habitarum. Venetiis.* 1688.
sitano. *in-*4º. It. *Geneva.* 1701. *in-*40.

4. *De lue Venerea libri quatuor. Nea-*
poli. 1689. *in-*8o. It. en Italien : *Del*
Mal Francese Libri IV. tradotti nell'
Italiano da Giuseppe Musitano. In Na-
poli. 1697. *in-* 8º. Ce Traducteur
étoit neveu de l'Auteur. It. en
François. *Traité de la Maladie Ve-*
nerienne & des Remedes qui convien-
nent à sa guerison ; nouvellement tra-
duit avec des Remarques , par M.
D. V. (Devaux *) Maître Chirurgien*
Juré de Paris. Trevoux. 1711. *in-*12.
deux *vol.*

5. *Mantissa ad Thesaurum & Ar-*
mamentarium Medico-Chimicum A-
driani à Mynsicht. Accessit de Lapi-
de Philosophorum , sive Tinctura Phy-
sica , processus Philosophicus inaudi-
tus. Neapoli. 1697. *in* 8º.

6. *Chirurgia Theoretico-Practica ,*
seu Trutina Chirurgico-Physica. Colon.
Allob. 1698. *in -* 4º. Quatre tomes.
Le 1e. *De Tumoribus præter naturam.*
Le 2e. *De Ulceribus.* Le 3e. *De Vul-*
neribus. Le 4e. *De lu Venerea.* Ce
dernier avoit deja été imprimé en
1689.

7. *Opera Medica Chymico-Practi-* C. Mu-
ca, seu Trutina Medico - Chymica. sitano.
Col. Allob. 1700. *in - 4°.* Deux tomes. Le 1. contient *Trutina Medica,*
imprimé auparavant en 1688. Le
2e. renferme deux Ouvrages. *De
Pyretologia, sive de Febribus,* qui n'a-
voit pas encore été imprimé , &
Pyrotheenia Sophica, qui l'avoit été
en 1683.

8. *De morbis Mulierum Tractatus,*
cui Quæstiones duæ, altera de semine
cùm masculeo, tùm fœmineo, altera
de sanguine menstruo, utpote ad opus
apte faciendum, sunt præfixa. Quæ ad
earumdem naturam mulierum, anato-
men, conceptum, uteri gestationem,
fœtus animationem, & hominis ortum
attinent, ubertim simul explanantur.
Omnia juxta Recentiorum Philosophiæ
principia & Medicorum experimenta
sedulo enucleata. Colon. Allob. 1709.
*in-4*0.

9. *Opera omnia, seu Trutina Medica,*
Chirurgica, Pharmacentico-Chimica,
&c. Accesserunt huic novæ editioni
Tractatus tres numquam editi, nempe
de Morbis infantum, de Luxationibus,
de Fracturis. Genevæ. 1716. *in - fol.*
Deux vol.

C. Mu-
SITANO.

10. On trouve quelques Lettres de lui dans l'Ouvrage suivant. *Celeberrimorum Virorum Apologiæ pro R. D. Carolo Mufitano, adverfus Petrum Antonium de Martino, Medicum Geofonenfem, qui Trutinam Medicam Anno* 1688. *Venetiis typis editam, quâ Harveana fanguinis circulatio aliæque recentiorum Medicorum fententiæ ftatuminantur, temere & inepte impugnare aufus eft. Krufvvick.* 1700. *in-*4°. pp. 196. Voici ce qui a donné occafion à ces Apologies. *Mufitano* ayant publié en 1688. fa *Trutina Medica*, où il établiffoit la doctrine de la circulation du fang, & la plûpart des nouvelles découvertes d'Anatomie & de Chimie, fur les ruines du Syftême de *Galien*, dont il ne fembloit pas refpecter beaucoup l'autorité ; un Medecin de la Faculté de *Salerne*, nommé *Pierre-Antoine di Martino*, Galenifte outré, s'avifa d'y répondre huit ans après, par un Livre imprimé à *Naples* fous le titre de *Refponfum Trutinæ Medica Mufitani*; par lequel il prétendoit réhabiliter tous les dogmes de *Galien*, jufques

aux

aux plus infoutenables , & s'infcrire C. Mu-
en faux contre ce qui paroît de plus:ᴛᴀɴᴏ.
averé & de plus inconteſtable dans
les nouvelles opinions. *Muſitano* ne
daignant point répondre à un tel
adverſaire , ſe contenta d'envoyer à
pluſieurs de ſes amis un exemplaire du Livre de *Martino* , accompagné d'une Lettre , où il racon-
te le ſujet de la querelle , avec une
vivacité qui témoigne qu'il étoit pi-
qué. Ce ſont les Lettres de *Muſitano* , avec les réponſes qu'on y a faites , jointes à quelqu'autres Ecrits ,
qui compoſent le Recueil dont il
eſt queſtion , & qu'on a diviſé en
trois parties. Dans la premiere on
trouve une Lettre de cet Auteur à
M. *Vulpino* Medecin d'*Aſti* , ſuivie
de la réponſe de celui-ci. La 2e. a
pour titre *Nuncius Parnaſſius , ſeu
Epiſtola ex Parnaſſo à Sebaſtiano Bar-
tholo ad Cel. D. Carolum Muſitanum.*
L'Imprimeur marque que cet Ouvrage eſt de M. *Priſgo* , Profeſſeur
en Medecine à *Naples* , mais il ſe
trompe ; il eſt de *Gaetan Tremigliaz-
zi* , qui le publia d'abord en Italien
ſous le titre de *Nuova Staffetta da*

Tome XXXVI.   T

C. Mu-
sitano.

Parnasso, circa gli affari della Medicina. in-8°. Il est suivi de quelques Lettres de *Musitano* adressées à plusieurs Medecins, entr'autres à MM. *le Clerc* & *Manget* de *Geneve*, avec leurs Réponses. La 3e. partie contient quatre Dialogues, qui sont intitulés : *Martinus in Trutina, sive Apologetica per Dialogos disquisitio.*

V. *Son Eloge à la p. 99. du 1^r. tome du Recueil intitulé : Elogi Accademici della Societa degli spensierati di Rossano, descritti dal Dottor Giacinto Gimma. In Napoli. 1703. in-4°. Abregé de sa vie, au-devant du Recueil de ses Oeuvres.*

PIERRE BOREL.

P. Borel.

Pierre Borel naquit à *Castres*, Ville du Languedoc, dans l'Albigeois, vers l'an 1620. de *Jacques Borel*, dont on a quelques piéces de Poësies imprimées, entre lesquelles sont *les larmes de S. Pierre & de la Sainte Vierge*, & *le renouveau de la paix*, comme son fils nous l'apprend dans son Histoire de *Cas-*

tres, dont je parlerai ci-deſſous. P. Borel.

Après le cours de ſes études, il se donna à la Medecine, en laquelle il ſe fit recevoir Docteur. Il commença en 1641. à la pratiquer à *Caſtres*, ce qu'il a fait pendant pluſieurs années, comme il paroît par une atteſtation du Doyen des Medecins du Pays, datée du 1. Decembre 1651. où il eſt marqué, qu'il y avoit déja dix ans, qu'il la pratiquoit avec honneur dans cette Ville. Cette atteſtation eſt jointe à ſes Obſervations de Medecine.

Il amaſſa de bonne-heure un Cabinet de curioſités naturelles, dont il donna le Catalogue au public dès l'an 1645. & qu'il augmenta depuis. Cependant il paroît par l'Epitre Dédicatoire de ſa Bibliothéque Chymique, qu'il n'étoit pas riche, puiſqu'il s'y plaint de ce qu'il n'avoit pas le moyen de faire imprimer ſes Ouvrages.

Il vint à *Paris* ſur la fin de l'année 1653. & il y fut fait quelque temps après Medecin Ordinaire du Roy. Je ne ſçai ſi ce ne fut point à ſon égard un titre purement ho-

P.Borel. noraire , ni s'il fit depuis sa demeure ordinaire à Paris ; quoiqu'il en
soit , il y fut reçu en 1674. dans
l'Académie des Sciences en qualité
de Chymiste.

C'est à cela que se réduit tout
ce qu'on sçait de sa vie. Il mourut
en 1689. âgé d'environ 69. ans.

Catalogue de ses Ouvrages.

1. *Catalogue des raretez de Pierre
Borel de Castres. Castres. 1645. in 4o.*
It. 2e. *Edition* augmentée. A la suite
des *Antiquitez de Castres.* 1649. Il
publia apparemment ce Catalogue ,
pour se faire un nom dans son
Pays , & s'attirer par-là des prati-
ques.

2. *Les antiquitez , raretez , plantes , mineraux & autres choses considerables de la Ville & Comté de Castres d'Albigeois , & des Lieux qui
sont à ses environs , avec l'Histoire
de ses Comtes , Evêques , &c. Et un
Recueil d'Inscriptions Romaines , &
autres Antiquitez du Languedoc &
Provence ; avec le Rolle des principaux Cabinets , & autres raretez de
l'Europe. Comme aussi le Catalogue
des choses rares de Me. Pierre Borel.*

Caſtres. 1649. *in-8°* pp. 150.

3. *Hiſtoriarum & Obſervationum Medico Phyſicarum Centuria prima & ſecunda. In qua non ſolum multa utilia, ſed & rara, ſtupenda, ac inaudita continentur. Caſtris.* 1653. *in-8°.* pp. 240. On trouve à la p. 234. *Inſcriptiones quædam antiquæ,* pour ſervir de ſupplément à celles qu'il a rapportées dans ſes *Antiquitez de Caſtres.* It. *Acceſſerunt Iſaaci Cattieri Obſervationes Medicinales raræ, Borello communicatæ, & Vita Renati Carteſii per eundem Borellum. Pariſ.* 1657. *in-8°.* It. *Francofurti.* 1670. *in-8°.* Avec les mêmes piéces que dans l'édition précédente. It. *Huic editioni præter Cattieri Obſervationes & vitam Renati Carteſii acceſſerunt Joan. Rhodii Obſervationes ; Arnoldi Bootii de affectibus omiſſis tractatus ; & Petri Matthæi Roſſii Conſultationes & Obſervationes ſelectæ. Francofurti.* 1676. *in-8°.* La vie de *Deſcartes* a été traduite en Anglois, & imprimée en cette langue à *Londres* l'an 1666. *in-8°.*

4. *Bibliotheca Chimica, ſeu Catalogus Librorum Philoſophicorum Her-*

P.Borel. *meticorum, in quo quatuor millia circiter Authorum Chimicorum, vel de transmutatione Metallorum, re Minerali, & Arcanis, tam Manuscriptorum quàm in lucem editorum, cum eorum editionibus, usque ad annum* 1653. *continentur. Cum ejusdem Bibliothecæ Appendice & Corollario. Paris.* 1654. *in-*12. pp. 276. It. *Heidelbergæ.* 1656. *in-* 12. On ne voit ici que les titres des Livres, accompagnés assez rarement de leurs dates.

5. *De vero Telescopii inventore, cum brevi omnium conspiciliorum Historia. Ubi de eorum confectione ac usu, seu de effectibus agitur, novaque quædam circa ea proponuntur. Accessit etiam Centuria Observationum Microscopicarum. Auctore P. Borello, Regis Christianissimi Consiliario & Medico Ordinario. Hagæ Comit.* 1655. *in-*4°. pp. 67. 63. & 45. Il y a des choses singulieres & curieuses dans cet Ouvrage. Il y prend pour la premiere fois la qualité de Medecin du Roy, qu'il avoit reçu apparemment vers ce temps-là.

6. *Trésor des Recherches & Antiqui-*

tez *Gauloiſes réduites en ordre alpha-*
betique & enrichies de beaucoup d'o-
rigines , épitaphes , & autres choſes
rares & curieuſes , comme auſſi de
beaucoup de mots de la langue Thyoi-
ſe , ou Theuthfranque. Paris. 1655.
*in-*4°. Cet Ouvrage eſt rempli de
recherches , & fait connoître l'érudition de l'Auteur ; il y ſaudroit
cependant beaucoup ajoûter , pour
en faire quelque choſe de complet.
On voit par des vers à la louange
de *Borel* , qui ſont à la tête , qu'il
n'avoit pas encore 35. ans , lorſqu'il publia cet Ouvrage. Une liſte
de ceux qu'il avoit déja faits , ou
en tout ou en partie , qui s'y trouve auſſi , nous apprend qu'il a publié les ſuivans , que je ne connois point d'ailleurs.

7. *Poëme à la louange de l'Impri-*
merie.

8. *Carmina in Laudem Regis , Re-*
*ginæ , & Cardinalis Mazarini. in-*4°.

9. *Auctarium ad vitam Peireſcii.*
Dans l'édition de cette vie ſaite à
la Haye en 1655. in-4o.

10. *Commentum in antiquum Phi-*
loſophum Syrum. 1655.

T iiij

P. BOREL.   11. *Hortus, seu Armamentarium simplicium Plantarum & Animalium ad artem Medicam spectantium , cum brevi eorum etymologia , descriptione , loco , tempore , & viribus. Castris.* 1667. *in* - 8°. On voit en abregé dans ce Livre ce que les plus celebres Medecins ont dit des Plantes , des Mineraux & des Animaux qui peuvent servir à la composition des Remedes , le tout rangé par ordre alphabetique.

12. *De Curationibus Sympatheticis.* Cet écrit qui est fort court , se trouve à la p. 526. du *Theatrum Sympatheticum. Norimbergæ.* 1662. *in-*40.

Cet article est tiré de plusieurs endroits des Ouvrages de Borel.

S. AVINIEN CYRANO
DE BERGERAC.

S Avinien Cyrano naquit vers l'an
   1620. à *Bergerac* en Gaſcogne,
lieu dont il a joint le nom au ſien,
en s'appellant *Cyrano-Bergerac*, &
non point *de Bergerac*, comme il
paroit plus naturel de le faire.

Son pere, qui étoit bon Gentilhomme, le mit dans ſa premiere
jeuneſſe chez un Curé de la Campagne, qui avoit pluſieurs Pen-
ſionnaires qu'il inſtruiſoit. Il n'y fit
pas de grands progrès dans l'étude ; ainſi on l'en tira pour l'envoyer
à *Paris*. Il y étudia au Collége de
Beauvais du temps du Principal *Gran-
gier*, & ce fut ſur ce Principal, qu'il
fit ſon *Pedant joué*. Ayant entendu
parler du celebre Philoſophe *Gaſſen-
di*, qui étoit pour lors Précepteur
du fameux *Chapelle*, & qui ſe faiſoit un plaiſir de donner des leçons,
non-ſeulement à ſon Diſciple, mais
encore à *Moliere*, à *Bernier*, & à
quelqu'autres jeunes gens, auſquels

il avoit reconnu d'heureuses dispositions pour la Philosophie.

Cyrano, jeune homme vif & turbulent, voulut aussi-tôt entrer en societé avec les Disciples de *Gassendi*, & il fallut bon gré malgré l'y admettre, après qu'il eut intimidé par ses menaces le Maître & les Disciples, à qui d'ailleurs il fit connoître par le brillant & les saillies de son esprit, qu'il n'étoit pas indigne de cette faveur.

Comme il étoit avide de sçavoir, & qu'il avoit une mémoire fort heureuse, il sçut profiter des leçons de *Gassendi*, & se fit un fond de bonnes choses, dont il se servit dans la suite.

Cependant un de ses amis lui conseilla de se mettre dans le service, & le fit entrer Cadet au Régiment des Gardes, qui étoit alors le poste où la jeune Noblesse faisoit son apprentissage des armes. Il n'avoit que dix-neuf ans, lorsque Monsieur *de Carbon Catel-jaloux* le prit dans sa Compagnie, & les Gascons, qui composoient presque seuls cette Compagnie, le regarde-

rent bien-tôt comme le démon de
la bravoure , parce qu'il ne se paſ-
ſoit preſque point de jour , qu'il
ne ſe battît en duel : ce qui étoit
dans ce temps le plus prompt &
preſque l'unique moyen de faire
connoître ſon courage.

Ce qu'il y a de louable dans *Cyrano* , c'eſt qu'il n'avoit point de
querelle de ſon chef , & qu'il ne
fit tant de combats qu'en qualité
de ſecond , étant naturellement
très-brave , & ardent à ſervir ſes
amis. C'eſt du moins ce qu'en dit
M. *le Bret* dans ſon éloge ; mais cela eſt contredit par ces paroles du
Menagiana. Tom. 3. p. 240. » *Ber-
» gerac* étoit un grand ferrailleur.
» Son nez , qu'il avoit tout defigu-
» ré , lui a fait tuer plus de dix
» perſonnes. Il ne pouvoit ſouffrir
» qu'on le regardât , & il faiſoit
» mettre auſſi-tôt l'epée à la main.

Quoiqu'il en ſoit , il donna une
marque éclatante de ſon courage ,
un jour que cent hommes s'étant
attroupés ſur le foſſé de la porte
de *Neſle* , pour inſulter un de ſes
amis , il les diſperſa lui ſeul , en

S. CY-
RANO.

ayant tué deux sur la place, & blef-
sé sept dangereusement. M. *le Bret*,
qui rapporte ce combat, qui paroît incroyable, & dont les circonstances sont vraisemblablement
un peu trop chargées, dit que plusieurs personnes de distinction en
furent témoins, entr'autres M. *de
Bourgogne*, Mestre de Camp du Régiment d'Infanterie de *Conty*, qui
donna à *Cyrano* le nom d'*Intrepide*.

Cyrano se trouva au siége de *Mou-
zon*, où il reçut un coup de mous-
quet au travers du corps; & ensuite étant au siége d'*Arras* en 1640.
il y reçut un coup d'epée dans la
gorge.

Les incommodités que lui laisserent ces deux blessures, le peu d'esperance qu'il avoit d'être avancé,
faute d'un patron, auprès duquel
son génie libre le rendoit incapa-
ble de s'assujettir, & l'amour qu'il
avoit pour les Lettres, le firent entierement renoncer au métier de la
Guerre.

Il composa depuis plusieurs Ouvrages, où l'on découvre beaucoup
de feu & d'imagination. Le Mare-

chal de *Gaffion*, qui aimoit les gens
d'esprit & de cœur, souhaita l'a-
voir auprès de lui ; mais son humeur libre & independante l'empêcha d'accepter ce parti. Cependant à la fin, pour plaire à ses
amis, qui le pressoient de se faire
un patron à la Cour, il se mit auprès de M. le Duc *d'Arpajon* en
1653.

Se retirant un soir, il reçut par
mégarde à la tête un coup d'une
piéce de bois ; & ce coup lui causa une maladie qui dura quinze ou
seize mois, & le conduisit à la fin
au tombeau.

Abandonné dans cet état par le
Duc *d'Arpajon*, il fut secouru par
le Grand Prevôt de Bresse, nommé *Regnault des Bois Clairs*, qui le
garda quatorze mois dans sa maison, d'où s'étant fait transporter à
la Campagne dans celle de son cou-
sin de *Cyrano*, il y mourut cinq
jours après, l'an 1655. à l'âge de
35 ans.

Il s'étoit desabusé, quelque temps
avant sa mort, de plusieurs maximes dangereuses sur la Religion ;

S. Cy- & il avoit renoncé au libertinage
RANO. dont il avoit été soupçonné, pour
mener une vie plus Chrétienne.
Comme une de ses parentes, Religieuse aux filles de la Croix dans
le Fauxbourg *Saint Antoine*, avoit
beaucoup contribué à sa conversion,
il voulut être enterré dans leur Eglise, & son corps y fut transporté.

Il étoit fort sobre en son manger, & ne buvoit que rarement du
vin. Il avoit un extrême respect pour
le beau sexe, & son bien n'étoit
pas moins à ses amis qu'à lui ; c'est
la louange que M. *le Bret* & *Richelet* lui donnent.

Il n'est rien de plus faux que ce
qu'on lit dans le *Menagiana*, tom. 2.
p. 22. en ces termes. » Il est mort
» fou. La premiere marque qu'il
» donna au public de sa folie, fut
» d'aller à la Messe à la Mercy à
» midy en haut de chausses & bon-
» net de nuit, sans pourpoint. Il
» n'avoit pas le sou, quand il tom-
» ba dans une grande maladie, &
» sans M. *de Sainte - Marthe*, qui
» eut la charité de lui faire fournir
» toutes ses necessités, il auroit été

» obligé d'aller à l'Hôtel-Dieu. Il   **S. CY-**
» eſt mort à l'Hôtel *d'Arpajon*, où **RANO.**
» le Duc de ce nom lui avoit don-
» né retraite. On a vû, par ce que
j'ai dit ci-deſſus, que *Menage* étoit
fort mal inſtruit ſur tous ces faits.

Ce qu'il dit ailleurs, tom. 3. p.
240. du même livre, mérite d'être
rapporté, & fait bien connoître le
caractere de *Cyrano.* » Il avoit eu
» du bruit avec *Montfleury* le Co-
» médien, & lui avoit défendu de
» ſa pleine autorité de monter ſur
» le Théatre. Je t'interdis, lui dit-
» il, pour un mois. A deux jours
» de-là *Bergerac* ſe trouvant à la
» Comédie, *Montfleury* parut, &
» vint faire ſon rolle à ſon ordi-
» naire. *Bergerac* du milieu du Par-
» terre lui cria de ſe retirer en le
» menaçant, & il fallut que *Mont-*
» *fleury*, crainte de pis, ſe retirât.
» *Bergerac* diſoit, (Lettre 10.) en
» parlant de *Monfleury*: A cauſe que
» ce Coquin eſt ſi gros, qu'on ne
» peut le bâtonner tout entier en
» un jour, il fait le fier.

Il ne faut chercher ni de la juſteſſe, ni du jugement dans les ou-

S. Cy- vrages de *Cyrano* ; on n'y trouve
RANO. que du feu & de l'imagination.
Ces dernieres qualités leur ont fait
trouver quelque grace devant *Boi-*
leau , qui en parle ainsi dans le
4ᵉ. chant de son Art Poëtique.

> *J'aime mieux Bergerac & sa bur-*
> *lesque audace ,*
> *Que ces Vers où Motin se morfond*
> *& nous glace.*

Catalogue de ses Ouvrages.

1. *La mort d'Agripinne , veuve*
de *Germanicus. Tragédie. Paris.* 1654.
*in-*4°. It. *Amsterdam.* 1656. *in - 8°.*
Cyrano dédia cette piéce au Duc
d'Arpajon , auquel il s'étoit donné depuis un an. Il y a joint quelqu'une de ses *Lettres*. *Gueret* parlant dans sa *Guerre des Auteurs* de
Cyrano , y introduit *Balzac* , qui
lui reproche les pointes fades , les
ordures , & les impietés dont cette
Tragédie est remplie. La mauvaise
réputation de l'Auteur sur le fait
de la Religion donna occasion à
l'avanture plaisante , que M. *de la*
Monnoye rapporte dans ses additions
au *Menagiana* , tom. 2. p. 25. » Un
» jour qu'on joüoit l'*Agripinne* , des
Badau

» Badaux avertis qu'il y avoit des   S. Cy-
» endroits dangereux , après les RANO.
» avoir tous oüis sans émotion ,
» enfin lorsque *Sejan* résolu à
» faire perir *Tibere* , qu'il regar-
» doit déja comme sa victime , vint
» à dire à la fin de la 4e. Scene du
» 4e. Acte ,
» *Frappons , voila l'Hostie.*
» ne manquerent pas de s'écrier :
» ah le méchant ; ah l'Athée ! com-
» me il parle du S. Sacrement !

2. *Le Pedant joué. Comédie en* 5.
Actes en prose , mêlée de vers. *Pa-*
ris. 1654. *in·*4°. & *in -* 12. It. *Ibid.*
1658. *in-*12. On prétent qu'il étudioit en Rhetorique au College de
Beauvais , lorsqu'il fit cette Comédie , où parmi beaucoup de mauvaises choses , il y en a quelques
bonnes , dont *Moliere* a sçu profiter. L'Avanture de la Galere Tur-
que dans les *Fourberies de Scapin* ,
& le récit que *Zerbinette* y fait à
Geronte en sont empruntés. Les
Pierrots & les *Lucas* , qu'il a mis
ailleurs sur le Théatre , sont autant
de copies du *Matthieu Gareau.*

3. *Histoire Comique des Etats &*
Tome XXXVI.   V

S. Cy-
RANO.

Empire de la Lune. Paris. 1656. *in-*
12. M. *le Bret* , ami de *Cyrano* , qui
publia cet Ouvrage après sa mort,
mit à la tête une Préface , où il fait
un récit assez étendu de la vie de
Cyrano , mais sans dates. Il y a de
l'invention & du génie dans l'Histoire Comique.

   4. *Nouvelles Oeuvres , contenant*
l'Histoire Comique des Etats & Em-
pires du Soleil, plusieurs Lettres & au-
tres piéces. Paris. 1662. *in-*12. Ce
fut encore M. *le Bret* , qui publia
ces piéces. Celles qui sont indiquées
ici en gros , sont des *Entretiens poin-*
tus , Ouvrage pitoyable , qui n'est
plus du goût d'à present , & un
Fragment de Physique. Quoique ses
Lettres , comme tous ses Ouvrages , soient fort méprisées , leur stile a cependant dans son extrava-
gance , je ne sçai quoi d'original
qui divertit.

   5. *Les Oeuvres diverses de M.*
Cyrano-Bergerac. Paris. Sercy. 1677.
*in-*12. deux vol. C'est un Recueil
de tous les Ouvrages , dont je viens
de parler. It. *Paris. Charles Osmont.*
1699. *in-*12. Deux vol. It. *Amster-*

dam. 1699. *in-12.* Deux vol. It. *Ams-*
terd. (C'est-à-dire, *Trevoux.*) *in-12.*
Deux vol.

V. *Son éloge par M. le Bret. Riche-*
let , Préface du Recueil de Lettres.
Menagiana. Le Dictionnaire de Mo-
rery. Le Parnasse François , de M.
Titon du Tillet. p. 252.

MATTHIAS MARTINIUS.

M Atthias *Martinius* naquit
l'an 1572. à *Freienhage* dans
le Comté de *Waldek* en Allemagne.

Après avoir fait ses premieres études dans sa Patrie , il passa à *Her-*
born , où il étudia sous plusieurs fameux Professeurs , qui y enseignoient , entr'autres sous *Piscator.*

Il fut ensuite appellé à l'âge de
23. ans à *Dillenbourg* , demeure des
Comtes de *Nassau* de la branche
qui en porte le nom , pour y faire les fonctions de Prédicateur de
la Cour.

L'année suivante 1596. il fut rappellé à *Herborn* , avec la qualité de
Professeur de l'Ecole de cette Vil-

V ij

M. MAR-
TINIUS.

le ; & on le chargea depuis de la conduite des Pensionnaires de cette Ecole. Son deſſein étoit de ſe borner aux fonctions du Miniſtere , & pour pouvoir le faire , il demanda pluſieurs fois à être déchargé de ſes emplois Scholaſtiques; mais on étoit ſi content de lui , qu'on ne voulut point lui accorder ſa demande ; & il fut obligé de les conſerver juſqu'à l'année 1607. que la peſte ayant diſſipé l'Ecole , & contraint les Profeſſeurs de ſe retirer ailleurs , il accepta un poſte de Miniſtre qu'on lui offrit à *Embden* en Friſe.

Après avoir ſervi pendant trois ans cette Egliſe Calviniſte , on le demanda à *Breme* pour y être Recteur de l'Ecole illuſtre de cette Ville , c'eſt-à-dire , Principal du Collége. Il alla auſſi-tôt prendre poſſeſſion de cette place , & il s'y conduiſit avec tant d'habileté & d'ardeur , qu'il rendit l'Ecole de *Breme* très-celebre. Il y enſeigna dans la ſuite la Théologie & l'Ecriture Sainte.

En 1618. il fut envoyé par le Sénat de *Breme* au Synode de *Dor-*

drecht , avec *Henri Isselburgius* , &
Louis Crocius , Docteur & Profes-
feur en Théologie , & il soufcrivit
avec eux aux Decrets du Synode.

Ayant été prendre l'air en 1630.
dans un Village voisin de *Breme* ,
nommé *Kirchtimmeke* , chez *Pokius*,
Pasteur du lieu , qui avoit été son
Disciple , il y mourut d'une attaque
d'Apoplexie à l'âge de 58. ans , &
la 20e. année de son Rectorat.

Conrad Bergius , qui lui succeda
dans sa chaire de Théologie , fit
son Oraison funebre.

On remarque de lui , qu'à l'exemple de *Cujas* & de *Blondel* , il travailloit couché par terre , ayant au-
tour de lui les livres qui lui étoient
necessaires.

Au reste c'étoit un homme mo-
deré & pacifique , qui sans s'arrê-
ter aux questions inutiles de la Théologie ; qui servent souvent le plus
de matiere aux disputes ; se bor-
noit à l'essentiel. C'est du moins la
louange que *Jean Fabricius* , quoique d'une croyance differente de lui,
lui donne à la p. 273. du 3e. tome de
l'Histoire de sa Bibliotheque.

M. MAR-
TINIUS.

Catalogue de ses Ouvrages.

1. *Analyſis popularis , cum indicio doctrinarum in Epiſtolas & Evangelia Dominicalia , & Feſtivalia. Bremæ. 1616. & 1631. in 12.*

2. *Memoriale Biblicum metrico compendio , quàm fieri potuit , breviſſimo factum , in omnes Libros Canonicos Veteris & Novi Teſtamenti , etiam in Apocryphos. Una cum admonitione de S. Bibliorum , item de Veteris Canonis diviſione in Legem , Moſen , & Hagiographa , ex Hieronymo. Herbornæ. 1603. in 8°.* Réimprimé pluſieurs autres fois depuis.

3. *Fons perennis veræ Theologiæ adeoque Univerſitatis ex Oceano Moſaico ; ſeu tria prima capita Geneſeos Analyſi brevi expoſitoria illuſtrata. Bremæ. 1615. in-12.*

4. *De Creatione Mundi Commentariolus. Bremæ. 1613. in-80.*

5. *In Pſalmum II. Quare fremuerunt Gentes Commentarius Eccleſiaſticus & Scholaſticus. Bremæ. 1622. in-80.*

6. *Chriſtiana pietas & æquitas ; ſeu Lex divina Naturæ , Gratiæ , Politiæ , perſpicue ad privatos publi-*

cosque usus apposue explicata. Bremæ.
1619. in-8°.

7. *De prompta rerum utilium me-*
ditatione Libri IV. ad Ecclesiasticum
& Scholasticum usum accommodati.
Bremæ. 1614. *in-80.*

8. *Tria verba, sobrie, juste, pie,*
quibus S. Paulus, Tit. 11. *v.* 12. *uti-*
tur, tribus Tractatibus, de Sobrie-
tate, Justitia & Pietate explicata. Bre-
mæ. 1623. *in-8°.*

9. *De fœderis Naturæ & Gra-*
tiæ signaculis quinque Tractatus, quo-
rum est 1. *De Arbore vitæ.* 2. *De Cir-*
cumcisione. 3. *De Paschate.* 4. *De*
Baptismo. 5. *De Cœna Domini. In-*
terposita præcipuorum errorum vera,
brevi & plana refutatione. Bremæ.
1618. *in-8°.*

10. *Breviarium de vera Religio-*
ne, nempe ejus cura, via ad Medio-
crem in ea concordiam, natura, &
ejus summa. Bremæ. 1617. *in-80.*

11. *Procatechesis in quatuor trac-*
tatus distincta, nimirum de Verbo
Dei & S. Scriptura, de Catechesi,
de Religione, & de Symboli Aposto-
lici origine. Bremæ. 1619. *in-80.*

12. *Synopsis Sacræ Theologiæ, de*

M. MAR-
TINIUS.

Deo , de Decretis Dei , de executio-
ne Providentiæ , & de executione Præ-
destinationis. Herbornæ. 1605. *in-*8°.
It. *Ibid.* 1614. *&* 1617. *in-*4°.

13. *In Sacram Theologiam tres Isa-*
gogæ , diversitati discentium accommo-
datæ. Bremæ. 1615. *in-*12.

14. *Idea , seu summa capita doc-*
trinæ Christianæ populariter & brevi-
ter explicata. Item Methodus S. Theo-
logiæ , una cum notis & tabulis. Her-
bornæ. 1603. *in-*8°.

15. *Summula Verbi Dei populari-*
ter , distincte , & breviter per Ana-
lysin & exegeticas notas explicata.
Bremæ. 1612. *in-*80.

16. *De ratione Mundi Commenta-*
riolus , ad declarandam S. Theologiæ
formulam pertinens. Bremæ. 1613.
in - 8°.

17. *De Deo , summo bono , &*
causa omnis boni , libri duo. Bremæ.
1617. *in* 8°.

18. *Summa Sacramentorum omnium*
Veteris & Novi Testamenti. Bremæ.
1615. *in* 80.

19. *Theologia popularis universa ,*
hoc est , divini Textus Catechetici ex-
plicatio. Bremæ. 1617. *in-*80.

20.

21. *Symboli Apostolici explicatio* , M. MAR-
tribus libris. Bremæ. 1618. *in* 8°. TINIUS.

22. *Disputationum Theologicarum*
Decas. Bremæ. 1611. *in*-8°.

23. *Consolations sur les chûtes im-*
prevûës. (en Allemand.) *Breme.*
1615. & 1619. *in*-12.

24. *Incisio Nervorum capitalium*
Balt. Mentzeri contra Sadeelem de
veritate humanæ Christi naturæ. Si-
genæ Nassov. 1597. *in*-8°.

25. *Spicarum spinarumque Balt.*
Mentzeri Collectio & Examen. Ibid.
1597. *in*-8°.

26. *Contusio Confusionum Mentze-*
ri , *quas fecit in refutatione libri Sa-*
deelis de Sacramentali Manducatione.
Ib. 1597. *in*-80. Cet Ouvrage & les
deux précédens sont destinés a répondre à un Ouvrage que *Ment-*
zer avoit publié contre le Ministre
Chandieu trois ans après sa mort ,
sous le titre d'*Elenchus errorum An-*
tonii Sadeelis in Libellis de veritate
Humanæ Christi Naturæ , *& de Sa-*
cramentali Manducatione. Witebergæ,
1594. *in* - 80. It. *Giessæ.* 1609. &
1615. *in*-8°. La Réplique de *Ment-*
zer se fit attendre assez long-temps,

Tome XXXVI. X

M. MAR-
TINIUS.

& ne parut que sept ans après sous ce titre : *Anti-Martinius , seu modesta & solida Responsio ad futiles objectiones Matthiæ Martinii , Præceptoris in Schola Herbornensi , quibus Sadeelem vindicare infeliciter conatus est. Francofurti.* 1604. *in*-8°. It. *Giessæ.* 1612. & 1620. *in* 8°.

27. *Examen Methodi Philippi Nicolai de Omnipræsentia Carnis Christi. Sigenæ.* 1597. *in*-8°.

28. *Excussio placidæ Responsionis cusæ à Philippo Nicolai ad Sadeelis Tractatum de Spirituali & Sacramentali Manducatione. Sigenæ.* 1597. *in*-8°.

29. *Mentzerus Anti - Nuthetumenus , sive Examen querelarum , & demonstratio Christum secundùm utramque naturam exinanitum & exaltatum esse. Bremæ.* 1616. *in* 8°.

30. *Institutio de præsentia Christi Dei & Hominis in Sacra Cœna contra Mentzerum. Bremæ.* 1617. *in*-8°.

31. *Lexicon Philologicum , præcipue Etymologicum ; in quo Latinæ , & à Latinis Autoribus usurpatæ tum puræ , tum barbaræ voces ex originibus declarantur comparatione lingua-*

rum , (*quarum & inter-ipsas conso-*
nantia aperitur) *subinde illustrantur ,*
multæque in divinis & humanis litte-
ris difficultates è fontibus , Historia ,
veterumque & recentium scriptorum
autoritate enodantur ; bene multa
etiam in vulgatis Dictionariis admissa
haud levia errata modeste emaculan-
tur. Bremæ. 1623. *in fol. Col.* 4138.
It. *Francofurti.* 1655. *in-fol.* It. *Edi-*
tio tertia prioribus multo emendatior ,
& Autoris vita auctior. Accedit ejus-
dem Martinii Cadmus Græco-Phœnix,
id est , Etymologicum , in quo explican-
tur & ad suas origines tandemque
ad Cadmeos , seu Orientales fontes re-
ducuntur principes Græcæ voces , &
eæ , quæ cum alibi , tum maxime in
Veteris Testamenti Paraphrasi LXX.
Seniorum, aliorumque , quæque in No-
vi Testamenti Codice videntur obscu-
riores , multæ quoque notabiles dictio-
nes , vulgò à Lexicographis præter-
missæ & in Glossariis alibique latentes
lucidantur & emaculantur. Præterea
additur Glossarium Isidori , emenda-
tum cura Joannis Georgii Grævii ;
cui auctarium subjecit Theodorus Jans-
sonius ab Almeloveen.Ultrajecti. 1697.

in-fol. deux volumes. * Cette édition ayant paffé au Sr. *de Lorme*,
Libraire d'*Amfterdam*, il engagea
Jean le Clerc à mettre à la tête une
Préface ou plûtôt une differtation
Etymologique, & fubftitua à l'ancien titre un nouveau un peu changé, où il ajoûta ces mots : *Præfixa
eft operi Joannis Clerici Differtatio
Etymologica. Editio nova. Amfteloda-
mi.* 1701. *in-fol.* deux vol. Tout
cela, fuivant l'ufage des Libraires,
pour faire croire que c'étoit une
édition nouvelle. La même a reparu encore de nouveau fous le titre
d'*Utrecht.* 1711. *in fol.* C'eft le meilleur Ouvrage de *Martinius* & le
feul qui foit à préfent recherché.

32. *Cadmus Græco-Phœnix, feu
Etymologicon, in quo voces Græca ad
Orientales reducuntur. Brema.* 1625.
in-12. It. Dans la 3ᵉ édition du
Lexicon Philologicum.

V. *Sa vie à la tête de l'édition de
fon Lexicon donnée par Grævius.*

ROBERT ESTIENNE.

Robert *Estienne* naquit à *Paris* l'an 1503. d'*Henri Estienne I.* fameux Imprimeur de cette Ville.

Il s'appliqua dans sa jeunesse avec beaucoup de soin aux Belles-Lettres, & apprit les Langues Latine, Greque & Hebraïque dans toute leur perfection, comme il paroît par ses Ouvrages.

Son pere étant mort, sa mere, dont on ignore le nom, se remaria à *Simon de Colines*, qui eut par ce moyen l'Imprimerie d'*Henri I.*

Dès l'an 1522. *Robert Estienne* n'ayant que 19. ans fut chargé de la conduite de l'Imprimerie de son beau-pere ; & ce fut cette même année qu'y parut par ses soins une édition Latine du Nouveau Testament, qui fit tant de bruit parmi les Theologiens de *Paris*, qu'ils crierent de toutes parts, qu'il falloit le condamner au feu, & qu'ils ne le laisserent jamais tranquille, tant qu'il vêcut à *Paris*.

X iij

R. Es-
TIENNE.

Ce fut apparemment peu d'années après, qu'il songea à s'établir & à se marier ; car les premiers Livres de son Imprimerie sont de 1526. Il épousa *Petronille*, fille de *Josse Badius*, qui étoit sçavante, & entendoit fort bien le Latin. C'étoit une chose nécessaire dans sa maison, où il y avoit dix Sçavans qui étoient Correcteurs, & qui étant de diverses Nations, ne parloient ensemble qu'en cette langue : ce qui faisoit que ses Domestiques même la sçavoient.

Dès qu'il eut levé une Imprimerie, il se proposa de ne donner au Public que de bons Livres, qui meritassent son attention. Il ne se servit d'abord que de caracteres Romains, mais il employa dans la suite des Italiques.

L'inscription de ses Livres fait voir qu'il demeuroit dans la même maison que son pere, vis-à vis l'Ecole de Droit, & l'on connoît par les caracteres qu'il se servoit des mêmes que lui.

Il avoit pour marque un arbre orné de ses branches, avec un hom-

me qui le regardoit , & ces mots : R. Es-
Noli altum sapere , ausquels il ajoû- TIENNE.
toit quelquefois *sed time.*

Dans quelques-unes de ses premieres éditions il a omis les chiffres & les reclames , & ce n'est qu'-
assez tard qu'il s'est servi de celles-
ci , qu'il regardoit comme inutiles.
Pour ce qui est des chiffres, la né-
cessité des Tables les lui a fait mettre
de bonne heure , mais seulement
à la face anterieure du feuillet.

Vers l'an 1528. il commença à
travailler à son Dictionnaire Latin ,
à la composition duquel il s'appliqua pendant quinze années , étant
aidé par plusieurs Sçavans , & entr'autres par ceux qui demeuroient
chez lui. Il avoit commencé un
Dictionnaire Grec dans le même
goût ; mais la mort l'a empêché de
le finir.

Le 24. Juin 1539. le Roi *François I.* le choisit pour son Imprimeur , & ce Prince fit la dépense
de faire fondre de nouveaux earac-
teres , & de faire chercher des Manuscrits anciens pour les imprimer.
Il eut seulement le titre d'Impri-

R. Es- meur en Latin & en Hebreu ; mais
TIENNE. on voit par l'Epitre qu'il a mise à la tête d'*Eusebe* l'an 1544. qu'il
a eu aussi quelque inspection sur
les impressions Grecques.

L'aversion que les Docteurs de
Sorbonne avoient conçue pour lui
en 1522. à l'occasion de l'édition
Latine du Nouveau Testament, se
réveilla en 1532. lorsqu'il imprima sa grande Bible Latine ; mais
la protection du Roi *François I.*
le mit toujours à couvert de leurs
coups. Ce Prince étant mort en 1547.
il vit bien qu'il ne faisoit plus bon
pour lui à *Paris*. Ainsi après avoir
soutenu pendant quelque temps les
efforts que ses ennemis faisoient
pour le perdre, il se retira à *Geneve* en 1552.

Pendant qu'il demeuroit à *Paris*
il s'étoit souvent associé pour ses
impressions avec ses parens, *Michel Vascosan* & *Jean de Roigny*,
qui avoient épousé les deux sœurs
de sa femme ; *Conrad Badius*, son
beau-frere, & *Charles Estienne*, son
frere. Retiré à *Geneve*, il recom-
mença à imprimer avec *Conrad Ba-*

dius , qui s'y étoit rendu avant lui.

Il cultiva dans cette Ville l'amitié de *Calvin* , de *Beze* , de *Rivet* , & d'autres , dont il imprima les Ouvrages.

Il mourut dans cette Ville le 7. Septembre 1559. âgé de 56. ans. Il laiſſa tous ſes biens , qui étoient conſiderables , à ſes enfans , qui feroient leur ſéjour à *Geneve* , à l'excluſion de tous les autres.

Il avoit trois fils , *Henri* , *Robert* , & *François* , & une fille , nommée *Catherine* , qui avoit appris la langue Latine , non par préceptes , mais par l'uſage , & qui vivoit encore en 1585. comme nous l'apprenons d'*Henri* , ſon frere.

On a accuſé *Robert Eſtienne* d'avoir volé , non pas les caracteres de l'Imprimerie Royale , comme quelques-uns l'ont dit mal-à-propos , mais les matrices de ces caracteres , & de les avoir emportées avec lui à *Geneve*. Voici ce que *Chevillier* dit ſur ce ſujet dans ſon Origine de l'Imprimerie , p. 259.

» Les *Eſtiennes* ſe ſervirent pour
» leurs éditions de ces Belles - Let-

R. Es-
TIENNE.

» tres, qui furent fonduës dans les
» matrices que le Roi *François I.* avoit
» fait frapper par une magnificence
» Royale. *Robert Estienne* son Im-
» primeur avoit ces matrices, &
» des mains de son fils *Henri*, el-
» les passerent dans celles de son
» petit-fils *Paul Estienne.* Celui-ci
» les vendit ou engagea à la Sei-
» gneurie de *Geneve* pour une som-
» me de mille écus. Le Clergé de
» France ayant entrepris de faire
» imprimer les Ouvrages des SS.
» Peres Grecs, présenta sa Requê-
» te au Roi *Louis XIII.* & demanda
» que ces matrices fussent retirées
» & apportées dans l'Université de
» *Paris.* Sur cette Requête le Roi
» rendit son Arrêt daté du 27. May
» 1619. où il ordonne qu'on paye-
» ra de ses deniers la somme de
» trois mille livres pour dégager
» ces matrices Grecques.

Chevillier, qui ne rapporte point
la suite de cette affaire, ne dit point
que *Robert Estienne* eût volé ces matrices, qui étoient à *Geneve*, &
qui y avoient peut être été portées
par quelque autre. Ce qui détruit

enticrement cette accusation inten-
tée contre *Robert Estienne* , c'est
que ses ennemis n'en ont jamais fait
la moindre mention , qu'il n'en a
jamais été question qu'après un si-
lence de 68. années , & que *Robert
Estienne* & ses enfans qui ont demeuré à *Geneve* , ne se sont jamais
servi de caracteres fondus dans ces
matrices.

Ce ne fut donc point pour ce
prétendu vol , que *Robert Estienne*
fut brûlé en effigie , s'il le fut ,
comme *Beze* en demeure d'accord
dans son *Passavant* & ses *Icones.* Ce
fut parce que la coutûme étoit alors
de brûler les Hérétiques , & qu'*Estienne* soubçonné auparavant d'hére-
sie , en étoit devenu convaincu
manifestement par sa fuite.

Pour faire connoître d'un coup
d'œil toute la famille des *Estiennes* ,
à qui la République des Lettres est
si redevable pour la correction &
la beauté de leurs impressions , il
est bon de rapporter ici la généalo-
gie de ceux qui nous sont connus.

Henri Estienne I. mort vers l'an
1520. eut trois fils , *François I. Robert I. & Charles.*

R. Es-
TIENNE.

François I. l'aîné eut un fils nommé comme lui, dont on ignore la
deſtinée.

Robert I. dont il s'agit ici, laiſſa
trois fils, *Henri II. Robert II.* &
François II.

Charles, Medecin & Imprimeur
mourut en 1564. ne laiſſant qu'une
fille.

Henri II. fils de *Robert. I.* né en
1528. & mort en 1598. eut trois enfans, un fils nommé *Paul*; & deux
filles, *Florence*, qui épouſa *Iſaac
Caſaubon* & *Deniſe.*

Robert II. mort en 1588. eut pour
enfans *Robert III.* & *Henri*, Tréſorier des Bâtimens du Roy, & ſon
Interprête pour les Langues Grecque & Latine.

François II. épouſa *Marguerite
Cave*, dont il eut *Gervais*, *Adrien*
& *Adrienne.*

Paul, fils d'*Henri II.* eut quelques enfans, entr'autre *Antoine* &
Joſeph.

Robert III. fils de *Robert II.* n'a
point laiſſé, à ce que je crois,
de poſterité.

Henri, fils de *Robert II.* Tréſo-

rier des Bâtimens , laiffa *Robert III.* R. Es-
& *Henri fieur des Foffez* , Ecuyer , TIENNE.
qui compofa l'*Art de faire des De-*
vifes , & *Renée* , mariée au fieur de
Fougerolles , Notaire au Châtelet
de *Paris.*

Antoine , fils de *Paul* laiffa de
Jeanne le Clerc fon époufe plufieurs
enfans dont il eft inutile de parler
ici.

Le nom des *Eftiennes* fe fait encore connoître avantageufement à
Paris , & des Defcendans de cette
famille en foutiennent la réputation
par la bonté des Livres qu'ils donnent au Public & par la beauté de
leurs impreffions.

Catalogue des Ouvrages de *Ro-*
bert Eftienne.

1. *Biblia Latina Vulgata , ex emen-*
datione Roberti Stephani ad exem-
plaria vetera. Parif. Typis ejufdem.
1528. *in-fol.* It. *Ibid.* 1632. *in - fol.*
Il corrigea dans cette édition plufieurs fautes qui lui étoient écha-
pées dans la première , confera de
nouveau le texte avec quelques Ma-
nufcrits , & mit à la marge des diverfes leçons. Cette nouvelle édi-

R. Es-TIENNE. tion déplut extrêmement à la Sorbonne, de même que quelques autres qu'il donna dans la suite. It. *Ibid.* 1534. *in-*8°. It. *Ibid. in-fol.* Le Nouveau Testament en 1539. & l'Ancien en 1540. It. *Paris.* 1545. *in-*8°. *Estienne* a joint dans cette édition avec la vulgate, une autre version Latine, qu'il dit avoir été trouvée la plus Latine, mais dont il n'a pas osé nommer l'Auteur, qui est *Leon de Juda*, Zuinglien. Il préféra cette traduction à celle de *Pagnin*, qui est trop obscure, quoiqu'il fût persuadé que cette derniere approchoit davantage de l'Original Hebreu. It. *Paris.* 1546. *in - fol.* Cette édition est conforme à celle de 1540. Toutes sont sorties de l'Imprimerie de *Robert Estienne*, & ont été suivies dans quelques autres, qui se sont faites ailleurs. La Sorbonne fulmina contre elles trois ou quatre Censures, ausquelles *Estienne* fit une reponse fort vive, dont je parlerai plus bas. Il donna depuis en 1557. une nouvelle édition de la Bible *in-fol.* dans laquelle il fit entrer la traduction de *Pagnin*.

2. *Dictionarium, feu Latinæ linguæ* R. Es-
Thefaurus, non fingulas modo dictio- TIENNE.
nes continens, fed integras quoque
Latinè loquendi & fcribendi formulas
ex optimis quibufque Authoribus ac-
curatiffimè collectus, cum Gallica fe-
rè interpretatione. Parif. Rob. Steph.
1531. *in-fol.* deux vol. Quelques
perfonnes ayant prié *Robert Eftien-*
ne de donner une édition de *Cale-*
pin, dégagée de toutes les mauvai-
fes additions qu'on y avoit faites,
trouva la chofe trop difficile, &
crut qu'il lui feroit plus facile de
donner un nouveau Dictionnaire Latin. Il travailla pour cela pendant
deux années fur *Plaute* & fur *Teren-*
ce, dont il fit entrer tous les mots
dans fes Recueils, comme étant les
Auteurs les plus purs, & il ajouta
à chaque mot Latin le François. Ce
qui produifit le Dictionnaire, dont
il s'agit ici. Il en donna cinq ans
après une feconde édition, dans laquelle il fit entrer beaucoup d'autres mots, tiré des autres Auteurs
Latins, & les noms propres, qu'il
avoit exclus de la premiere, y laif-
fant auffi l'interprétation Françoife.
Elle eft intitulée.

R. Es-
TIENNE.

*Dictionarium , seu Latinæ linguæ
Thesaurus , non singulas modo dictiones continens , sed integras quoque Latinè & loquendi & scribendi formulas ex Catone , Cicerone , Plinio avun-
culo , Terentio , Varrone , Livio , Plinio secundo , Virgilio , Cæsare , Colu-
mella , Plauto , Martiale. Cum Gallica tùm Grammaticorum , tùm varii
generis scriptorum interpretatione. Paris. Rob. Steph. 1536. in-fol.* Il ajouta encore depuis des mots nouveaux,
corrigea les fausses citations qui é-
toient dans les deux éditions précédentes , en mit dans les endroits ,
où elles manquoient , & rétrancha
les significations Françoises. Ce fut
dans cet état que parut la troisiéme
édition de son Ouvrage , qu'il intitula simplement.

*Thesaurus linguæ Latinæ. Paris. Rob.
Steph.* 1543 *in fol.* deux vol. It. *Multo locupletior. Lugduni.* 1573. *in-fol.*
quatre vol. Cette édition quoique
plus ample que celle de 1543. est
moins bonne. Car l'Editeur y a fait
des fautes grossieres. 1°. En retran-
chant des mots du bon usage qu'-
Estienne y avoit mis. 2°. En corrom-
pant

pant certains mots par des fautes
d'impreſſion. 3°. En faiſant une in-
finité d'additions inutiles & étrange-
res au Livre pour en impoſer aux
ignorans ; comme de longues deſcriptions des Antiquités Romaines,
des explications de termes en uſage
dans le Droit Civil , & d'autres
choſes ſemblables. It. *Editio nova*
prioribus multo auctior & emendatior.
Londini. 1734. *in - fol.* quatre vol.
Cette édition eſt magnifique & faite avec beaucoup de ſoin. On y a
conſervé les additions de celle de
1575. quoique fort inutiles , pour
ne la point décréditer. Du vivant de
Robert Eſtienne , Marius Nizolius
entreprit en 1551. d'en donner une
nouvelle édition , qu'on imprimoit
à *Veniſe* , lorſque *Robert Eſtienne* y
étoit. Celui - ci l'ayant appris , ſe
tranſporta chez l'Imprimeur , où il
prit la premiere feuille du Livre que
le hazard lui préſenta. Il tomba juſ-
tement ſur un mot qu'il avoit autrefois réprouvé & exclus poſitivement
de ſon Dictionnaire lorſqu'il l'avoit
imprimé lui même. Il ne put s'empêcher d'en temoigner quelque reſ-

Tome XXXVI.　　　Y

R. Es-
TIENNE.
sentiment ; & ayant demandé l'é-
xemplaire sur lequel on faisoit l'impression, il trouva que ce mot étoit
à la marge avec plusieurs autres
qu'on y avoit ajoutés, & qui étoient
précisément tous ceux qu'il avoit
rejettés. Il en fit des reproches fort
vifs à l'Editeur, & desavoüa cette
édition ; mais on ne marque point
si elle fut achevée.

Robert Estienne donna depuis une
nouvelle édition de son Dictionnaire Latin & François. *Dictionarium
Latino Gallicum multo locupletius,
Thesauro nostro recens excuso ita ex
adverso respondens, ut extra pauca
quædam aut obsoleta, aut minus usita-
ta vocabula, in hoc eodem ordine,
sermone patrio explicata : adjectis
Authorum appellationibus, quas in
superiore Latino-Gallico prætermisera-
mus. Paris.* 1546. *in-fol.* It. *Ibid.*
1552. *in-fol.* C'est de là qu'il tira le
petit Dictionnaire : *Dictionariolum
puerorum Latino-Gallicum*, qu'il donna en 1550. & 1557. *in-4°*.

3. *Ad Censuras Theologorum Pa-
risiensium, quibus Biblia à Roberto
Stephano, Typographo Regio excusa*

calumniose notarunt, ejusdem Roberti R. Es-
Stephani Responsio. Oliva Roberti Ste- TIENNE.
phani. 1552. *in-*8o. Du 23. Juin. It.
En François : *Les Censures des Theo-*
logiens de Paris , par lesquelles ils
avoient faussement condamné les Bi-
bles imprimées par Robert Estienne,
Imprimeur du Roy ; avec la réponse
d'icelui Robert Etienne ; traduites de
Latin en François. L'Olivier de Ro-
bert Estienne. 1552. *in-*8o. Du 13.
Juillet. Cette réponse est extrêmement vive.

V. *Sa vie par Theod. Janson d'Al-*
meloveen , & par Maittaire dans son
Histoire des Estiennes , & à la tête du
Thesaurus linguæ Latinæ , de l'édition
de Londres.

CHARLES ESTIENNE.

C Harles Estienne naquit à *Pa-* C. Es-
ris , au commencement du 16. TIENNE.
Siécle d'*Henri Estienne I.* & fut le
cadet de *Robert Estienne* , dont je
viens de parler.

Son pere le fit élever avec beaucoup de soin , & il se rendit si ha-

C Es-
TIENNE.

bile dans les Belles-Lettres, que *Lazare de Baïf* le prit pour être Précepteur d'*Antoine* son fils, & l'emmena avec lui en 1540. en Allemagne, où il alloit en qualité d'Ambassadeur.

Il s'appliqua aussi à la Medecine, & s'y fit recevoir Docteur à *Paris*. Les occupations que lui donna la pratique de cette Science, ne l'empêcherent pas de suivre la profession de son pere, & d'être Imprimeur du Roi. Comme il est plus connu par la gloire qu'il a acquise en ce genre, & par ses Ouvrages, que par les circonstances de sa vie, on n'en peut dire que peu de choses.

Il mourut à *Paris* l'an 1564. âgé d'environ 60. ans, laissant une fille nommée *Nicole Estienne*, dont *Jacques Grevin*, Medecin de la Duchesse de Savoye, devint amoureux, & qu'il rechercha en mariage; mais ce Medecin étant venu à mourir le 5. Novembre 1570. âgé de 29. ans, elle fut mariée à *Jean Liebaut*, Docteur en Medecine. Elle étoit sçavante, & composa plusieurs Poë-

fies Françoises , & une Apologie
pour les femmes , contre ceux qui
les meprifent. Mais tout cela n'a
point été imprimé.

Catalogue de fes Ouvrages.

1. *Caroli Stephani de re veftiaria
Libellus ex Bayfio excerptus. Parif.
Rob. Stephanus. 1535. in-8º. It. 2a.
Editio. Ibid. 1536. in-8º. It. Ibid.
1541. in-8º. It. Apud Car. Stephanum.
1553. in-8º.*

2. *De Vafculis Libellus ex Bayfio.
excerptus. Parif. Rob. Stephanus. 1535.
in-8º. It. Ibid. 1536. in-8º. It. Parif. Mauricius de Porta. 1535. in-8º.
It. Trecis. 1542. in-12. It. Parif. Rob.
Stephanus. 1543. in-8º. It. Parif. Car.
Steph. 1553. in-8º.*

3. *Car. Stephani de re Hortenfi libellus. Parif. Rob. Steph. 1535. in-
8º. It. Recognitus & auctus. Ibid.
1536. in 8º. It. Ibid. 1539. in-8º.
It. Trecis. 1542. in-12. It. Multo
quam antea locupletior factus ; cui
nuper additus eft alius libellus de cultu
& fatione Arborum , ex fententia Antiquorum. Parif. Rob. Stephanus. 1545.
in-8º.*

4. *Seminarium five Plantarium.*

C. Es- *Parif. Rob. Steph.* 1536. *in* 8°. It-
TIENNE. fous ce titre : *Seminarium & Plan-*
tarium denuo auctum. Huic accessit
alius libellus de conserendis arbori-
bus in Seminario & in Plantarium
transferendis. Parif. Rob. Steph. 1540.
*in-*8°. *Ibid.* 1548. *in-*8°. C'est la 2ᵉ
partie du *Prædium Rusticum* , qu'il
publia depuis, & dont le traité *de*
re Hortensi fait la 1e.

5. *Car. Stephani de Latinis & Græcis*
nominibus Arborum, Fruticum, Her-
barum, Piscium & Avium Liber, ex
Aristotele, Theophrasto, Dioscoride,
Galeno, Aëtio, Paulo Æginetta, Ac-
tuario, Nicandro, Athenæo, Oppia-
no, Æliano, Plinio, Hermolao Bar-
baro, & Joanne Ruellio, cum Gal-
lica eorum Nominum appellatione. Pa-
rif. Robert. *Stephanus* 1536. *in* 8°.
It. *Ibid.* 1545. *in-*8°. It. 3ᵃ. *Editio.*
Ibid. 1547. *in-*8°. It. *Parif. Apud*
Carol. Stephanum. 1554. *in-*8°.

6. *Vinetum. In quo varia Vitium,*
Varum, Vinorum antiqua Latina,
vulgariaque nomina; item ea quæ ad
Vitium consitionem & culturam ab an-
tiquis rei Rusticæ scriptoribus expressa
sunt, ac bene recepta vocabula, nos-

træ consuetudini præsertim commoda, C. Es-
brevi ratione continentur. Parif. Apud TIENNE.
Francifcum Stephanum. 1537. *in-*8°.
Cela fait la 3e. partie du *Prædium*
Ruſticum.

7. *Arbuſtum, Fonticulus, Spine-*
tum. Parif. Rob. Steph. 1538. *in-*8°.
It. *Apud Franc. Steph.* 1542. *in-*8°.
Ce font les 8. 9. & 10. parties du
Prædium Ruſticum.

8. *Sylva, Frutetum, Collis. Pa-*
rif. Apud Franc. Stephanum. 1538.
*in-*8°. Ce font les 11. 12. & 13.
parties du *Prædium Ruſticum.*

9. *Catonis diſticha de Moribus, cum*
Latina interpretatione & accentibus,
& Epitome Erasmi in ſingula diſticha.
Hæc in gratiam Riverii ſui curſim
obibat Carolus Stephanus. Et dicta ſa-
pientum Græciæ, aliis ſententiis ex-
plicata, & vulgaribus verſibus red-
dita. Parif. Rob. Stephanus. 1538.
*in-*8°.

10. *De recta Latini Sermonis pro-*
nunciatione & ſcriptura libellus. Pa-
rif. Francifc. Stephanus. 1538. *in-*8°.

11. *Naturæ Nominum, Pronomi-*
num, Verborum, Infinitivorum, Ge-
rondiorum & Supinorum, Partici-

C. Es-
TIENNE.
piorum , Præpositionum & Interjec-
tionum. Omnes ex Prisciano in gra-
tiam Henriculi Stephani à Carolo Ste-
phano Collecta. Paris. 1540. *in -* 8°.
C'est un Recueil de six petits Ouvrages de Grammaire , qu'il fit pour
son neveu , & auquel il en ajouta
un septiéme deux ans après.

12. *P. Terentii Afri Comici An-*
dria ; omni interpretationis genere ,
in adolescentulorum gratiam facilior
effecta. Paris. Apud Simonem Coli-
næum & Franciscum Stephanum. 1541.
*in-*40. It. *Adjectus est Index Latina-*
rum & Gallicarum Dictionum. Ibid.
1547. *in.* 80.

13. *Premiere Comédie de Terence ,*
intitulée l'Andrie , traduite en Prose
Françoise par Charles Estienne. Avec
un bref Recueil de toutes les sortes
de jeux qu'avoient les Anciens Grecs
& Romains , & comment ils usoient
d'iceux. Paris. Gilles Corrozet. 1542.
in - 16.

14. *Natura adverbiorum ex Pris-*
ciani Sententia. Paris. 1542. *in-*8°.

15. *Pratum, Lacus, Arundinetum.*
Paris. Apud Simonem Colinæum &
Fr. Stephanum. 1543. *in-*80. Ce sont
les

les 5. 6. & 7e. parties du *Prædium*   C. Es-
Rusticum.   TIENNE.

16. *De dissectione partium Corporis humani Libri tres , à Carolo Stephano , Doctore Medico, editi una cum figuris , & incisionum declarationibus à Stephano Riverio Chirurgo compositis. Paris. Apud Simonem Colinæum.* 1545. *in-fol.* Les figures sont en bois. It. Traduits en François. *La Dissection des parties du Corps Humain , divisée en trois livres ; avec les figures & déclarations des incisions par Estienne de la Riviere , Chirurgien. Paris. Simon de Colines.* 1546. *in-fol.*

17. Les *Abusez , Comédie des Professeurs de l'Academie Siennoise , nommez* Intronati *, celebrée ès jeux d'un Carême-prenant à Sienne , traduite de Tuscan par Charles Estienne. Paris.* 1540. Cette édition est marquée par la *Croix du Maine.* It. *Lyon. François Juste.* 1543. *in-16.* It. sous ce titre : Les *Abusez ; Comédie faite à la mode des anciens Comédiens ; premierement composée en langue Tuscane par les Professeurs , &c. nouvellement revûë & corrigée , avec de petites figures représentant les Scenes.*

Tome XXXVI.   Z

Paris. *Estienne Grouleau.* 1556. *in-*
16. Le sujet de cette Piéce, qui a
pour titre en Italien *Gli Ingannati*,
est pris mot à mot des Histoires de
Bandel.

18. *De Nutrimentis ad Bayllium
Libri tres. Paris. Rob. Stephanus.*
1550. *in-8°.*

19. *Abregé de l' Histoire des Vicom-
tes & Ducs de Milan, le droit desquels appartient à la Couronne de France, extrait en partie du Livre de Paulus Jovius. Avec les portraits d'aucuns
d'iceux. Paris. Charles Estienne.* 1552.
in-4°.

20. *Discours des Histoires de Lorraine & de Flandres. Paris. Charles
Estienne.* 1552. *in-4°. Estienne a dedié ce discours au Roi *Henri* II.

21. *Les Voyages de plusieurs endroits de la France en forme d'Itine-
raire, & les Fleuves de ce Royaume. Paris.* 1553. *in-8°.*

22. *Prædium Rusticum in quo cu-
jusvis Soli, vel culti, vel inculti,
Plantarum vocabula ac descriptiones,
earumque conserendarum atque exco-
lendarum instrumenta suo ordine des-
cribuntur. Paris. C. Stephanus.* 1554.

*in-*8o. It. *Ibid. Apud Fr. Pelicanum.* C. Ês-
1629. *in-*8o. *Eftienne* mit depuis cet TIENNE.
Ouvrage en Franç•is , fous ce ti-
tre : *L'Agriculture , & Maifon Ruf-
tique.* Jean *Liebault ,* fon gendre ,
a fait à la traduction Françoife beaucoup d'additions , qui ont été imprimées un grand nombre de fois
avec elle à *Paris* & à *Lyon in - 4*o.
L'Ouvrage a été auffi traduit en Italien : *Carlo Stefano , dell' Agricol-
tura e Cafa di Villa , nella quale fi
contiene tutto cio che fi può defide-
rare intorno cofì fatta profeffione ; tradotta dal Cavalier Ercole Cato. In
Venetia.* 1591. *in - 4*o. On en a de
même une traduction Allemande ,
qui a été imprimée à *Strasbourg* l'an
1592. *in fol.*

23. *Paradoxes , ou Propôs contre
la commune opinion , débatus en forme de déclamations Forenfes , pour exciter les jeunes efprits en caufes difficiles. Paris. Charl. Eftienne.* 1554.
*in-*8o. Ces Paradoxes font une imitation , & prefque une verfion de
ceux d'*Ortenfio Lando.*

24. *Paradoxe que le plaider eft
chofe très-utile. Paris. Charl. Eftienne.* 1554. *in-*8o. Z ij

C. Es-
TIENNE.

25. *Latinæ linguæ cum Græca Collatio ex Prisciano , & probatissimis quibusque Autoribus , per locos communes Litterarum , partium Orationis , Constructionis , ac totius Grammatices. Parif. Car. Steph.* 1554. *in* 8°.

26. *Caroli Stephani Dictionarium Latino-Græcum ; in quo singulæ dictiones ac locutiones Latinæ Græcis vocibus ac sententiis præmissæ , magnum utriusque linguæ commercium indicant. Hujus autem plurima pars ex Budæi vigiliarum reliquiis excerpta est. Parif. Car. Stephanus.* 1554. *in*-40.

27. *Dictionarium Latino-Gallicum , postrema hac editione valde locupletatum. Lutetiæ. Car. Stephanus.* 1552. *in-fol.* Charles *Estienne ,* qui a augmenté ce Dictionnaire , l'a dedié au Cardinal *Charles de Lorraine.* It. *Jam inde post multas editiones plurimum adauctum. Ibid.* 1561. *in - fol.* It. *Dictiones Græcæ accesserunt. Parif.* 1570. *in-fol.* C'est la troisiéme édition de ce Dictionnaire augmenté par *Charles Estienne.*

28. *Car. Stephani Thesaurus Ciceronis. Parif. Apud eundem.* 1556. *in-fol.*

C. Es-
TIENNE.

29. *Dictionarium Poëticum , quod vulgò inscribitur Elucidarius Carminum , multo quam antehac emendatius.* Parif. Car. Steph. 1559. *in* 8º.

30. *Dictionarium Historicum, Geographicum & Poëticum. Autore Carolo Stephano.* Genevæ. 1566. *in-*4º. It. *Lugduni.* 1579. *&* 1595. *in -* 4º. It. *Genevæ.* 1617. *in-*4º. It. *Auctum & emendatum à Fred. Morello.* Parif. Fr. Jacquin. 1620, *in -* 4º. It. *Editio octava recens aucta.* Parif. *Claude Thibouft.* 1654. *in-*4º. It. *A Carolo Stephano inchoatum , ad incudem vero revocatum , innumerifque pene locis auctum & emaculatum à Nicolao LLoyd.* Oxonii. 1670. *in fol.* It. *Editio Novissima.* Londini. 1686. *in fol.* Chaque nouvelle édition de ce Dictionnaire a été corrigée & augmentée par differentes perfonnes, il y eſt cependant reſté bien des fautes. Celles qu'a donnée *LLoyd* en ont moins , quoiqu'elles ne ſoient pas extrêmement exactes.

31. *Petit Dictionnaire François-Latin.* Paris. 1559. *in* 40.

32. *Ciceronis Opera , ex editione Caroli Stephani.* Parif. *Apud ipfum.*

Z iij

in-fol. Quatre tomes. Les trois premiers en 1554. & le 4e. en 1555.
Jean Albert Fabricius traite cette
édition de *Nitida & luculenta editio.*
Estienne a mis à la tête une Préface au Lecteur , & une Epitre De-
dicatoire au Cardinal de Lorraine.

V. *Theodori Janssonii ab Almeloveen de Vitis Stephanorum Dissertat-
tio. Maittaire , Stephanorum Historia. L'Anti-Baillet de Menage tom.
1. p.* 219.

HENRI ESTIENNE.

Henri Estienne , surnommé second , par rapport à son grand
pere , qui portoit le même nom ,
naquit à *Paris* l'an 1528. de *Robert
Estienne* , & de *Perette Badius.*

Son pere lui trouvant des dispo-
tions heureuses pour les Sciences ,
n'oublia rien pour les cultiver. Mais
comme il ne pouvoit vaquer lui-
même à son éducation , à cause des
distractions continuelles que lui cau-
soient les occupations de son Imprimerie , & la composition de ses

Ouvrages , il le mit ſous la conduite d'un Maître habile , mais dont
les autres Ecoliers étoient trop avan-
cés pour ſa portée. Cependant leurs
exercices ne lui furent pas inutiles ,
quoiqu'ils ne fuſſent pas pour lui.

Ce Maître leur expliquoit la *Me-*
dée d'Euripide , & prenoit plaiſir à
la leur faire déclamer avec toute la
grace dont ils étoient capables. Cette déclamation plaiſoit extrêmement
au jeune *Eſtienne* , qui étoit ſurtout
enchanté de la douceur & des agré-
mens de la langue Grecque , & qui
conçut un deſir violent de devenir
lui-même Acteur , d'Auditeur qu'il
étoit. Mais cela ne ſe pouvoit , à
moins qu'il ne ſçût le Grec ; & il
ne pouvoit le ſçavoir , ſans avoir appris le Latin , qui en eſt comme la
porte & l'interpréte , ſuivant l'uſage établi.

Mais l'amour qu'il avoit pour la langue Grecque lui fit ſurmonter ſans
peine ces difficultés qu'on lui oppo-
ſoit ; il ſoutint qu'il ſçavoit aſſez
de Latin pour s'appliquer au Grec.
En effet , quoiqu'il n'eût jamais vû
de Grammaire , & qu'il n'eût point

Z iiij

H. Es-
TIENNE.

eu de Maître en cette langue, il n'a-
voit pas laissé de l'apprendre un peu
à force de l'entendre parler dans la
maison de son pere, où tout le monde la parloit, & même suffisamment
pour la parler lui même un peu.

Robert Estienne voulut qu'on se
conformât en cela à l'inclination de
son fils , d'autant plus qu'il étoit
du sentiment de ceux , qui croyent
qu'il seroit plus à propos d'apprendre le Grec avant le Latin.

Le jeune *Estienne* dévora la Grammaire en peu de jours , & n'eut
point de repos , qu'on ne lui eût
mis en main la *Medée d'Euripide.*
Il eut alors le plaisir , qu'il avoit tant
desiré , de la déclamer comme ses
condisciples , & à force d'en repré-
senter les differens personnages , il
l'apprit toute par cœur.

Cet exercice lui donna du goût
pour la Poësie , qu'il cultiva toujours dans la suite , & qui lui servoit d'amusement dans ses voyages,
& à ses heures de loisir.

Comme il vouloit posseder parfaitement la langue Grecque , il ne
se contenta pas de ce qu'il put ap-

prendre de son premier Maître ; il
étudia encore sous *Pierre Danes, Jac-*
ques Tousan, & *Adrien Turnebe,* trois
celebres Professeurs Royaux en cette langue , par les soins desquels
il s'y rendit très-habile.

Son amour pour les Sciences s'e-
tendit jusqu'à l'Astrologie judiciaire, à laquelle il lui vint en fantaisie de s'appliquer; mais il fallut user
d'adresse pour obtenir de son pere
un Maître necessaire pour cela. Il en
avoit trouvé un ; & il demanda seulement à son pere la permission d'apprendre de lui la Geometrie & l'A-
rithmetique, en lui decouvrant seulement la moitié du prix dont il
étoit convenu pour ses leçons ; parce qu'il étoit si fort, qu'il lui auroit fait soupçonner quelque chose
de ce qu'on ne vouloit pas lui dire.
Pour le reste , il trouva moyen de le
tirer de sa mere. Mais il ne fut pas
long-temps sans reconnoitre qu'il n'y
avoit rien de solide dans la Science
prétendue qu'il vouloit apprendre ,
& sans se désabuser de l'estime qu'-
il en avoit fait d'abord.

Il paroit que son pere l'associa

en 1546. à ses travaux, & qu'il contribua avec lui à l'édition de Denis d'Halicarnasse.

Lorsqu'il eut dix-neuf ans, âge où son pere avoit commencé à travailler, il songea à suivre ses traces, & résolut de voyager, & d'aller chercher dans les Pays étrangers & dans les Bibliothéques, des Auteurs qui méritassent qu'il travaillât à les donner au Public. Un autre motif eut aussi part à cette résolution ; ce fut celle de connoître les Sçavans, de converser avec eux & de profiter de leurs lumieres.

Il partit donc en 1547. pour l'Italie, où il demeura trois ans, comme il le dit lui-même, & dont il parcourut les Villes les plus celebres, ramassant par tout avec soin ce qui lui paroissoit en meriter la peine. Mais il n'y demeura pas si long-temps de suite, il doit y avoir fait deux, ou même trois voyages en differens temps, puisqu'il étoit de retour à *Paris* en 1549. & qu'il paroît par ses écrits & par ceux de quelques autres, qu'il étoit à *Venise* en 1556.

De retour à *Paris* en 1549. il **H. Es-** trouva fon pere occupé à mettre **TIENNE.** la derniere main à fon Nouveau Teftament Grec *in-fol.* & il y joignit quelques vers Grecs, qu'il avoit compofés dans fa premiere jeuneffe, pour celebrer les biens infinis que *Jefus-Chrift* nous a procurés par fon Incarnation & par fa Mort.

Son féjour dans la maifon paternelle ne fut pas long ; car l'année fuivante 1550. il alla faire un tour en Angleterre, où il demeura jufqu'en 1551. qu'il revint à *Paris* fur la fin de l'année, après avoir demeuré quelque temps en Flandres. Il rapporta de ce voyage la connoiffance de la langue Efpagnole, qu'il avoit apprife par la fréquentation des Efpagnols, qui étoient en Flandres, & par la lecture de leurs Livres ; comme il avoit rapporté de fon voyage d'Italie celle de la langue Italienne.

Son pere fongeoit alors à fortir de France ; mais on ne fçait s'il le conduifit dans le lieu de fa retraite. S'il le fit, il eft fûr qu'il revint enfuite à *Paris*, où il com-

H. Es-
TIENNE. mença auſſitôt après à dreſſer une Imprimerie. Il préſenta pour cela à la Sorbonne le Privilege que le Roi *Henri II.* avoit accordé à ſon pere, ce qui fait conjecturer que la retraite de *Robert Eſtienne* étoit volontaire. Car ſi elle avoit été forcée, & qu'on eût decerné quelque choſe contre lui, de quoi auroit ſervi à ſon fils un Privilege, qui devenoit par là inutile.

Sur la fin de l'an 1554. il alla faire un voyage à *Rome*, peut-être pour voir en paſſant à *Geneve* ſon pere, qui y demeuroit : & ſe tranſporta l'année ſuivante à *Naples*, avec des lettres de recommandation du Cardinal de *Sainte-Croix*, pour tâcher de découvrir certaines choſes importantes au Service du Roi, qu'*Odet de Selve*, Ambaſſadeur de France à *Veniſe*, ſouhaitoit ſçavoir.

Après s'être acquitté de la commiſſion, dont il avoit été chargé, il retourna à *Veniſe* en rendre compte à l'Ambaſſadeur, & profita du ſéjour qu'il fit dans cette Ville, pour en viſiter les Bibliotheques.

De retour à *Paris* en 1556. il H. Es-
commença à se donner tout de bon TIENNE.
au travail , comme il paroît par le
grand nombre d'Ouvrages , qui sortirent depuis de son Imprimerie ,
& dont la plûpart étoient de lui ,
ou revûs par ses soins. Il y prit d'a-
bord la qualité d'Imprimeur de *Paris*, mais en 1558. il prit celle d'Imprimeur d'*Ulric Fugger* , Allemand
fort riche , dont il recevoit une pension en consideration des Ouvrages
qu'il imprimoit.

Il fit encore en cette année 1558.
un voyage à *Geneve* ; & ce fut la
derniere fois qu'il eut la consolation
de voir son pere , qui mourut le
7. Septembre de l'année suivante
1559.

Il se maria peu de temps après
& peut - être en 1560. Car on ne
peut sçavoir l'année que par des con-
jectures fort incertaines. On ignore
aussi le nom de sa femme , dont il
fait lui-même un fort grand éloge
dans la Préface de son édition d'Aulugelle.

Son application aux travaux de
son Imprimerie & à la composition

H. Es-
TIENNE.
de ses Ouvrages ne l'empêchoient
pas de faire de fréquens voyages.
Il alloit presque tous les ans à la
foire de *Francfort*, & souvent en
chemin faisant, à plusieurs autres
endroits, où il s'arrêtoit, pour voir
les Sçavans qui y demeuroient, &
visiter les Bibliotheques.

Ce fut apparemment lui-même,
qui fit mettre sous la presse à *Geneve* en 1566. son *Introduction à l'A-
pologie pour Herodote.* Cet Ouvrage
souleva bien du monde ; mais rien
n'est plus faux que l'Anecdote, que
Corneille Tollius a debitée à ce sujet dans son Traité *de infelicitate Lit-
teratorum*, où il dit qu'*Estienne* auroit été brûlé pour ce Livre, s'il
ne se fût enfui. Il se retira, ajou-
te-t-il, dans les montagnes de l'Au-
vergne, & pendant ce temps-là il
fut brûlé en effigie à *Paris.* Ce qui
lui fit dire dans la suite en plaisan-
tant, qu'*il n'avoit jamais eu plus
froid, que lorsqu'on le brûloit à Paris.* Le long séjour qu'*Estienne* fit
depuis à *Paris*, & ce que je vais rapporter démentent absolument ce récit de *Tollius.* Il est plûtôt à présu-

mer que l'on fut long-temps ſans ſçavoir qu'*Eſtienne* fût l'Auteur de
l'Ouvrage, & qu'ainſi perſonne ne
ſongea à lui en vouloir du mal.

Le Roi *Henri III.* qui l'aimoit,
vouloit ſouvent l'avoir auprès de lui,
& ce fut par ſon ordre qu'il entreprit pluſieurs Ouvrages, pour leſ-
quels il eut, dit *la Caille* dans ſon
Hiſtoire de l'Imprimerie, une Ordon-
nance de trois mille livres, qui lui
furent payées le 15. Octobre 1578.
par *Pierre Molan*, alors Tréſorier.
Ce Prince l'envoya auſſi en Suiſſe,
pour y chercher des Manuſcrits &
des Livres rares, comme il paroît
par un Brevet du 12. Août 1579.
par lequel il lui accorde une penſion de trois cens livres. Il lui avoit
auparavant donné un Privilege général en date du 28. Janvier 1579.
pour tous les Ouvrages qu'il impri-
meroit.

Le long ſéjour qu'*Henri Eſtienne*
fit à la Cour, lui inſpira de l'inclination pour ce lieu ; mais il s'en
dégouta enfin, lorſqu'il vit que toutes les eſperances qu'il avoit con-
çues, s'en alloient en fumée, &

H. Es- que les bienfaits du Roi devenoient
TIENNE. inutiles à son égard , par la faute
des Trésoriers , qui refusoient de
payer ce qu'il lui donnoit.

Il faut rapporter sur ce sujet un
passage des Mémoires de *L'Estoile* ,
qui est singulier , & que ceux qui
ont parlé de lui n'ont point connu. » En ce temps-là , c'est-à-dire
» en 1585. dit cet Auteur , *Henri*
» *Estienne* étant venu de *Geneve* à
» *Paris* , & le Roi lui ayant don-
» né mille écus pour son Livre *de*
» *la Préexcellence du langage Fran-*
» *çois* , un Trésorier sur son Brevet
» voulut lui en donner 600. com-
» ptant. *Henri* les réfusa lui offrant
» 50. écus ; de quoi ledit Tréso-
» rier se mocquant ; *je vois bien* , lui
» dit-il , *que vous ne sçavez pas ce*
» *que c'est que Finances , vous revien-*
» *drez à l'offre , & ne la retrouverez*
» *pas :* ce qui advint. Car après avoir
» bien couru par tout , il revint à
» son homme , & lui offrit les 400.
» écus. Mais l'autre lui dit , que cet-
» te marchandise n'alloit pas com-
» me celle des Livres , & que de
» ses mille écus , il ne voudroit pas
» lui

» lui en donner cent. Enfin il per- H. Es-
» dit tout, le bruit de la guerre & TIENNE.
» l'édit de ceux de la Religion le
» forçant de retourner en son Pays.

On voit par ce passage, qu'*Estienne* avoit alors quitté *Paris*, & avoit été établir son domicile à *Geneve*, que *l'Estoile* a eu tort de regarder comme sa patrie. Les troubles, qui accompagnerent les dernieres années du Regne de *Henri III.* & le danger où il se trouvoit en France, furent les raisons qui l'y déterminerent.

Une Lettre de *Paul Melissus* nous apprend qu'il s'étoit remarié, sa premiere femme étant morte à la fin de l'année 1565. ou au commencement de la suivante.

Il eut le chagrin de se trouver dans la disette sur la fin de sa vie. Etant même tombé malade à *Lyon*, on fut obligé de le porter à l'Hôpital, où il mourut au commencement du mois de Mars de l'an 1598. étant alors âgé d'environ 70. ans.

Il laissa trois enfans, un fils nommé *Paul Estienne* qui s'établit à *Ge-*
Tome XXXVI. A a

H. Es-
TIENNE.

neve , & y dressa une Imprimerie
& deux filles , *Florence* qui avoit
épousé *Isaac Casaubon* le 28. Avril
1586. & *Denise*.

» Il a été sans contredit le plus sçavant non seulement de ceux de sa
» docte famille , mais encore de tous
» les Imprimeurs, qui ont paru jus-
» qu'à présent. Néanmoins il faut
» avoüer que son pere sçavoit plus
» d'Hebreu que lui , & que les im-
» pressions du fils sont beaucoup au-
» dessous de celles du pere , tant
» pour la propreté & la beauté des
» caractères , que pour l'exactitude
» même. Car comme il vouloit que
» tous les Auteurs , & particuliere-
» ment les Grecs, qu'il devoit met-
» tre au jour , passassent par ses
» mains pour les corriger , & pour
» y faire des notes , il se précipi-
» toit trop , dans la crainte de lais-
» ser vaquer les deux presses de son
» Imprimerie, qui ne lui donnoient
» point le loisir de revoir & d'exa-
» miner ses copies.

» On prétend même qu'il n'é-
» toit pas fidele dans ses éditions ;
» & *Scaliger* dit dans le *Scaligera*

» *na*, qu'en corrigeant les Ouvrages
» des Auteurs , qu'il devoit met-
» tre sous la presse , il y ajoûtoit
» & y retranchoit ce qu'il jugeoit
» à propos selon les lumieres qu'il
» croyoit avoir , c'est-à-dire, selon
» sa fantaisie ; & qu'enfin il com-
» mettoit divers autres infidelités
» par un droit nouveau qu'il pré-
» tendoit avoir sur les Auteurs. En
» quoi il étoit bien different de
» *Chrift. Plantin*, qui, quoiqu'infi-
» niment au-deffous de lui pour la
» science & pour l'industrie , ne
» laiffoit pas de rendre meilleur ser-
» vice au Public par la fidelité in-
» violable dont il usoit dans ses im-
» preffions.

» Mais néanmoins , comme *Scali-*
» *ger* n'étoit pas toujours uniforme
» dans ses jugemens , il loüe ailleurs
» *Henri Eftienne* de ce dont il vient
» de le blâmer ici. Il ajoute que son
» Imprimerie avoit été l'azyle & la
» garde fidelle de l'Hellenisme ; &
» il prétend en un autre endroit que
» tout ce qu'il a imprimé de Grec
» eft beaucoup meilleur que les édi-
» tions d'*Alde Manuce* , qu'on efti-
» moit tant.   A a ij

H. Es-
TIENNE.

» En effet il passoit pour le plus
» grand Grec de son siécle depuis
» la mort de *Budé*, & il n'y avoit
» que *Turnebe*, & peut-être *Came-*
» *rarius* & *Florent Chrétien*, qui pus-
» sent lui tenir tête en ce point dans
» toute l'Europe, au jugement des
» meilleurs Critiques.

» Il n'excelloit gueres moins dans
» les autres connoissances humaines,
» par le moyen desquelles, selon M.
» *de Sainte Marthe*, lui & son pe-
» re sont heureusement venus à bout
» de rendre plus corrects, & de ré-
» tablir, pour ainsi dire, dans leur pu-
» reté originale, un très grand nom-
» bre d'Auteurs tant Sacrés que Pro-
» fanes, qui sont sortis en foule
» de leurs presses.

» Enfin pour faire voir qu'*Hen-*
» *ri Estienne* possedoit jusqu'aux
» moindres qualités, qui peuvent
» contribuer à perfectionner un Im-
» primeur, on a remarqué qu'il
» avoit la main très-délicate & très-
» heureuse ; qu'il écrivoit ou pei-
» gnoit merveilleusement bien le
» Grec & le Latin ; que son écri-
» ture avoit toute la beauté de l'Im-

» primerie même. On difoit aufi
» qu'il imitoit parfaitement la main
» de ce fameux *Ange Vergece*, qui
» fit les exemples pour graver les
» caracteres du Roi. (Baillet , Juge-
» mens des Sçavans.)

Quelques-uns ont trouvé les traductions qu'il a faites du Grec in-
fidelles & négligées ; mais M. *Huet*
affure après *Cafaubon* , qu'il a rendu
les paroles de ses Auteurs avec une
extrême exactitude , & le sens avec
une fidelité admirable , qu'il a exprimé heureusement leur caractere ,
& qu'il en a expliqué les pensées
avec beaucoup de clarté & d'élé-
gance.

Pour sa Poësie Latine , elle n'a
rien que de bas & de rampant.
Aussi la plûpart des vers que nous
avons de sa façon , ont-ils été composés dans ses voyages , & il les
faisoit pour se desennuyer dans la
route.

On lui reproche d'avoir été chagrin , imperieux & de mauvaise humeur ; défauts que *Cafaubon* son
gendre ne dissimule point , & qu'il
avoit éprouvés quelquefois.

H. Es-
TIENNE.　Il prenoit le surnom du sieur de
Griere, & on a quelques-unes de ses
Epitres, qui sont datées de ce lieu:
Mais je crois qu'on s'est trompé
quand on a dit qu'il avoit publié
sous ce nom la vie de *Catherine de*
Medicis. Cet Ouvrage est trop em-
porté & trop satyrique, pour qu'il
s'avisât de mettre à la tête un nom,
qui l'auroit fait reconnoître.

Catalogue de ses Ouvrages.

1. *Horatii Poëmata, scholiis &*
argumentis ab H. Stephano illustra-
ta. Parif. Robertus Stephanus. 1549.
in-8o.

2. On voit une piéce de Vers
Grecs de sa façon à la tête du Nouveau Testament Grec, que *Robert*
Estienne, son pere, donna en 1550.
in-fol.

3. *Anacreontis Teii Odæ, Græcè;*
cum Interpretatione Latina & Obser-
vationibus H. Stephani. Parif. Typis
ipsius. 1554. *in - 4o.* Henri Estienne
est le premier, qui ait publié les
Odes d'*Anacreon*, ausquelles il y a
joint quelques fragmens d'*Alcée* &
de *Sapho*. Sa version Latine est en
vers de même mesure que ceux de

ce Poëte. *Joseph Scaliger* prétend H. Es-
que, quoiqu'elle ait paru sous son TIENNE.
nom, elle est de *Jean Dorat*, mais
c'est une chose qui n'a pas la moindre vraisemblance, & que *Scaliger*
a avancée sans preuve. *Elie André*
donna quelque temps après une nouvelle version Latine d'*Anacreon*, qui
fut imprimée l'année suivante 1555.
à *Paris* chez *Richard* in-4°. & ensuite en 1556. chez *Robert Estienne*
& *Guillaume Morel.* in-8°. Elle a
été souvent jointe à celle d'*Henri
Estienne*, parce qu'elle est fort differente, l'Auteur y ayant suivi d'autres leçons que celles d'*Estienne.* La
version de ce dernier à reparu deux
ans après la premiere édition. *Anacreontis, & aliorum Lyricorum Poëtarum Odæ, Græcè; cum Latina versione subjuncta & observationibus H.
Stephani. Paris. Guil. Morel & Rob.
Stephanus.* 1556. in-8°. H. Estienne
en a donné lui-même plusieurs éditions, dont je parlerai plus bas.

4. *Dionysii Halicarnassei Responsio
ad Cn. Pompeii Epistolam, in qua
ille de reprehenso ab eo Platonis Stylo
conqueritur. Ejusdem comparatio He-*

H. Es-
TIENNE.

rodoti cum Thucydide, & Xenophon-
tis, Philifti, Theopompi inter se. Ejuf-
dem ad Ammæum Epistola adversus
eos, qui Demosthenem ab Aristotele
præcepta eloquentiæ didicisse contende-
bant. Ejusdem de præcipuis Linguæ
Græcæ Auctoribus Elogia. Græcè. Pa-
rif. Apud Carolum Stephanum. 1554.
in-8°. Henri Estienne, qui a publié
ces Ouvrages, a mis à la tête une
Epitre Dédicatoire Grecque, adref-
sée à *Odet de Selve*, dans laquelle
il lui marque que le mauvais état
de ses affaires domestiques l'empê-
che de lui offrir quelque chose de
plus considerable. Comme il n'a pas
joint à son édition de version Lati-
ne, *Stanislas Ilovius* a supplée à son
défaut, & en a donné une à *Basle*
en 1557. *in-8°.*

5. *Moschi, Bionis, & Theocriti*
Idyllia aliquot, Latina facta ab Hen-
rico Stephano, cujus accedunt Carmi-
na ejusdem Argumenti. Parif. Ex Of-
ficina Rob. Stephani. 1556. *in-4°.*

6. *Davidis Psalmi aliquot Latino*
Carmine expressi à quatuor illustribus
Poëtis, quos quatuor regiones, Gal-
lia, Italia, Germania, Scotia genue-
runt ;

runt ; *in gratiam studiosorum Poëtices inter se commissi ab Henr. Stephano, cujus etiam nonnulli Psalmi Græci cum aliis Græcis itidem comparati in calce Libri habentur. Ex Officina Henr. Stephani.* 1556. *in* - 4°. pp. 96. Les quatre Poëtes Latins, dont il s'agit ici, sont *George Buchanan,* Ecossois ; *Flaminius,* Italien ; *Salmon Macrin,* François ; & *Helius Eobanus,* Allemand ; auxquels *Estienne* a ajouté *Rapicius,* Italien.

7. *Ex Ctesia, Agatharcide, Memnone excerpta Historiæ. Appiani Iberica. Item de gestis Annibalis. Omnia nunc primum edita. Cum H. Stephani Castigationibus. Græcè. Paris. ex ejus Officina.* 1557. *in-*8°.

8. *Aristotelis & Teophrasti scripta quædam, quæ vel nunquam antea, vel minus emendata quam nunc edita fuerunt. Græcè ; cum Præfatione H. Stephani. Ex ipsius Officina.* 1557. *in-*80. Les piéces qu'*Estienne* a rassemblées ici, sont les suivantes. *Aristotelis & Theophrasti de sensu, & Eclogæ, seu excerpta quædam ex aliis ejusdem opusculis. Ejusdem characteres Ethici. Aristotelis de lineis insecabi-*

Tome XXXVI.

H. Es-
TIENNE.
libus, & quædam excerpta ex Libro
ejus περὶ ἀκυςῶν. Ejusdem de mi-
rabilibus narrationibus. Excerpta ex
Mathematica Archytæ Pythagorei. Excerpta ex Sotionis Libro de Fluviis,
& fontibus, & portubus. Ex Athe-
næi secundo Dipnosophistarum libro de
Aquis & fontibus.

9. *Æschyli Tragœdiæ Septem. Quæ
cùm omnes multo quam antea castiga-
tiores eduntur, tùm vero una, quæ mu-
tila & decurtata prius erat, integra
nunc profertur. Scholia in easdem,
plurimis in locis locupletata, & in pene infinitis emendata. Petri Victorii
Cura & diligentia. Ex Officina H.
Stephani.* 1557. *in-4o.* Pierre Vettori,
qui étoit lié d'amitié avec *Estienne*,
lui avoit envoyé ces Tragedies, avec
les Scholies Grecques, pour les imprimer ; & ce Sçavant Imprimeur
voulant répondre à ses desirs & rendre son édition meilleure, y fit plusieurs corrections sur des Manuscrits qu'il avoit vûs, & y joignit
ses observations.

10. *Ciceronianum Lexicon Græco-
Latinum ; id est, Lexicon ex variis
Græcorum Scriptorum locis à Cicero-*

*ne interpretatis collectum ab H. Ste-
phano. Adjuncti loci ipsi cum Ciceronis Interpretationibus. Parif. Ex Officina H. Stephani.* 1557. *in-8o.*

11. *In Ciceronis quamplurimos locos castigationes H. Stephani : partim ex ejus ingenio, partim ex vetus-
tissimo quodam & emendatissimo exem-
plari. Ex ejus Officina.* 1557. *in-8o.*

12. *Athenagoræ Apologia pro Chri-
stianis & de Resurrectione Mortuorum.
Græcè, cum versione Latina subjuncta
Conradi Gesneri & Petri Nannii, ac
ipsius Gesneri & H. Stephani notis.
Typis H. Stephani.* 1557. *in-8o.* L'A-
pologie est de la traduction de *Gesner*; & le discours de la Résurrection de celle de *Nannius.*

13. *Maximi Tyrii, Philosophi Pla-
tonici, sermones, sive disputationes*
41. *Græcè nunc primum editæ. Ex Officina H. Stephani.* 1557. *in-8o.* Avec
une Epitre Latine à la tête, & à
la fin des corrections d'*Henri Estienne.* It. *Ex Cosmi Paccii, Archiepiscopi Florentini, interpretatione, ab
H. Stephano quamplurimis in locis
emendata. Ibid.* 1557. *in-8o.*

14. *Erasmi Adagiorum Chiliades*

H. Es- quatuor *cum sesquicenturia* ; *cum* H.
TIENNE. *Stephani animadversionibus. Genevæ.*
Robert. Stephanus. 1558. *in - fol.* Il
étoit allé voir son pere à *Geneve* ,
lorsqu'il imprimoit cet Ouvrage
d'*Erasme* ; & il profita de son loisir pour y joindre des remarques.

15. *Diodori Siculi Bibliothecæ Historicæ Libri quindecim de quadraginta. Græcè* ; *cum Præfatione* H. *Stephani. Ex ejus Officina.* 1559. *in-fol. Estienne* dans sa Préface traite des Ecrits de *Diodore* , qu'il défend contre *Vivés.* Il a joint outre cela à son édition quelques notes grammaticales , & quelques corrections.

16. *Pindari Olympia* , *Pythia* , *Nemea* , *Isthmia. Cæterorum octo Lyricorum Carmina* , *Alcæi* , *Saphus* , *Stesichori* , *Ibyci* , *Anacreontis* , *Bacchylidis* , *Simonidis* , *Alcmanis* : *Nonnulla etiam aliorum. Omnia Græcè & Latinè. Paris. Apud ipsum.* 1560. *in-*16. It. *Editio* 2a. *Ibid.* 1566. *in-*16. It. *Antuerpiæ. Christ. Plantin.* 1567. *in-*16. It. *Editio* 3a. *recognitione quorumdam interpretationis locorum* , *& accessione Lyricorum Carminum locupletata. Apud* H. *Stephanum.* 1586.

in-16. It. *Lugduni.* 1598. *in*-12. It.   **H. Es-**
Editio 4a. *Apud Paulum Stephanum.*   TIENNE.
1600. *in*-16. It. *Editio* 5a. *Ibid.* 1612.
in-16. La version Latine de *Pinda-*
re , qui eſt en proſe , eſt de la façon d'*Henri Eſtienne.*

17. *Xenophontis omnia quæ extant*
Opera ; *Græcè* ; *cum annotationibus*
H. *Stephani* , *quibus partim varias*
lectiones examinare , *partim locis ali-*
quot obſcuris lucem afferre, partim men-
doſos quoſdam ſuæ integritati reſtitue-
re conatur. Typis ipſius 1561. *in-fol.*
It. *Editio ſecundâ. Ibid.* 1581. *in-fol.*
It. *Latinè ex Interpretatione diverſo-*
rum. Præfixa eſt H. *Stephani Ora-*
tio de conjungendis cum Marte Mu-
ſis , *exemplo Xenophontis. Ibid.* 1561.
in-fol.

18. *Sexti Philoſophi Pyrrhoniarum*
Hypoteſeon Libri tres ; *quibus in tres*
Philoſophiæ partes ſeveriſſime inquiri-
tur. Græcè nunquam , *Latinè nunc pri-*
mum editi. Interprete H. *Stephano.*
Apud ipſum. 1562. *in*-8o. It. Avec la
traduction des autres Ouvrages de
Sextus par *Gentian Hervet. Antuer-*
piæ. 1569. *in-fol.* & *Pariſ.* 1621. *in-*
fol.

H. Es-
TIENNE.

19. *Themistii Orationes* 14. *Apud H. Stephanum.* 1562. *in-*8°. Il n'avoit encore paru que huit difcours de Themiftius : *Eftienne* y en a joint fix autres nouveaux ; & a accompagné les uns & les autres de courtes notes.

20. *Rudimenta Fidei Chriftianæ. Addita eft Ecclefiafticarum precum formula. Græcè & Latinè. Apud. H. Stephanum.* 1563. *in-*12. It. *Ibid.* 1565. 1575. 1580. *in-*12. C'eft le Catechifme de *Calvin* , avec une verfion Grecque d'*Henri Eftienne.*

21. *De abufu linguæ Græcæ , in quibufdam vocibus, quas Latina ufurpat , Admonitio. Apud ipfum.* 1563. *in-*80. It. *Ibid.* 1573. *in-*80.

22. *Fragmenta Poëtarum Veterum Latinorum , quorum opera non extant, Ennii , Accii , Lucilii , Laberii , Pacuvii , Afranii , Nævii , Cæcilii, aliorumque multorum. Undique à R. Stephano fumma diligentia olim conquifita , nunc autem ab H. Stephano ejus filio digefta , & prifcarum , quæ in illis funt , vocum expofitione illuftrata. Additis etiam alicubi verfibus Græcis , quos interpretantur. Excude-*

bat H. Stephanus. 1564. in-8°.   H. Es-
TIENNE.

23. *Dictionarium Medicum* , vel *expoſitiones vocum Medicinalium ad verbum excerptæ ex Hypocrate , Aretæo , Galeno , Oribaſio , Ruſo Epheſio , Aetio , Alexandro Tralliano , Paulo Ægineta , Actuario , Cornelio Celſo. Cum Latina interpretatione. Lexica duo in Hippocratem huic Dictionario præfixa ſunt; unum Erotiani , nunquam antea editum ; alterum Galeni multo emendatius quam antea excuſum. Apud* H. Stephanum. 1564. in 80.

24. *Thucididis de bello Peloponneſiaco libri octo. Græcè , una cum Scholiis Græcis. Apud* H. Stephanum. 1564. in-fol. *Iidem Latinè ex interpretatione Laurentii Vallæ ab* H. Stephano *recognita. Apud ipſum.* 1564. in-fol. *It. Græcè & Latinè cum notis* H. Stephani. *Apud ipſum.* 1588. in-fol.

25. *Anthologia,* ſeu *Florilegium diverſorum Epigrammatum veterum , in ſeptem Libros diviſum ; magno Epigrammatum numero & duobus indicibus auctum. Græcè ; cum annotationibus* H. Stephani. *Typis ipſius.* 1566.

B b iiij

H. Es-
TIENNE.

in-4°. L'Editeur n'a point ajouté de version Latine ; mais il s'est contenté de traduire en cette Langue de cinquante façons differentes un distique Grec. Le P. *Vavasseur* , Jesuite , s'est moqué dans son Livre de l'Epigramme de cette fecondité , avec d'autant plus de raison , que les Vers d'*Estienne* sont durs & forcés.

26. *Herodoti Halicarnassei Historia Libri IX. & de vita Homeri libellus. Illi ex interpretatione Laur. Vallæ , hic ex interpretatione Conradi Heresbachii , utraque ab H. Stephano recognita. Ex Ctesia excerptæ Historiæ. Icones quarumdam memorabilium apud Herodotum Structurarum. Apologia H. Stephani pro Herodoto. Typis H. Stephani.* 1566, *in-fol.* It. *Ibid.* 1570. *in-fol.* It. *Ibid.* 1592. *in-fol.*

27. *Introduction au Traité de la Conformité des Merveilles anciennes avec les Modernes. Ou traité préparatif à l'Apologie pour Herodote.* 1566. *Novembre in-*8°. pp. 572. C'est la premiere édition de cet Ouvrage. Le lieu de l'impression n'y est point

marqué, mais il est très-sûr qu'el- H. Es-
le a été faite à *Geneve*. Elle est très- TIENNE.
belle, tant pour le papier, que pour
le caractere, qui est petit, mais très-
net ; & c'est la meilleure au jugement de M. *le Duchat*. Elle n'a aucune Table, ni des Chapitres, ni
des Matieres, ce qui la distingue de
toutes les autres éditions qui en ont.

La 2e. ou du moins celle qui paroit telle, porte la date de 1566.
au mois de Novembre ; mais cette
date est visiblement supposée. Quoiqu'elle soit sans nom de Lieu, il
est facile de voir par le caractere,
qui est plus gros que celui de la
premiere, qu'elle est aussi de *Geneve*. On y a ajouté deux Tables,
une des Chapitres, & l'autre des
Matieres principales.

Celle qui paroit la 3e. est la même que la seconde, à laquelle on a
seulement mis un nouveau frontispice qui porte, *à Geneve par Pierre
Chouet* 1566. *au mois de Novembre*.

La 4e. est de 1567. *à Anvers, chez
Henrich Wandelli*. Il n'y a rien a
remarquer, si ce n'est que les pages sont partagées en quatre par-

H. Es-ties, de dix lignes chacune, mar-
TIENNE. quées à la marge 10. 20. 30. 40. nom-
bres aufquels on en a mis dans la
Table de rélatifs. Le caractere est le
même que celui de la premiere édition.

La 5e. est de 1568. *à Anvers, chez
Henrich Wandelli.*

La 6e. est de 1569. *in-*8°. comme
toutes les autres. *Du Verdier* la marque dans sa *Bibliotheque Françoise.*

La 7e. est de 1572. *de l'Imprimerie de Guillaume des Marescs.* On
marque dans le titre qu'elle est revûë & *augmentée de plusieurs notables Histoires, dignes de memoire.*
Cependant il ne s'y trouve que deux
additions considerables, dont l'une
est à la p. 172. & l'autre à la p. 610.
On a ajouté outre cela à la fin du
Livre *la Prosopopée de l'Idole aux Pe-
lerins*, contenant 32. vers, qui sont
suivis d'un *Huictain de S. B. aux
Freres rasez.* Le caractere est le même que celui de la premiere édition.

La 8e. est de 1580. chez le même *Guillaume des Marescs.* Elle est
entierement semblable à la précédente, excepté qu'on en a retran-

ché le *Huictain de S. B.*

La 9e. est de 1579. au mois de Mars sans nom de Lieu. M. *de Sallengre*, qui nous instruit de tout ce détail dans le premier tome de ses *Mémoires de Litterature*, croit qu'elle est de *la Rochelle*, aussi-bien que la suivante.

La 10e. est de 1582.

La 11e. est de 1592. *à Lyon par Benoit Rigaud.*

La 12e. est de 1607. *sur les Halles.*

La 13e. est de 1735. *augmentée de tout ce que les posterieures à la premiere ont de curieux*, & de remarques par M. *le Duchat. La Haye in-8°.* trois tomes. C'est le dernier Ouvrage qu'ait donné ce Sçavant, qui est mort la même année.

Toutes ces éditions font voir que cet Ouvrage d'*Henri Estienne* a été fort recherché : ce qui ne doit point surprendre, puisqu'il est rempli de traits Satyriques contre les Prêtres, les Moines, & l'Eglise Catholique en général. On y trouve beaucoup de faits singuliers & plaisans, qu'un grand nombre d'Auteurs ont ti-

H. Es- ré de là pour faire passer dans leurs
TIENNE. Ouvrages, sans faire attention, que
la plûpart font faux, ou du moins
suspects de fausseté. D'ailleurs le
stile en est extrêmement diffus : ce
font des repetitions continuelles, &
les mêmes choses y font rapportées
en plusieurs endroits. *Henri Estienne* ne s'y étoit proposé d'abord,
que de donner un peu plus d'étendue à ce qu'il avoit dit dans son
Apologie Latine pour *Herodote* ;
mais son génie satyrique l'a mené
plus loin, & il a profité de l'occasion pour s'egayer aux depens des
Catholiques.

28. *Poëtæ Græci principes Heroici
Carminis, & alii nonnulli. Homerus.
Orpheus. Callimachus. Aratus. Ni-
cander. Theocritus. Moschus. Bion.
Dionysius. Hesiodus. Coluthus. Try-
phiodorus. Musæus. Theognis. Phocyli-
des. Pythagoræ aurea Carmina. Græcè.
Cum H. Stephani observationibus, &
Præfatione, in qua laudes Poëtices at-
tingit. Apud ipsum.* 1566. *in - fol.*

29. Traité de la conformité du langage François avec le Grec. *Henri
Estienne in - 8°.* L'Ouvrage est sans

date. Mais *la Croix du Maine* met
cette édition en 1567. It. *Paris. Robert Eſtienne.* 1569. *in* 80.

30. *Colloquiorum Scholaſticorum libri quatuor , ad pueros in ſermone Latino paulatim exercendos. Autore Ma-
thurino Corderio. Colloquiorum , ſeu
Dialogorum Græcorum ſpecimen , Autore H. Stephano. Apud ipſum in-*8°,
ſans date. *H. Eſtienne* a voulu faire ,
par rapport à la langue Grecque, ce
que *Cordier* avoit fait par rapport à
la Latine.

31. *Polemonis , Himerii , & aliorum quorumdam declamationes , Græcè ; nunc primum editæ. Cum H. Stephani annotationibus. Apud ipſum.*
1567. *in*-40.

32. *Jani Parrhaſii liber de rebus
per Epiſtolam quæſitis. Apud H. Stephanum.* 1567. *in* - 8° *H. Eſtienne* ,
qui a imprimé cet Ouvrage a mis à
la tête une Epître adreſſée à *Louis
Caſtelvetro* , qui eſt curieuſe & inte-
reſſante , comme toutes celles de ce
Sçavant.

33. *Medicæ artis Principes poſt Hippocratem & Galenum Græci , Latini-
tatè donati , Aretæus , Ruffus Ephe-*

H. Es-*sius , Oribasius , Paulus Ægineta ,*
TIENNE. *Aetius , Alexander Trallianus, Ac-*
tuarius , Nic. Myrepsus. Latini, Cor-
nelius Celsus , Scribonius Largus ,
Marcellus Empiricus. Aliique præte-
rea , quorum unius nomen ignoratur.
Index non solùm copiosus , sed etiam
ordine artificioso omnia digesta habens.
Hippocratis aliquot loci cum Cornelii
Celsi interpretatione. Excudit H. Ste-
phanus. 1567. *in fol.* deux vol. Les versions Latines des Medecins Grecs ,
qu'on voit ici , sont de differens Auteurs , & non point d'*Henri Estien-*
ne , comme on le marque mal-à-propos dans plusieurs Catalogues.

34. *Tragœdiæ selectæ Æschyli , So-*
phoclis & Euripidis , Græcè. Cum du-
plici interpretatione Latina , una ad
verbum , altera carmine. Ennianæ in-
terpretationes locorum aliquot Euripi-
dis. Typis H. Stephani. 1567. *in-*12.
deux vol.

35. *Sophoclis Tragœdiæ VII. cum*
antiquis scholiis & Commentariis De-
metrii Triclinii, Græcè. Accedunt Joa-
chimi Camerarii versio Latina Ajacis
& Electræ, & Comment. in omnes So-
phoclis Tragœdias. Apud H. Stepha-

num. 1568. *in*-4°. Belle édition, pour H. Es-
l'exactitude de laquelle *H. Estienne* TIENNE.
n'a rien omis.

36. *H. Stephani Annotationes in
Sophoclem & Euripidem. Nec non tractatus de Orthographia quorumdam Vo-
cabulorum Sophoclis, cum cæteris Tra-
gicis communium, & de Sophoclea imi-
tatione Homeri. Typis ipsius.* 1568. *in*-
8°. H. *Estienne* a ajouté ici quatre
Epitaphes de sa femme, qui étoit
morte depuis environ trois ans.

37. *Apophthegmata Græca Regum
& Ducum, Philosophorum item, aliorumque quorumdam ex Plutarcho &
Diogene Laërtio. Cum Latina interpretatione. Edente H. Stephano. Typis ipsius.* 1568. *in*-16.

38. *Psalmi Davidis aliquot metro
Anacreontico & Sapphico. Autore H.
Stephano. Apud ipsum.* 1568. *in*-16.

39. *Artis Typographicæ Querimo-
nia de illiteratis quibusdam Typogra-
phis, propter quos in contemptum venit. Item Epitaphia quædam Græca &
Latina Doctorum quorumdam Typo-
graphorum.* 1569. *in* - 4°. *Theodore
Jansson d'Almeloveen* a fait réimprimer cette plainte d'*Henri Estienne*,

qui est en vers, à la p. 138. des
Vies des *Estiennes. Amsterdam.* 1683.
*in-*8°. sans les Epitaphes. *Maittaire*
l'a aussi fait entrer dans son *Historia Stephanorum Londini.* 1709. *in-*8°.
p. 293. avec les Epitaphes, qui sont
toutes d'*Henri Estienne.*

40. *H. Stephani Epistola, qua ad
multas multorum amicorum respondet,
de suæ Typographiæ statu, nominatim-
que de suo Thesauro linguæ Græcæ. Accessit Index Librorum, qui ex ejus
Officina hactenus prodierunt. Apud ipsum.* 1569. *in-*8°. It. A la p. 148. des
Vies des *Estiennes* par *Almeloveen,*
& à la p. 304. de celles qu'a donné *Maittaire.*

41. *Bezæ Poëmata. Editio secunda
ab eo recognita. Item ex Georgio Bu-
chanano aliisque variis insignibus Poe-
tis excerpta carmina, præsertim Epigrammata. Excudebat H. Stephanus,
ex cujus etiam Epigrammatis Græcis
& Latinis aliquot cæteris adjecta sunt.*
1569. *in-*8°. La premiere édition des
Poësies de *Beze* avoit paru à *Paris*
en 1548. chez *Robert Estienne. Henri Estienne*, qui publia cette seconde, en donna depuis une troisiéme
*in-*8°.

in-8₀. à laquelle il ne mit ni son
nom ni l'année, mais qui doit avoir
été faite vers l'an 1576. Cette derniere est augmentée du *Sacrifice d'A-*
braham, Tragedie Françoise de *Beze.*

42. *Comicorum Græcorum Sententiæ,*
id est, Gnomæ; Grecè, Latinis versi-
bus ab H. *Stephano reddita & anno-*
tationibus illustratæ. Typis ejusdem.
1569. in-16.

43. *Remontrance du Prince de Con-*
dé au Roy Charles IX. du 23. Août
1568. avec la protestation, & le ré-
cit du meurtre perpetré en sa person-
ne le 13. Mars 1569. in-8o. It. en
Latin : *Litteræ Ludovici Borbonii,*
Principis Condæi, ad Carolum IX.
cum brevi narratione cædis ejusdem
Principis, & aliis scriptis ejusdem ar-
gumenti & temporis; Latinè ex Gal-
lico. in-8o. On prétend qu'*Henri*
Estienne est l'Auteur du récit, &
l'on juge par les caracteres, que
c'est lui qui l'a imprimé.

44. *Epigrammata Græca Selecta ex*
Anthologia, interpretata ad verbum
& carmine ab H. *Stephano : quædam*
& ab aliis. Loci aliquot ab eodem an-
notationibus illustrati. Ejusdem inter-

Tome XXXVI. C c

H. Es-
TIENNE.

pretationes centum & sex unius disti-
chi, aliorum item quorumdam Epigrammatum variæ. Apud ipsum. 1570.
in-4.

45. *Diogenis Laertii de vitis, Dog-
matis & Apophthegmatis eorum qui
in Philosophia claruerunt Libri X. Ex
multis vetustis Codicibus plurimos locos integritati suæ restituentes, & eos
quibus aliqua deerant explentes. Gracè. Cum annotationibus H. Stephani.
Pythagoreorum Philosophorum fragmenta, cum Latina interpretatione.
Typis ejusdem.* 1570. *in-8°. It. Ibid.*
1594. *in-8°.*

46. *Conciones, sive Orationes ex
Græcis Latinisque Historicis excerptæ.
Quæ ex Græcis excerptæ sunt, inter-
pretationem Latinam habent, nonnul-
læ novam, aliæ jam antea vulgatam,
sed nunc demum plerisque in locis re-
cognitam. Additus est Index artificio-
sissimus, quo in Rhetorica causarum
genera, velut in communes locos, singulæ conciones rediguntur. Typis H.
Stephani.* 1570. *in-fol.*

47. *Plutarchi quæ extant opera,
tam moralia, quàm Historica; Gracè.
Typis H. Stephani.* 1572. *in-8°. 6.*

vol, It. *Latinè*, *cum Appendice &
annotationibus. Typis ejusdem.* 1572.
in-8°. 7. vol. La version des Morales est d'*Herman Cruserius*, & celle des Vies de differens Auteurs. *H.
Estienne* en a traduit quelques unes,
& plusieurs des remarques sont de
lui.

48. *Thesaurus Græcæ linguæ ab H.
Stephano constructus. Græcè & Latinè. Cum Appendice. Typis ejusdem.*
1572. *in-fol.* quatre vol. Cet Ouvrage, qui est d'un travail immen-
se, a merité les louanges & les applaudissemens des Sçavans. Un grand
défaut en rend cependant l'usage in-
commode, c'est que l'Auteur, au
lieu de ranger tous les mots par ordre Alphabetique, a mis, suivant
le goût de son temps, tous les dé-
rivés & les composés sous leur ra-
cine. *Maittaire* prétend qu'il y a eu
une seconde édition de ce grand Ouvrage, où l'année n'est point marquée. Mais cette seconde édition
prétendue n'est que la premiere,
dont on a changé le frontispice, &
où à la place de l'année, on a mis
un distique contre l'Abregé qu'en

avoit fait *Scapula*, lequel ayant paru en 1579. *in-fol.* causoit un tort
considerable au débit du tresor d'*Estienne.* Accident d'autant plus fâ-
cheux pour l'Auteur, qu'il avoit
fait pour l'imprimer de grandes de-
penses, qui le reduisoient fort à l'é-
troit.

49. *Glossaria duo, è situ Vetustatis
eruta; ad utriusque linguæ cognitionem
& locupletationem perutilia. Item de
Atticæ linguæ, seu Dialecti idioma-
tis Commentarius H. Stephani. Typis
ipsius.* 1572. *in-fol.*

50. *Homeri & Hesiodi Certamen,
nunc primum luce donatum. Matro-
nis & aliorum Parodiæ, ex Homeri versibus parva immutatione lepide
detortis consutæ. Homericorum He-
roum Epitaphia, cum duplici interpretatione Latina. H. Stephanus.* 1573.
in-8°. Des deux versions Latines en
vers, qui accompagnent les Epitaphes, l'une est d'*Henri Estienne*, &
l'autre de *Guillaume Canter.*

51. *Poësis Philosophica, vel saltem
Reliquiæ Poësis Philosophicæ Empedo-
clis, Xenophanis, Timonis, Parme-
nidis, Cleanthis, Epicharmi. Adjunc-*

ta sunt Orphei illius Carmina, qui
à suis appellatus suit ὁ θεολογος. *Item*
Heracliti & Democriti loci qui-
dam & eorum Epistolæ. Anno 1573.
Excudebat H. Stephanus. in-8°. On
trouve ici des notes de *Joseph Sca-*
liger , & une Preface d'*Henri Es-*
tienne.

52. *Virtutum Encomia , sive Gnomæ*
de virtutibus ; ex Poëtis & Philosophis
utriusque linguæ ; Græcis versibus , ad-
jecta interpretatione H. Stephani. Apud
ipsum. 1573. in 12.

53. *Apollonii Rhodii Argonauticon*
Libri IV. Scholia vetusta in eosdem li-
bros. Græcè. Cum annotationibus H.
*Stephani Typis ipsius. 1574. in-*4°.

54. *Francofordiense Emporium , si-*
ve Francofordienses Nundinæ. Aano
1574. H. Stephanus. in-8° Les pieces , ou comme il les appelle , les
marchandises , qui se trouvent rassemblées ici , sont les suivantes.

Francofordiensum Nundinarum En-
comium ab H. Stephano. En prose. Cet
Eloge a été inseré dans l'Ouvrage
de *Nicolas Reusner* , *de Urbibus Ger-*
maniæ Imperialibus. Francofurti. 1602.
in-8°.

H. Es-
TIENNE.
Laudatio equi cujusdam præstantis-
simi. Vituperatio equi cujusdam deter-
rimi. En vers.

Laudatio Baccharæ. En vers.

Cœna Pesthiana, sive Kylikodipsia.
En vers.

Methysomisia. En vers. Toutes ces
pieces sont de la façon d'*Estienne*.

Epigrammata ex Authologia libro
contra ebrietatem & ebriosos ; Græcè.
Cum Latina Josephi Scaligeri inter-
pretatione.

Libanii descriptio Ebrietatis , & ex
Basilio descriptio alia. Græcè & Latinè.

Lucianicæ Academiæ Orationes duæ ,
una pro Ebrietate , altera contra Ebrie-
tatem.

Ebriosi hominis habitus suis coloribus
depictus à Lycone , Oratore Græco.

Ebrietatis accusatio ex Seneca &
Plinio.

55. *Parodiæ Morales in Veterum*
Poëtarum Latinorum sententias cele-
briores , totidem versibus Græcis ab eo
redditas. Cum Centonum veterum &
Parodiarum exemplis. Typis H. Ste-
phani. 1575. *in-8o.*

56. *Oratorum veterum Æschinis ,*
Lysiæ , Androcidis , Isæi , Dinarchi ,

Antiphrontis , Licurgi , Herodis , & **H. Es-**
aliorum , Orationes. Græcè. Cum Lati- **tienne.**
na versione quorumdam. Edente H.
Stephano. Typis ejusdem. 1575. *in-fol.*

57. *Discours merveilleux de la vie,*
actions , & deportemens de la Reyne
Catherine de Medicis , mere de Fran-
çois II. Charles IX. Henri III. Rois
de France. 1575. *in* 8°. C'est une satyre violente & emportée , que l'on
attribue communément à *H. Estien-*
ne. Gui Patin veut cependant qu'elle soit de *Theodore de Beze.* D'autres
la donnent à *Jean de Serres.* Elle a
été réimprimée dans le 3e. tome des
Memoires du Regne de Charles IX.
Middelbourg. 1578. *in-*8°. & dans le
Recueil des piéces servant à l'Histoire d'*Henri III.*

58. *Q. Horatii Flacci Poëmata ,*
novis Scholiis & argumentis ab H.
Stephano illustrata : ejusdem H. Stepha-
ni Diatribæ de hac sua editione Ho-
ratii & variis in eam observationi-
*bus. Oliva Stephani. in-*8°. sans date.
Cette édition doit être de l'an 1575.
puisqu'*Estienne* dit à la p. 157. de
son *Pseudo-Cicero* , qui est de l'an
1577. qu'il y avoit deux ans , qu'el-

H. Es-
TIENNE.

le avoit été publiée. It. 2ª. *Editio*
Ibid. 1588. *in - 80.* Il a ajouté dans
celle-ci quatre dissertations aux cinq,
qui étoient dans la premiere. It.
Editio 3ª. *Apud Paulum Stephanum.*
1600. *in-80.*

59. *Novum Testamentum Græcum;*
cum H. Stephani Præfatione & notis
marginalibus, nec non argumentis La-
tinis. Typis H. Stephani. 1576. *in-16.*
La Preface, qui est *de Stylo Novi*
Testamenti Græco, a été inserée dans
un Recueil de dissertations sur le
même sujet, publié par *Van den*
Honert à *Amsterdam* l'an 1702. *in* 4º.
Cette piéce est excellente, & il est
étonnant qu'on l'ait omise dans toutes les autres éditions. *Baudoin Wa-*
læus l'a mise mais seulement en partie, à la tête de son Ouvrage intitulé : *Novi Testamenti Libri Histo-*
rici perpetuo Commentario ex Anti-
quitate, Historicis, Philologia illustra-
ti. Lugd Bat. 1662. *in* 4º. Les notes marginales d'*Henri Estienne,* qui
contiennent l'explication des mots
difficiles & obscurs, ont été inserées dans les *Critici Sacri.*

60. *De Latinitate falso suspecta ex-*
postulatio

poftulatio H. Stephani. Accedunt ejuſ- H. Es-
dem de Plauti Latinitate diſſertatio, TIENNE.
& ad illius lectionem Progymnaſma.
Typis ipſius. 1576. *in-8o.* Il reprend
ici le fcrupule ridicule de ceux qui
ne vouloient fe fervir en Latin, que
des termes qui fe trouvent dans *Ci-*
ceron.

61. *Pſeudo-Cicero. Dialogus, in quo*
de multis ad Ciceronis ſermonem per-
tinentibus, de delectu editionum ejus,
& cautione in eo legendo. Ibid. 1577.
in 8°.

62. *M. T. Ciceronis Epiſtolarum vo-*
lumen, quæ familiares olim dictæ, nunc
rectius ad familiares appellantur. Li-
brorum XVI. Octavus Cœlii Epiſtolas
habet. Diverſorum Commentationes ad
Ciceronis Epiſtolas. Typis H. Stepha-
ni. 1577. *in* - 80. On trouve ici une
piéce d'*Henri Eſtienne, de Variis ge-*
neribus Epiſtolarum Ciceronis, deque
varia earum ſcriptione.

63. *Callimachi Cyrenæi Hymni,*
cum ſuis Scholiis Græcis, Epigramma-
ta, & fragmenta. Ejuſdem Poëmation
de Coma Berenices à Catullo verſum.
Nicodemi riſchlini Interpretationes duæ
Hymnorum, Epigrammatum, & An-

H. Es-
TIENNE.

notationes in Hymnos. Cum H. Stepha-
ni annotationibus & interpretationibus.
Typis ipsius. 1577. *in-* 4°. *Estienne* a
traduit seulement la premiere Hym-
ne , & sa traduction est en vers.

64. *Epistolia , Dialogi breves , Ora-*
tiunculæ , Poëmatia , ex variis utrius-
que linguæ Scriptoribus. Typis H. Ste-
phani. 1577. *in-* 8°. Les Ouvrages
Grecs , qu'on voit ici , sont accompagnés des versions Latines , dont
quelques-unes sont d'*Henri Estienne.*
Le Recueil finit par une satyre intitulée : *Lis ,* que l Editeur a cru être
d'un Auteur ancien inconnu , mais
que l'on sçait être du Chancelier *Mi-*
chel de l'Hôpital.

65. *Dionysius Alexandrinus de situ*
Orbis ; *Græcè & Latinè. in-* 8°. sans
date. La version qui est à côté du
Grec est en vers. On voit après *Dio-*
nysii interpretatio altera Verbum è Ver-
bo expressa. Autore H. Stephano. En
prose. Cela est suivi de *H. Stephani ,*
Ceporini , ac Papii annotationes in Dio-
nysium. Jean *Albert Fabricius* n'a point
fait mention de cette édition dans
sa Bibliothéque Grecque. Tout ce
qui s'y trouve , a été inseré dans le

Recueil intitulé : *Dionysii Alexandrini & Pomponii Melæ, situs orbis descriptio. Æthici Cosmographia. C. J.
Solini Polyhistor. In Dionysii Poëmatium Commentarii Eustathii. Interpretatio ejusdem Poëmatii ad verbum ab*
H. *Stephano scripta ; nec non annotationes ejus in idem, & quorumdam
aliorum. Joannis Olivarii annotationes
in Melam. Scholia Josiæ Simleri in
Æthicum. Emendationes Martini Antonii Delrio in Solinum. Typis* H. *Stephani.* 1577. *in* 4°.

66. P. *Virgilii Maronis Poëmata.
Novis Scholiis illustrata, quæ* H. *Stephanus partim domi nata, partim è
doctissimorum virorum libris excerpta
dedit. Ejusdem* H. *Stephani Schediasma de delectu in diversis apud Virgilium lectionibus adhibendo. Oliva Stephani. in*-8°. sans date. Cette édition
a été faite vers l'an 1577. It. *Editio*
2ª. *Ibid.* 1583. *in* 80. It. *Editio* 3a.
Apud Paulum Stephanum. 1599. *in*-
8°. It. *Aureliæ Allobrog. de la Rou-
viere.* 1612. *in* 80.

67. H. *Stephani Schediasmatum Variorum, id est Observationum, Emen-
dationum, Expositionum, Disquisitio-*

H. Es-
TIENNE.

*num Libri tres ; qui sunt pensa succi-
sivarum horarum Januarii , Februarii , Martii. Typis ejusdem.* 1578. *in-*
8°. It. Avec les trois autres Livres ,
qu'il donna en 1589. dans le 5ᵉ. tome du *Thesaurus Criticus de Gruter.*
C'est un Ouvrage de Critique.

68. *Nizoliodidascalus ; sive Mo-
nitor Ciceronianorum Nizolianorum.
Dialogus. Typis ejusdem.* 1578. *in-*8°.

69. *Homeri & Virgilii Centones ,
utrique in quædam Historiæ Sacræ Capita scripti. Nonni paraphrasis Evan-
gelii Joannis. Græcè & Latinè. Cum
Præfatione* H. *Stephani. Typis ejusdem.* 1578. *in-*12.

70. *Platonis Opera quæ extant omnia. Ex nova Joannis Serrani interpretatione , perpetuis ejusdem notis illustrata. Henrici Stephani de quorumdam locorum interpretatione judicium ,
& multorum contextus Græci emenda-
tio. Typis ejusdem.* 1578. *in-fol.*

71. *Deux Dialogues du nouveau
langage Italianisé, ou autrement degui-
sé, principalement entre les Courtisans
de ce temps, de quelques Courtisanis-
mes modernes, & de quelques singu-
laritez Courtisanesques. in-*8°. sans da-

te , mais imprimés vers l'an 1578. H. Es-
It. *Anvers G. Niergue.* 1579. *in-8°.* TIENNE.

72. *Projet du Livre intitulé :* de la
Préexcellence du langage François. *Paris. Mamert Patisson.* 1579. *in-8o.*

73. *Theocriti & aliorum Idyllia.
Ejusdem Epigrammata. Simmiæ Rhodii Carmina , & Dosiadis Ara. Græcè & Latinè ; Cum H. Stephani observationibus in Theocriti Virgilianas &
Nasonianas imitationes. Typis ejusdem.*
1579. *in-16.*

74. *Juris Civilis fontes & rivi. Ju-
risconsultorum veterum loci quidam ex
integris eorum voluminibus ante Justi-
niani ætatem excerpti. Cum notis. Edente H. Stephano. Typis ejusdem.* 1580.
in-8°.

75. *Petri Bunelli , Galli , Præceptoris , & Pauli Manutii , Itali , Dis-
cipuli , Epistolæ , Ciceroniano Stylo
scriptæ. Aliorum Gallorum pariter &
Italorum Epistolæ eodem stylo scriptæ.
Edente H. Stephano. Typis ipsius.* 1581.
in-8°.

76. *Paralipomena Grammaticarum
Græcæ linguæ Institutionum. Item animadversiones in quasdam Grammaticorum Græcorum traditiones. Autore H.*

Stephano. Typis ipsius. 1581. *in-8°.*

77. *Herodiani Historiarum Libri
VIII. Cum Angeli Politiani interpretatione, & hujus partim Supplemen-
to, partim examine H. Stephani,
utroque margini adscripto. Ejusdem H.
Stephani emendationes quorumdam Græci contextus locorum, & quorumdam
expositiones. Historiarum Herodianicas
subsequentium Libri duo nunc primum
Græcè editi, qui sunt Zozymi. Apud
H. Stephanum.* 1581. *in* 4°.

78. *Plinii secundi Epistolæ & Panegyricus, cum aliorum Panegyricis.*
in-80. sans date & sans nom de Lieu,
ni d'Imprimeur; mais de l'impression d'*Henri Estienne*, & de la fin
de l'an 1581. ou du commencement
du suivant. It. *In hac editione adjunc-
tæ sunt Is. Casaubon notæ. Apud H.
Stephanum.* 1591. *in* - 80. *Estienne* a
traduit en Latin les mots Grecs,
qui se trouvent dans les Lettres de
Pline. Il a mis aussi à la tête une
dissertation *de Epistolarum utilitate
ac jucunditate.*

79. *Hypomneses de Gallica lingua,
peregrinis eam discentibus necessariæ;
quædam verò ipsis Gallis multum pro-*

futura. Auctore H. Stephano, qui & Gallicam patris sui Grammaticam adjunxit. Typis ipsius. 1582. in-80.

80. On trouve quelques vers Grecs & Latins d'*Henri Estienne* à la louange de *Christophe de Thou* dans le *Christophori Thuani Tumulus*. Parif. *Mamert Patisson*. 1583. in-40. *Maittaire* les a inferés à la p. 427. de la vie des *Estiennes*.

81. *Henrici Stephani Noctes aliquot Parisinæ Atticis A. Gellii Noctibus, seu Vigiliis invigilatæ.* A la fuite d'une édition qu'*Henri Estienne* donna des *Auli-Gellii Noctes Atticæ*. 1585. in-8°. *Estienne* défend ici fortement *Aulugelle* contre *Vives*, qui l'avoit très-maltraité.

82. *Macrobii in Somnium Scipionis Libri duo. Ejusdem Saturnalium Libri Septem.* Typis H. *Stephani*. 1585. in-80. H. *Estienne* a dedié ces Ouvrages à *Pierre Danes*.

83. *Ad Senecæ lectionem Proodopoeia, in qua & nonnulli ejus loci emendantur.* Autore H. *Stephano. Ejusdem Epistolæ ad Jacobum Dalechampium, partim Diorthotikæ quorumdam Senecæ locorum, partim etiam in quosdam*

Exetaſtikæ Typis ipſius 1586. *in* 80.

84. *Dialogus de bene inſtituendis Græcæ linguæ Studiis. Alius de parum fidis Græcæ linguæ Magiſtris , & de cautione in illis legendis adhibenda. Typis H. Stephani.* 1587. *in* - 4°.

85. *Affinitates omnium Principium Christianitatis cum ſeren. Francisco Medices , Magno Duce Etruriæ. Autore Stephano. Typis ipſius.* 1587. *in fol.*

86. *De Criticis veteribus Græcis & Latinis , eorumque variis apud Poëtas potiſſimum reprehenſionibus Diſſertatio H. Stephani. Reſtitutionis Commentariorum Servii in Virgilium & magna ad eos acceſſionis ſpecimen. Pariſ. Typis H. Stephani.* 1587. *in-*4°.

87. *De vera pronunciatione Græcæ linguæ Commentarii Theodori Bezæ, Jacobi Ceratini , Adolphi Mekercki , Brugenſis , Mich. Hoſpitalii : & de recta pronunciatione linguæ Latinæ Juſti Lipſii Dialogus. Typis H. Stephani.* 1587. *in-*8°.

88. *Dionyſii Halicarnaſſei Antiquitatum Romanarum Libri XI. ab Æmilio Porto Latinè redditi & notis illuſtrati. H. Stephani operæ variæ , &*

Isaaci Casauboni animadversiones. Ex-
cudebat Eustachius Vignon sibi & H.
Stephano. in-fol. sans date. Mais les
Epitres de *Portus* & de *Casaubon*,
qui sont à la tête, portant l'année
1588. font voir que l'édition est de
cette même année.

89. *Dicæarchi Geographica quædam,*
sive de Vita Græciæ. Ejusdem descrip-
tio Græciæ, versibus Iambicis, ad Theo-
phrastum. Cum Latina interpretatione
atque annotationibus Henrici Stepha-
ni, & ejus Dialogo, qui inscribitur
Dicæarchi Sympractor. Typis ejusdem.
1589. *in - 80.* It. Dans le onziéme
tome des Antiquités Grecques de
Gronovius.

90. *Schediasmatum variorum libri*
tres, qui sunt pensa succisivarum ho-
rarum Aprilis, Maii, Junii. Typis
ipsius. 1589. *in-80.* Il avoit donné en
1578. la premiere partie de cet ouvrage de Critique, qu'il avoit dessein de continuer, pour en faire une
année entiere, mais il n'a pas été
plus loin.

91. *Principum Monitrix Musa, si-*
ve de principatu bene instituendo &
administrando Poëma. Autore H. Ste-

H. Es-
TIENNE.
phano. *Ejusdem Poëmatium, cujus ver-*
sus intercalaris : Cavete vobis Princi-
pes. Ejusdem libellus in gratiam Prin-
cipum scriptus de Aristotelicæ Ethices
differentia ab historica & Poëtica ; ubi
multi Aristotelis loci vel emendantur,
vel fidelius redduntur. Basileæ. 1590.
*in-*8°. pp. 464. On voit à la tête de
ce Livre *le Proëme ou Preface d'une*
Oeuvre de Henri Estienne , intitulé :
L'Ennemi mortel des Calomniateurs.
En vers François. Cette Oeuvre avoit
été presentée par *Henri Estienne* au
Roi *Henri III* & il en est fait mention dans le Poëme Latin.

92. *H. Stephani Appendix ad Te-*
rentii Varronis Assertiones Analogiæ
Sermonis Latini ; Cum Julii Cæsaris
Scaligeri de eadem analogia disputatio-
ne. Typis H. *Stephani.* 1591. *in* 8°.

93. *S. Justini Martyris Epistola ad*
Diognetum & Oratio ad Græcos , Græ-
cè & Latinè per H. *Stephanum , cum*
ejus notis. Typis ipsius. 1592. *in* 4°.
It. *Ibid.* 1595. *in* 8°.

94. *Dionis Cassii Historiæ Romanæ*
Libri XXV. ex Guilielmi Xylandri in-
terpretatione Cum H. *Stephani casti-*
gationibus. Apud ipsum. 1592. *in-fol.*

95. *Appiani Alexandrini Romano-* H. Es-
rum Historiarum Punica, sive Car- TIENNE.
thaginensis, Parthica, Iberica, Cy-
riaca, Mithridatica, Annibalica. Cel-
ticæ & Illyricæ Fragmenta quædam.
Item de bellis civilibus Libri V. Cum
H. Stephani Annotationibus. Apud ip-
*sum .*1592. *in-fol.*

96. *Joannis Xiphilini è Dione ex-*
cerptæ Historiæ. Græcè & Latinè ex in-
terpretatione Guil. Blanci, à Guil. Xy-
landro recognitæ. Cum spicilegio H. Ste-
phani. Typis ejusdem. 1592. *in-fol.*

97. *De Martinalitia venatione, sive*
de Therophonia Segetum & Vitium
alexicaca, edita ab illustrissimo Prin-
cipe Friderico IV. Palatino Electore,
Epigrammata H. Stephani. Heidelber-
gæ. 1592. *in* 4°. pp. 32. On voit ici
31. Epigrammes, précédées d'une
longue Préface en prose d'*Henri Es-*
tienne.

98. *Isocratis Orationes & Epistolæ,*
Græcè. Cum Latina interpretatione
Hieron. Wolfii, ab ipso postremum re-
cognita. Henrici Stephani in Isocratem
diatribæ septem, quarum una obser-
vationes Harpocrationis in eundem
examinat. Georgiæ & Aristidis quæ-

dam, ejusdem cum Isocraticis argumenti, *Guil. Cantero interprete. Typis H. Stephani.* 1593. *in-fol.* Jacques Gronovius a inseré la dissertation d'Estienne qui regarde Harpocration, dans l'édition qu'il a donnée de cet Auteur à Leyde en 1696. *in-40.*

99. *Les premices, ou le premier Livre des Proverbes Epigrammatisés, ou des Epigrammes Proverbiales, rangées en lieux communs. Paris.* 1593. *in 8°.*

100. *Ex Memnone excerptæ historiæ de Tyrannis Heracleæ Ponticæ. Ex Ctesia & Agatharcide excerptæ historiæ. Omnia non solum Græcè, sed & Latinè partim ex H. Stephani, partim ex Laurentii Rhodomanni interpretatione, cum accessione ad ea quæ prius ex illis historiis excerpta fuerant. Typis H. Stephani.* 1594. *in-8°.* Estienne avoit donné une édition Grecque de ces Extraits en 1557.

101. *Concordantiæ Græco-Latina Novi Testamenti. Cum H. Stephani Præfatione. Typis ipsius.* 1594. *in-fol.* It. *Typis Pauli Stephani.* 1600. *in fol.*

102. *Oratio adversus Folietæ lucubrationem de magnitudine Imperii Turciei, & exhortatio ad expeditionem in*

Turcas. Francofurti. 1594. *in-*8°.

  103. *De Lipsii Latinitate Palæstra*
I. *Francofurti.* 1595. *in-*80.

  V. *Les Eloges de Sainte Marthe.*
Les Eloges de M. de Thou , & les
Additions de Teſſier. Theod. Janſonii
ab Ameloveen de Vitis Stephanorum
Diſſertatio. Amſtel. 1683. *in-*8°. *Mi-*
chaëlis Maittaire Stephanorum Hiſto-
ria. Londini. 1709. *in-*8°.

AUGUSTIN STEUCHUS.

A*Uguſtin Steuchus* naquit à *Eu-*
gubio , Ville de l'Ombrie en
Italie , de parens honnêtes , mais ſi
pauvres qu'ils n'avoient pas le moyen
de l'elever , de ſorte qu'il fut long-
temps obligé de gagner ſa vie du
travail de ſes mains. D'ailleurs il
étoit ſi laid & ſi difforme , qu'on
ne pouvoit le ſouffrir , même dans
ſa famille , & qu'il étoit ſouvent
contraint de coucher à l'air faute
de lieu pour ſe retirer.

  Il vêcut de cette maniere juſqu'a
l'âge de 22. ans , que rebuté d'une
vie ſi triſte & ſi miſerable , il en-

tra dans la Congregation des Chanoines Reguliers de Saint Sauveur,
dont il prit l'habit dans le Monaftere de *S. Ambroiſe* , hors des Murs
d'*Eugubio*.

Cet état le mit plus à ſon aiſe
pour les beſoins de la vie ; mais il
ne lui procura pas la tranquillité qu'il
n'avoit pû trouver dans le monde.
Il s'y vit expoſé aux mêmes mépris
& aux mêmes inſultes , que ſa dif-
formité lui avoit attirées juſques-
là. Cette diſgrace l'anima à étudier
pour tâcher de regagner du côté de
l'eſprit ce qu'il perdoit de celui du
corps ; mais on avoit une ſi mau-
vaiſe idée de ſa capacité , qu'on ne
daignoit point lui donner les Livres neceſſaires, ni de quoi s'eclai-
rer pendant la nuit. Son ardeur pour
l'étude lui fit cependant ſurmonter
ces difficultés. Après avoir appris de
quelques Religieux de ſon Monaftere , qui avoient plus de charité
que les autres , les premiers élemens de la langue Latine , il ſe
mit à travailler par lui-même, ſe le-
vant pour cela la nuit , & deſcen-
dant dans l'Egliſe pour le faire à la

lueur de la lampe, qui y brûloit. A. STEU-
Il travailla ainfi pendant fept ans CHUS.
avec tant d'application & d'affidui-
té, qu'il apprit non-feulement la
langue Latine, mais encore la Grecque, l'Hebraique, l'Arabe & la Sy-
riaque, & fe rendit par-là un objet
d'admiration pour fes Confreres,
qui l'avoient méprifé d'abord.

Le Pape *Paul III.* ayant entendu parler de fa capacité & de fon
merite, le fit venir à *Rome*, & ayant
eu occafion de connoître plus particulierement fa prudence & fa vertu,
il le nomma Evêque de *Chifamo* en
Candie.

Il ne fit que peu de féjour dans
cette Ifle, d'où étant retourné à *Rome*, le Pape le fit Garde de la Bibliotheque du Vatican.

Paul III. ayant transferé le Con-
cile de *Trente* à *Boulogne* en 1547.
envoya *Steuchus* dans cette derniere
ville, pour y affifter. Il y demeura
quelque temps, mais étant tombé
malade, il voulut retourner à *Rome*; en paffant à *Venife*, fon mal
augmenta confiderablement, & il y
mourut en 1550. dans un âge affez

A. Steu-
chus.
avancé. Son corps fut depuis tranſ-
porté dans le Monaſtere de *S. Am-*
broiſe près d'*Eugubio.*

Il avoit été pendant trois ans Su-
perieur à *Reggio* dans le Duché de
Modene, & il étoit dans cette ville
en 1531. lorſqu'il compoſa ſa réponſe à *Eraſme.*

Catalogue de ſes Ouvrages.

1. *Recognitio Veteris Teſtamenti ad*
Hebräicam veritatem, *collata editio-*
ne 70. Interpretum. Venetiis. Aldus
1529. *in-4°.* It. *Lugduni. Gryphius.*
1531. *in-4°.* Cet Ouvrage, qui ſe
termine au Pentateuque, a merité
les louanges de M. *Simon*, qui en
parle ainſi dans ſon *Hiſtoire Criti-*
que du Vieux Teſtament, liv. 3. ch.
12. » *Auguſtin Steuchus*, qui a ſçu aſ-
» ſez de Grec & d'Hebreu, pour
» conſulter les Livres des Peres Grecs
» & des Rabbins, s'eſt principale-
» ment attaché à juſtifier la Vulgate,
» qu'il attribue à *S. Jerôme.* Il mon-
» tre qu'elle eſt beaucoup plus con-
» forme au texte Hebreu, que la
» verſion Grecque des Septante, &
» qu'ainſi l'Egliſe a eu raiſon de
» préferer cette nouvelle Vulgate
» à

» à l'ancienne. Mais cet Auteur n'a
» pas rendu aux Septante toute la
» justice qu'il leur devoit. Ils ne
» sont pas si ignorans dans la lan-
» gue Hebraïque, qu'il se l'est ima-
» giné. Il auroit beaucoup mieux
» fait de ne point s'entêter contre
» cette ancienne traduction Grec-
» que, qui n'a pas été moins auten-
» tique dans l'Eglise, que la nou-
» velle traduction de *S. Jerôme* : ou-
» tre qu'il paroît trop attaché à l'He-
» breu moderne, & qu'il a ignoré
» la maniere de concilier les Sep-
» tante avec les nouveaux Interprê-
» tes. Il merite néanmoins d'être lû,
» parce que sa Méthode est assez
» Critique, & qu'il s'applique au
» sens litteral, & à trouver la signi-
» fication propre des mots Hebreux.

2. *Pro Religione Christiana adver-*
sus Lutheranos Libri tres. Bononiæ.
1530. *in-*4°. *Jean Thomas de Rocca-*
berti en a inseré le second Livre dans
le 4e. tome de sa *Bibliotheca Maxi-*
ma Pontificia.

3. *In Psalm.* 18. & 138. *Interpre-*
tatio. Epistola Erasmi ad Eugubium
& *hujus Responsio. Lugduni. Gryphius.*

1533. in - 40.

4. *Cosmopœia , vel de Mundano
Opificio expositio trium capitum Gene-
seos. Paris.* 1535. *in -* 8°. L'Auteur
traite ici d'une maniere fort sçavante tout ce qui regarde la Création du Monde. Il rapporte le sens
Litteral & Historique du texte de
la Genese , & joint à cette explication des réflexions Historiques &
Philosophiques , citant ce qu'il y
a de plus beau & de plus curieux
sur le sujet , dont il est question ,
dans les Auteurs Ecclésiastiques &
Profanes. En un mot il y est Philosophe , Théologien & Critique.
Il y avance cependant , comme dans
ses autres Ouvrages , des paradoxes ,
pour ne pas dire des erreurs , en
matiere de Religion. Il y soutient ,
par exemple que le Ciel Empyrée ,
qui est la demeure de Dieu , n'a jamais été créé ; parce que ce Ciel , selon lui , est une clarté ou une lumiere divine , qui de necessité a
toujours été avec Dieu , & dans laquelle il a admis par une bonté
singuliere les Anges & les Justes.
Steuchus a fait à cet Ouvrage une

addition *de Rebus incorporeis & in-*
visibilibus.

A. STEU
CHUS.

5. *Aug. Steuchi, Episcopi Kisami,*
Apostolicæ sedis Bibliothecarii, de pe-
renni Philosophia Libri X. Item de Eu-
gubii Urbis suæ nomine. Lugduni. 1540.
in-fol. It. *Basileæ.* 1542. *in-* 4°. Cet
Ouvrage est plein d'une profonde
érudition. Le but, que *Steuchus* s'y
est proposé, a été de montrer que
les Philosophes Payens ont reconnu
de tout temps un Etre Souverain,
que quelques-uns ont eu une connoissance confuse de la Trinité, que
la création du Monde, les Anges,
les Demons, la formation de l'homme & l'immortalité de l'Ame ont
été aussi connues à plusieurs, &
qu'ils ont eu des idées saines sur la
pieté, la punition des méchans,
& la recompense des bons, sur la
beatitude, sur l'amour du prochain,
& sur la morale. C'est ainsi qu'en
parle M. *Du Pin* ; à quoi M. *Si-*
mon ajoute dans la *Critique de la Bi-*
bliotheque des Auteurs Ecclesiastiques
de ce sçavant Docteur, que l'érudition de *Steuchus* n'est pas toujours
bien placée, qu'il fait souvent di-

A. Steu-
chus.

re aux anciens Philosophes & aux
anciens Poëtes Grecs des choses ausquelles ils n'ont jamais pensé , &
qu'il a plûtôt affecté de paroître sçavant , que d'être exact dans ses pensées & dans ses raisonnemens. Aussi cet Ouvrage n'a-t-il plus aujour-
d'hui cette grande estime , qu'il a
euë dans les commencemens. *Joseph*
Scaliger en faisoit beaucoup de cas ,
& assure dans une de ses lettres ,
que son pere convertit par son
moyen un de ses amis , qui pan-
choit vers l'Atheisme. D'un autre
côté *Gerard Jean Vossius* prétend
dans sa 78. lettre , que ce qu'il y
avance étant faux , étoit plus nuisi-
ble qu'utile à la Religion. On trouve à la fin un Traité *de Mundi exi-*
tio , qui a été imprimé séparément à
la suite de *Hieronymi Magii de Mun-*
di exustione & die Judicii Libri V. Ba-
silea. 1562. *in fol.*

6. *Contra Laurentium Vallam de fal-*
sa donatione Constanti Magni Libri
duo. Ejusdem Oratio ad Paulum-III.
de restituenda Navigatione Tiberis ,
& de Aqua Virgine in urbem revo-
canda. Lugduni-Gryphius. 1547 *in·4°.*

7. *Enarrationes in Pſalmos quadra-* A. STEU-
ginta priore & in Pſalmos 44. 67. 89. CHUS.
90. 102. 103. 138. *Lugduni.* 1548.
in - fol.

8. *In librum Job enarrationes. Item
an vulgata editio ſit D. Hieronymi ? Venetiis.* 1567. *in* 4°.

9. *Auguſtini Steuchi Opera omnia.
Pariſ. Michel Sonnius.* 1578. *in-fol.*
Trois vol. It. *A. R. P. Ambroſio Morando, Bononienſi, ejuſdem Congrega-
tionis Generali, ſummo labore & ſtu-
dio recognita, veriori certiorique lectione multis in locis reſtituta ; nec non
aucta vita Autoris, tribus libris in
Lutheranos de Chriſtiana Religione
tuenda, quadam Reſponſione quam ſcri-
pſit, ut quædam ſibi objecta crimina
dilueret. Emendata lectione quorumdam operum, ac in tres Tomos diviſa.
Venetiis.* 1591. *in-fol.* Les deux Ouvrages qui ont été ajoutés ici,
avoient été oubliés dans l'édition de
Paris ; le dernier eſt là lettre à *Eraſme,* qui cependant avoit été imprimée à *Lyon.* La vie de *Steuchus* eſt
de la façon de *Morando,* qui y a
mis aſſez de particularités, mais ſans
aucune date. It. *Venetiis.* 1601. *in-fol.*
Trois vol.

A. STEU-
CHUS.

V. *Sa vie par Morando à la tête
de ses Oeuvres dans les éditions de Venise. Ludovici Jacobilli Bibliotheca
Umbriæ, p. 58. Jac. Gaddi de scriptoribus non Ecclesiasticis, tom. 2. p. 325.*

DANIEL TOUSSAIN.

D. TOUS-
SAIN.

Daniel Toussain (en Latin *Tos-
sanus*) naquit le 15. Juillet
1541. à *Mombelgart* dans le Duché
de *Wirtemberg*, de *Pierre Toussain*,
Ministre de cette Ville, qui mourut le 8 Octobre 1573. & de *Jeanne Trinckott*.

Il commença ses études dans sa
patrie, & alla en 1555. les continuer à *Basle*, où il demeura deux
années. Il passa ensuite à *Tubinge*,
& y fit un séjour à peu près aussi
long. Après avoir reçu dans cette
derniere Ville le degré de Maître ès
Arts, il retourna à *Monbelgart*, &
s'y exerça pendant six mois à prêcher en Allemand & en François.
Comme il ne sçavoit cette derniere langue que médiocrement, il
partit au mois de Juin 1559. pour

venir en France l'apprendre parfai-D. Tous-
tement , & se perfectionner dans SAIN.
ses études.

Il passa quelque temps à *Paris* ,
& se rendit ensuite au mois de May
1560. à *Orleans* , où il enseigna publiquement pendant quelque temps
la langue Hebraïque.

Ce fut dans cette Ville qu'il reçut l'imposition des Mains pour le
Ministere au mois de Fevrier 1562.
& on l'aggregea aussi-tôt après au
nombre des Ministres de l'Eglise P.
Reformée de ce lieu , qui étoit alors
fort nombreuse.

Il se maria le 19. Mars 1565. &
épousa *Marie Coüet* , Parisienne ,
fille d'un Avocat au Parlement.

Il eut beaucoup à souffrir dans
ces temps de trouble , & se vit souvent en danger de la vie. Le 5. Septembre 1568. une émeute violente
l'obligea de se cacher , aussi bien que
les autres Ministres ; mais ayant été
découvert , il fut arrêté le 26. du
même mois avec *Matthieu Beroald* ,
& détenu prisonnier jusqu'au 15. Octobre , que l'on obtint sa liberté.

Il se retira alors avec sa femme &

D. Tous-
SAIN.

ses enfans à *Montargis* , où il vêcut quelque temps sous la protection de la Duchesse de *Ferrare*. Mais cette Princesse ayant reçu ordre du Roy de chasser de cette Ville tous les Huguenots, qui y étoient retirés, *Toussain* se refugia à *Sancerre* , d'où après une année de séjour, il sortit pour aller faire un tour à *Monbelgart* , avec sa femme & deux de ses enfans.

Il passa une année entiere auprès de sa famille, parce que les troubles, qui continuoient toujours en France , ne lui permettoient pas de retourner à *Orleans* , & il employa ce temps à aider son pere dans le Ministere de la prédication. Il croïoit trouver du repos & de la tranquillité dans ce lieu; mais il se vit bientôt en bute aux accusations de quelques Ministres , qui prétendirent qu'il venoit infecter leurs Eglises des erreurs du Calvinisme & du Zuinglianisme, qu'il avoit prises en France , & qui voulurent l'empêcher de prêcher. Il fut obligé pour les contenter de composer un écrit, dans lequel il protesta qu'il étoit toujours attaché

à

à la Confession d'*Augsbourg* , & D. Tous-
qu'on avoit tort de soupçonner sa SAIN.
foy à cet égard ; protestation à laquelle la politique avoit plus de part
que la verité.

La paix ayant été rétablie en France , l'Eglise P. Reformée d'*Orleans*
rappella *Toussain* en 1571. & il y retourna exercer son Ministere , non
pas dans *Orleans* même , où cela
ne lui fut pas permis , mais dans
le château de *l'Isle* , à deux petites lieuës de cette ville , appartenant
à *Jerôme Groslot*, Baillif d'*Orleans* ,
où les P. Reformés de la ville se
rendoient tous les Dimanches.

L'espece de repos , dont il jouit
alors , ne fut pas long ; car le massacre de la *S. Barthelemy* s'étant fait
l'année suivante 1572 il se vit expo-
sé à des dangers encore plus grands
que ceux qu'il avoit courus jusques-là.

Il demeuroit dans le château de
l'Isle , où la nouvelle de ce qui s'é-
toit passé à *Paris* , & du massacre
de *Groslot* , qui s'y étoit malheureu-
sement trouvé , ne fut pas plutôt
venuë , qu'un Gentilhomme Catho-

Tome XXXVI. F f

D. Tous-
SAIN.

lique, qui étoit present, crut qu'il
n'y avoit point de temps à perdre
pour ceux qui habitoient ce château, & emmena la veuve de *Groslot*, & *Toussain* avec sa femme &
ses enfans à une maison qu'il avoit
près de Montargis.

Cette retraite fut faite fort à propos, car le lendemain les Catholiques d'*Orleans* vinrent attaquer le
château, tuerent quelques domestiques qui y étoient demeurés, & pil-
lerent tout, entr'autres les meubles
& la Bibliotheque de *Toussain*.

Toussain ne se croyant pas assez
en seureté dans la maison, où il
s'étoit retiré d'abord, passa à une
autre, & se réfugia enfin à *Montargis*, où la Duchesse de *Ferrare*
le reçut, & le mit avec sa famille dans une tourelle du Château,
où elle lui faisoit porter secrete-
ment à manger. Sa femme accou-
cha en ce lieu le 27. Septembre
1572. de *Paul Toussain*, qui a écrit
la vie de son pere, & dont je parlerai plus bas.

Lorsque la fureur des Massacres
fut un peu appaisée, *Toussain* se re-

tira avec sa famille en Allemagne , D. Tous-
& fut appellé à *Heidelberg* par l'E- sain.
lecteur Palatin *Frederic III,* qui le
prit pour son Predicateur. Ce fut
alors qu'il commença à joüir par
les bienfaits de ce Prince, de la tranquillité, qu'il n'avoit goûtée depuis
long-temps. ▪Mais cette tranquillité
finit bientôt : car il eut le chagrin
de perdre , quatre ans après son arrivée dans le Palatinat , ce Protecteur , qui avoit pour lui beaucoup
d'estime & de confiance , & qui
mourut le 26. Octobre 1576. Ce
Prince professoit la Religion Calviniste , mais *Loüis IV.* son fils &
son Successeur étoit dans les sentimens des Lutheriens. Ceux qui les
lui avoient inspirés , l'engagerent
aussi à chasser tous les Ministres &
les Professeurs , qui ne se confor-
meroient pas à sa croyance. *Toussain* fut de leur nombre , & on lui
interdit la Predication.

Jean Casimir , frere du nouvel
Electeur , qui suivoit la Religion
de son pere , attira à *Newstat* les
Professeurs & les Ministres chassés
d'*Heidelberg* , & entr'autres *Tous-*

, à qui il donna l'inspection des Eglises de sa dépendance , & qu'il engagea outre cela à travailler à l'établissement d'une nouvelle Académie dans cette Ville.

Toussain ne répondit pas seulement aux desseins de ce Prince, il professa encore quelque temps la Theologie & l'Ecriture Sainte, après la mort de *Zacharie Ursinus* , arrivée le 6. Mars 1583. servit de Ministre à l'Eglise de *S. Lambert* , composée d'Etrangers refugiés , contribua avec *Zanchius, Ursinus*, & d'autres, à la publication de divers Ouvrages , & présida à plusieurs Synodes.

L'Electeur Palatin , *Louis IV.* étant mort en 1583. *Jean Casimir* , son frere , fut chargé de la tutelle du nouvel Electeur *Frederic IV.* son neveu, & fils de *Louis IV.* S'étant rendu pour ce sujet à *Heidelberg* , il y fit venir d'abord *Toussain* , pour conferer ensemble sur le moyen d'y rétablir la Religion Calviniste.

Comme il avoit l'autorité en main , il n'eut pas de peine à en venir à bout , après avoir éloigné les

Profeffeurs & les Miniftres attachés D. Tous-
au Lutheranifme , & leur en avoir SAIN.
fubftitué de Calviniftes.

Jacques Grynæus , premier Pro-
feffeur en Theologie à *Heidelberg* ,
ayant été appellé à *Bafle* en 1586.
Touffain fut choifi pour lui fucce-
der dans cette place. Il en prit d'a-
bord poffeffion & enfuite pour fe
conformer aux Reglemens de l'U-
niverfité , il fe fit recevoir Docteur
en Theologie , au mois de Décem-
bre de la même année.

L'année fuivante 1587. il eut le
chagrin de perdre fa femme , qui
mourut le 28. Mars après 22. années
de mariage. Mais ce chagrin ne l'empêcha pas de fe remarier dix-huit
mois après , c'eft-à-dire , le 9. Novembre 1588.

Le Prince *Jean Cafimir* mourut
auffi en 1592. mais comme il avoit
élevé fon neveu dans les principes ,
où il étoit lui-même fur la Religion , cette mort ne changea rien
aux affaires du Palatinat.

En 1594. *Touffain* fut fait Recteur de l'Univerfité , & il n'oublia
rien dans ce pofte , pour en rele-

D. TOUS-
SAIN.

ver l'éclat, & pour en eloigner les
abus.

La peste ayant obligé l'an 1596.
& la suivante, la plûpart des Professeurs & des Ecoliers à se retirer
d'*Heidelberg*, *Toussain* y demeura
toujours, & ne cessa point de prêcher, & d'exhorter à la penitence
ceux qui étoient demeurés dans cette Ville.

Enfin se ressentant des infirmités de la vieillesse, il demanda à
être déchargé de la charge de Professeur; ce qu'il fit particulierement
en 1601. par un discours qu'il prononça en presence de l'Université :
mais on ne put se résoudre à lui
accorder sa demande; on lui per-
mit seulement d'user de tous les
adoucissemens & les dispenses dont
il pourroit avoir besoin.

Ses infirmités s'augmenterent bientôt après, & il mourut le 10. Janvier 1602. dans sa 61. année.

Il fut enterré dans la Chapelle
de l'Université avec cette Epitaphe.
*Danieli Tossano, Petri filio, Môm-
bergardensi, S. Theologiæ Doctori,
& fideli Christi servo, veritatisque cœ-*

*lestis explicatori & Professori industrio ,
acrique ejusdem propugnatori , tùm
Aureliæ in Galliis , tùm in Palatina-
tu Germaniæ ad Rhenum partim Neostadii , partim Heidelbergæ per annos
ferme quadraginta ; viro pietate , studio orthodoxa Religionis , eloquentia ,
judicii dexteritate , vitæ integritate ,
humanitate , benignitate erga omnes ,
in primis erga fidei consortes præcellen-
ti , pie & sancte in vera Dei invoca-
tione & Christiana fidei confessione ,
post fructuose exantlatos honestissimæ
functionis labores mortuo quarto Idus
Januarii A. C. 1602. cum vixisset annos sexaginta , menses quinque , dies
viginti sex. Filii & Generi superstites
hoc Monumentum ponendum curave-
runt.*

Catalogue de ses Ouvrages.

1. *Quatre Sermons sur les veritables motifs d'une solide consolation ,
sur le séjour du Ciel , sur la bonne
conscience , & sur les dernieres paroles de J. C.* (en Allemand) *Newstat.* 1573. & 1590. *in*-4°.

2. *Avertissement Chrétien au Senat
& au Peuple d'Amberg , touchant ce
qui s'est fait depuis peu , pour y en-*

tretenir la concorde dans l'Eglise &
dans les Ecoles. (en Allemand)
1575. in-4°. *Toussain* alla cette année par ordre de l'Electeur Palatin
Frederic III. à *Amberg* , Ville du Palatinat, avec quelques autres personnes , pour mettre ordre aux disputes de Religion , qui divisoient cette Ville , & apparemment pour travailler à la propagation du Calvinisme

3 *Discours où l'on prouve , que les*
Sectes & les Schismes d'à présent ne
doivent pas éloigner un amateur de la
verité de la Religion Chrétienne Evan-
gelique. Avec une réfutation des erreurs
de Gaspar Schwenckfeldt. (en Allemand) *Heidelberg.* 1575 *in*-40.

4. *Instruction necessaire sur la vé-*
ritable maniere d'éprouver les esprits.
(en Allemand) *Newstat.* 1579. in-
80. Cet Ouvrage est contre *Luc*
Osiander.

5. *Discours de Consolation adressé*
à ceux qui sont persecutez pour leurs
sentimens sur les Sacremens , & par-
ticulierement sur la Céne. (en Allemand) *Newstat.* 1579. *in*-8°.

6. *Reponse à Jean Marbach sur la*

Céne. (en Allemand) *Newstat.* 1580. **D. Tous-**
in- 8°.　　　　　　　　　　　　　　**SAIN.**

7. *Prælectiones in Psalmum II.*
Neapoli Nemetum. 1580. *in-*8o. It.
Heidelbergæ. 1600. *in-*8o.

8. *Paraphrasis, Annotationes, lo-*
corumque præcipuorum Methodica ex-
plicatio in lamentationes Jeremiæ. Fran-
cofurti. 1581. *&* 1597. *in* 4o.

9. *L'Exercice de l'Ame fidele, ou*
Prieres & Meditations pour se conso-
ler en toutes sortes d'afflictions. Avec
une Preface consolatoire aux pauvres
résidus de l'Eglise d'Orleans, conte-
nant un brief récit des afflictions qu'a
souffert ladite Eglise. Francfort. 1583.
in- 16. It. (en Allemand) *Newstat.*
1586 *in - * 12. & *Oppenheim.* 1614.
in- 8o. Il y a dans la Préface plusieurs
particularités sur lui.

10. *L'ancienne doctrine de la per-*
sonne & du Ministere de J. C. (en
Allemand) *Newstat.* 1585. *in-*4o.

11. *De nostra cum Christo Commu-*
nione. Neostadii. 1586. *in-*4o.

12. *Censura aliquot errorum Cas-*
paris Schwenckfeldii circa doctrinam
de persona Christi, Thesibus compre-
hensa. Heidelbergæ. 1587. *in-*4o.

D. Tous-
sain.

13. *Theses Apologeticæ de jure vocationis & Missionis Ministrorum
Evangelicorum contra Petrum Thyræum. Heidelbergæ.* 1587. *in-*4°. C'est
la réponse à une These de *Pierre Thyræus*, Jesuite Allemand, intitulée:
*De Jure vocationis & Missionis Mi-
nistorum in Pseudo - Evangelicorum
Ecclesiis. Moguntiæ.* 1587. *in-*4°. Celui-ci la réfuta à son tour dans un
écrit, qui a pour titre: *Examen Apo-
logeticum Thesium Danielis Tossani,
Calviniani Theologi in Academia Hei-
delbergensi, pro disputatione Mogun-
tina de Jure vocationis & Missionis
Ministrorum verbi apud Evangeli-
cos. Moguntiæ.* 1588. *in -* 4°. Mais
Youssain revint de nouveau à la charge par l'Ouvrage suivant.

14. *Ad Petrum Thyræum, Soc. J.
Theologum Moguntinum Epistola ad-
monitoria, de ratione examinandi, &
examine Apologeticarum Thesium nuper à Thyræo editarum. Heidelbergæ.*
1588. *in-*8°. *Thyræus* repliqua encore la même année.

15. *Orationes Eucharisticæ duæ.
Heidelbergæ.* 1588. *in-*8°.

16. *Orthodoxarum Ecclesiarum doc-*

trina de Baptiſmo. Heidelbergæ. 1589.
*in-*4°.

17. *Paſtor Evangelicus , ſeu de le-
gitima Paſtorum Evangelicorum voca-
tione , officio , & præſidio. Heidelbergæ.* 1590. *in-*8°. It. *Amberga.* 1604.
*in-*8°.

18. *Aphoriſmi Theologici contra aliquot hæreſes , deſumpti ex Epiſtola S.
Pauli ad Philippenſes. Heidelbergæ.*
1590. *in-*4°.

19. *Diſputationes duæ adverſus Laurentium Arturum , Jeſuitam Poſna-
nienſem ; prior de S. Cœna Evangelica ; altera de ſuperſtitioſa & idolo-
latrica veneratione Sanctorum. Heidelbergæ.* 1590. *in-*4°.

20. *Trois Sermons ; de la fin pour
laquelle Jeſus-Chriſt eſt venu dans le
monde ; de l'Union perſonnelle & Sa-
cramentelle ; de la Prédeſtination. (* en
Allemand *) Heidelberg.* 1591. *in-*4°.

21. *Orationum de variis rebus gra-
viſſimis habitarum volumen. Amber-
gæ.* 1592. *in-*4°. It. *Ibid.* 1595. *in-*8°.

22. *Marques particulieres d'étour-
diſſement dans le turbulent Samuel Hu-
ber , qui s'eſt élevé contre le juſte jugement de Dieu , par rapport à la ré-*

D. Tous-
SAIN.
probation. (en Allemand) *Newstat.*
1592. *in* 4º.

23. *Theses & Antitheses de Cœna Domini , de persona Christi , de Baptismo , &c.* (en Latin & en Allemand) *Heidelbergæ.* 1593. *in* 12.

24. *Theses Theologicæ de questione :* utrum orthodoxe *dici possit , fidem prævisam esse causam nostræ ad salutem electionis. Heidelb.* 1594. *in-*4º.

25. *De Pelagianismo. Heidelbergæ.* 1595. *in-*4º.

26. *De consideratione & usu salutari doctrinæ de providentia Dei & Sacramentis. Ibid.* 1597. *in-*4º.

27. *Paraphrasis in Orationem Habacuc. Ibid.* 1599. *in-*8º.

28. *De Senectute Tractatus Christianus & Consolatorius , tribus libris comprehensus. Heidelbergæ.* 1599. *in-*8º. It. (en Allemand.) *Herborn.* 1600. *in-*8º.

29. *Operum Theologicorum volumen I. & II. continens Harmoniam Evangelicam , Commentaria in Acta Apostolorum , & in Epistolas Pauli ad Romanos & ad Corinthios. Francofurti.* 1604. *in-*4º.

30. *In tres Evangelistas Matthæum ,*

Lucam , *& Johannem Commentarii.* D. Tous-
Hannoviæ. 1606. *in* 40.   sain.

31. *Synopsis de Patribus* , *sive de
præcipuis & vetustioribus Ecclesiæ
Doctoribus* , *nec non de Scholasticis
quantum eis deferendum* , *quo tempore vixerint* , *quâ cum cautione le-
gendi* , *quæque eorum dotes & nævi
fuerint. Addita quædam de vita & obitu Autoris à Paulo Tossano filio. Heidelbergæ.* 1603. *in*-40. It. *Francofurti.* 1612. *in* 40. It. Traduite en Anglois. *Londres.* 1635. *in* 8°.

32 *Doctrina de Prædestinatione* ,
*brevibus ac perspicuis quæstionibus com-
prehensa* , *& in septem capita distincta ; una cum Responsionibus ad Epistolas Nicolai Serarii* , *Jesuitæ. Francofurti.* 1609. *in*-40.

33. *De la conduite qu'un Chrétien
doit tenir à la mort.* (en Allemand)
Oppeinheim. 1614. *in*-8°. It. *Francfort.* 1615. *in* 12.

V. *Vita & obitus Danielis Tossani
compendio explicata Narratio* , *Autore Paulo Tossano. Heidelbergæ.* 1603.
in - 40. Cette vie, qui a été écrite
par un de ses fils , entre dans un
grand détail, & on y trouve beau-

coup de dates. *Oratio funebris Danielis Tossani à Simone Stenio. Heidelbergæ.* 1603. *in-4o.* Avec celle de *Paul Schedius. Oratio de beato obitu Danielis Tossani à Jacobo Christmanno.* A la tête de ses Ouvrages Theologiques sur l'Ecriture Sainte, imprimés à *Francfort* en 1604. *in-4o. Melchioris Adami vitæ Theologorum Germanorum.* Ce qu'il en dit est copié de *Paul Toussain*, & de *Simon Stenius. Freheri Theatrum.* p. 320. Ceci est pris de la même source.

PAUL TOUSSAIN.

PAul *Toussain* naquit dans une tourelle du Château de *Montargis*, où son pere & sa mere étoient cachés, sous la protection de la Duchesse de *Ferrare* le 27. Septembre 1572. de *Daniel Toussain*, dont je viens de parler, & de *Marie Coüet.*

Transporté l'année suivante en Allemagne, il passa sa premiere jeunesse à *Heidelberg*, & y fit ses études d'Humanités.

En 1590. son pere l'envoya à *Al-*

torf , pour y faire sa Philosophie ; P. Tous-
après laquelle il reçut le degré de SAIN.
Maitre-ès - Arts à *Heidelberg* le 6.
Avril 1592.

Il se rendit la même année à *Geneve* , pour y étudier en Theologie , & demeura deux ans dans cette
Ville , occupé de cette étude.

Etant ensuite allé en 1594. à *Leyde* , on l'engagea à se charger de la
conduite de l'Ecole de *Deventer* , &
peu après de celle d'*Amsterdam* , &
il y expliqua à la Jeunesse les Ora-
teurs & les Poëtes Grecs & Latins.

Il passa en Angleterre l'an 1598.
& y visita les Universités d'*Oxford*
& de *Cambridge*. De-là il se rendit en France , d'où , après avoir vû
les principales Villes de ce Royaume , il retourna à *Heidelberg*.

Il y donna encore quelque temps
à l'étude de la Theologie , & alla
ensuite se faire recevoir Docteur en
cette Faculté à *Basle*. Il en reçut
le bonnet le 12. Mars 1599. des
mains de *Simon Grynæus*.

L'année suivante 1600. il fut fait
Ministre de l'Eglise Françoise de
Franckendal dans le Palatinat , & il

P. Tous-
sain.

y prêcha pour la premiere fois le jour de la Trinité. Il se maria dans la même Ville le 10. Novembre 1601.

Eh 1608. l'Electeur Palatin le fit venir à *Heidelberg*, & le mit au nombre des Conseillers Ecclesiastiques.

En 1618. il alla au Synode de *Dordrecht* avec *Abraham Scultet*, & *Henri Altingius*.

La guerre qui affligea dans la suite le Palatinat, l'obligea à se retirer à *Hanau*. Ce fut dans cette Ville qu'il mourut l'an 1629. âgé de 57. ans.

Catalogue de ses Ouvrages.

1. *Vitæ & obitus Danielis Tossani compendio explicata narratio, præcipuos ipsius in Gallia Germaniaque emensos labores complectens. Heidelbergæ* 1603. *in* - 40. Cette vie de son pere est fort bien circonstanciée, & accompagnée de toutes les dates necessaires.

2. *Phraseologia Terentiana, ex Comœdiis P. Terentii Afri confecta. Oppenhemii.* 1613. *in* 8o.

3. *Reponse peremptoire à la prétendue*

due défense de Jacques Hack , Jesui-
te d'Olmuts , dans laquelle il a entre-
pris de justifier le premier Sermon de
George Scherer , Jesuite , touchant la
Communion sous une ou deux especes.
(en Allemand) *Francfort.* 1614. *in-*
4°. Voici l'origine de ce Livre. Les
Sermons du P. *George Scherer ,* Jesuite , mort en 1605. ayant été imprimés , *Nicolas Hegius* en attaqua
un , où il s'agissoit de la Communion sous une ou deux especes , &
publia sur ce sujet un gros Ouvrage. *Jacques Hack* crut devoir prendre la défense de son Confrere , &
composa pour cela un Livre Allemand , qu'il donna sous le titre de
Défense du Sermon du P. George Sche-
rer touchant la Communion sous une
ou deux especes , contre Nicolas He-
gius. Olmuts. 1613. *in-*8o. C'est à ce
Livre que *Toussain* s'est proposé ici
de répondre. Mais sa réponse a été
refutée à son tour par *Jacques Hack*
dans un nouvel Ouvrage Allemand
intitulé : *Examen abregé de la ques-*
tion : Si Paul Toussain , en tâchant de
justifier Nicolas Hegius des menson-
ges , dont Jacques Hack l'a accusé ,

Tome XXXVI. Gg

P. Tous- *a mis suffisamment son honneur à cou-*
SAIN. *vert.* Olmuts. 1614. *in-8o.*

4. *Recapitulation de l'Examen des Theologiens de Wirtemberg, dans laquelle les horreurs attribuées à la doctrine des Calvinistes sont dissipées ; & où l'on découvre les moyens de mettre la paix parmi les Evangeliques.* (en Allemand) Francfort. 1614. *in-8o.* Cet Ouvrage vint à la suite de plusieurs autres, composés par differens Auteurs, pendant des disputes fort vives, qu'il y eut alors dans le Palatinat entre les Lutheriens & les Calvinistes. Comme il fut attaqué par *Christophe Binder, Toussain.* lui répondit par le suivant.

5. *Réfutation de la prétendue réponse de Christophe Binder à la récapitulation de l'Examen des Theologiens de Wirtemberg.* (en Allemand) Francfort. 1615. *in-8o.*

6. *Dictionum Hebraïcarum, quæ in Libro Psalmorum continentur, syllabus geminus, in usum eorum, qui ad linguæ sanctæ studium primùm accedunt.* Basileæ. 1615. *in-12.*

7. *Actes d'une conference entre Etienne Lasur, Ambassadeur du Roy*

*de la Grande-Bretagne, & Matthias
Hoë, Predicateur de l'Electeur de
Saxe, tenuë à Dreſde le Dimanche
de la Quaſimodo de l'an* 1613. *publiés par Paul Touſſain.* (en Allemand) *Oppeinheim.* 1515. *in-*4º. Il
s'agit dans cette conférence de l'explication d'un paſſage de *S. Jean,*
où il dit que *J. C.* reſſuſcité vint
trouver ſes Diſciples dans la mai-
ſon où ils étoient, les portes fer-
mées.

8. *La Bible traduite en Allemand
par Luther, avec les notes marginales de Paul Touſſain. Heidelberg.* 1617.
in-fol. Les notes de *Touſſain,* qui
ont été réimprimées pluſieurs fois,
ſe reſſentent un peu du Calviniſme,
qu'il profeſſoit : c'eſt pour cela,
qu'elles ont été attaquées par un
Theologien Lutherien, dans un Livre intitulé : *Joannis Winckelmanni diſputatio Theologica contra Erro-
res Calvinianorum de Baptiſmo, Cœna Domini, Perſona Chriſti, & electione, quos Paulus Toſſanus Theolo-
gus Heidelbergenſis, Germanicæ Sa-
crorum Bibliorum verſioni D. Lutheri, à ſe nuper edita, in margine ad*

*seducendum simplicem lectorem assuit,
& multa scripturæ dicta depravavit.
Giessæ.* 1617. *in* 40. *Toussain* ne laissa
pas long-temps cet Ouvrage sans
réponse : il en publia une dans l'é-
crit suivant.

9. *Apologia pro suis notis Biblicis, adversus frivolas & ineptas cri-
minationes Joannis Winckelmanni,
Theologi Giessensis. Heidelbergæ.* 1618.
in 40. Mais *Winckelman* revint aussi-tôt à la charge, par un nouvel
Ouvrage, qu'il intitula : *Necessaria
responsio ad virulentum scriptum Pauli Tossani, sub titulo Apologiæ pro suis
notis Biblicis editum. Giessæ.* 1618.
in-80.

10. *Index in Sacra Biblia locu-
pletissimus ex Latina Immanuelis Tre-
mellii, & Francisci Junii versione
quoad Vetus, & Theodori Bezæ quoad Novum Testamentum Collectus.
Francofurti.* 1623. *in - fol.* It. *Hanoviæ.* 1624. *in fol.* It. sous ce titre :
*Lexicon Concordantiale Biblicum, ex
Veteri & Novo Testamento, ordine
alphabetico concinnatum. Editio nova curante Johanne Frid. Clotzio,
Francofurti.* 1687. *in - fol.*

11. *Enchiridion Locorum Commu-* P. Tous-
nium Theologicorum. Baſileæ. 1652. SAIN.
*in-*8o. Il y a eu apparemment une
édition beaucoup anterieure.

V. *Vitæ Virorum Doctorum Jani
Jacobi-Boiſſardi*, pars 2. *Pauli Freheri Theatrum Virorum Doctorum*, p.
441.

JEAN MESCHINOT.

Jean *Meſchinot*, Ecuyer, ſieur   J. MES-
de *Mortieres*, étoit natif de *Nan-* CHINOT.
tes, & fut ſurnommé *le Banni de
Lieſſe*, de même que *François Ha-
dert d'Iſſoudun*.

François I. Duc de Bretagne le
prit à ſon ſervice en qualité de Maitre d'Hôtel, & le combla de biens,
comme il le marque dans un endroit de ſes Poéſies. Ce Prince étant
mort en 1450. il ſervit en la même
qualité ſes trois Succeſſeurs *Pierre
II. Artus III. & François II.* &
même *Anne* Ducheſſe de Bretagne,
fille de ce dernier, à qui le Duché
paſſa après la mort de ſon pere arrivée en 1488.

J. MES-
CHINOT.

Comme cette Princesse épousa *Charles VIII.* Roi de France, & enfuite *Louis XII.* son successeur, *Meschinot* prit la qualité de Maître d'Hôtel de la Reine de France.

Il mourut à son service le 12. Septembre 1509. dans un âge extrêmement avancé, puisqu'il conserva plus de soixante ans la charge de Maître d'Hôtel.

La plûpart des particularités que je viens de rapporter se tirent de son Epitaphe, qui se trouve à la fin d'une édition de ses *Lunettes des Princes* faite à *Paris*, chez *Pierre le Caron* sans date. La voici.

Vertueux gist d'honneur bien proche.
En armes servit sans reproche
Cinq Ducs. Onc ne fut reprochié.
Priez Dieu qu'il soit approchié,
Du pardon, qui sa joye approche.

De Meschinot fut son surnom,
Lunettes fit, cil Jehan eut nom,
Et maint beau dicte sans redite.

Mil cinq cens neuf moins plus non,
Douze en Septembre, en grant renom.

Servant Dame qui Royne est dite,

Par Atropos, qui humains croche,
Et qui tout preux de son dard bro-
  che,
Eut ce noble homme à mort brochié,
De vertus n'étoit decrochié.
Donc dire en doit: Soubs cette roche
  Vertueux gist.

Le seul Ouvrage qu'on ait de lui
est le suivant.

Les Lunettes des Princes, composées par noble homme *Jehan Meschi-*
not, Ecuyer, en son vivant grant
Maistre d'Hotel de la Royne de France. *Jean Dupré.* in-4°. petit, pp. 175.
non chiffrées, sans date. It. *Paris.*
Pierre le Caron. in-8°. sans date. It.
Lyon Olivier Arnoullet. in-8°. sans
date. It. *Paris. Higman.* 1522. in-4°.
It. *Paris. Alain Lotrain.* 1534. Cette édition est rapportée par *la Croix*
du Maine. It. *Paris.* 1539. in-16.
Les piéces contenues dans ce volume, qui est tout en vers, sont les
suivantes.

1. *Les Lunettes des Princes.* Ce titre ne convient gueres à l'Ouvrage,

**J. Mes-
chinot.** qui est adressé à tout le monde. L'Auteur y commence par des plaintes sur les miseres de la vie & sur la mort de quelques Ducs de Bretagne, decedés de son temps. Il suppose ensuite que la raison lui apparoît pour l'exhorter à la patience, & qu'elle lui promet des lunettes, qui lui seront d'un grand usage. S'étant couché après avoir fait sa priere, la raison lui apparoît encore en songe, & lui donne ces Lunettes, sur les deux verres de laquelle étoient écrits ces mots, à l un *Prudence*, à l'autre *Justice*; l'yvoire où ils étoient enchassés se nommoit *Force*, & le clou qui les joignoit ensemble avoit nom *Temperance*; & elle accompagne ce présent d'un petit livret, qui contient des instructions sur ces vertus. Elles sont en vers comme le reste, & se trouvent ici à la suite du songe.

2. *Vingt cinq Ballades, composées par ledit Jehan Meschinot sur 25. Princes, à lui envoyés & composés par Messire George Ladventurier, Serviteur du Duc de Bourgogne. Les Princes composés par Ladventurier* sont

des

des piéces de vers, appellées *En-*
voys, qui roulent sur les Princes, &
commencent par ce mot : *Princes.*
A ces Ballades sur les *Envoys*, sont
jointes quelques autres sur divers
sujets de Morale.

3. *Commémoration de la Passion de
Notre Seigneur Jesus-Christ.* (en vers.)
Avec differentes Poësies Morales.

Il n'y a rien que de fort commun
dans les pensées de l'Auteur.

V. *Les Bibliotheques Françoises de
la Croix du Maine, & de du Verdier.*
Ils n'en disent que fort peu de choses.

BENOIST VARCHI.

B*Enoît Varchi* naquit à *Florence* B. Var-
l'an 1502. de *Jean de Monte-* chi.
Varchi, qui avoit pris son nom de
ce lieu, situé entre *Florence* & *Arez-
zo*, dont il étoit originaire, & qui
étoit un des plus fameux Avocats ou
Procureurs, qu'il y eût alors, principalement pour les matieres Ecclesiastiques, dans l'Archevêché de
Florence. Cette origine a fait dire
mal-à-propos à quelques Auteurs,

Tome XXXVI. H h

qu'il étoit né à *Monte-Varchi* même, & lui a fait donner par d'autres
le nom entier de ce lieu.

Lorsqu'il eut douze ou treize ans,
un Maître peu habile, à qui on l'a-
voit confié, & qui lui avoit appris
à lire & à écrire, fit entendre à son
pere, qu'il n'étoit point propre pour
l'étude, & qu'il ne seroit jamais rien
dans les Lettres; & lui conseilla de
le mettre dans le commerce.

Le pere suivant, sans beaucoup de
réflexion, cet avis, le mit dans la
boutique de quelques Marchands
de ses amis; mais ceux-ci ayant remarqué qu'il avoit toujours un livre à la main, & qu'il s'appliquoit
plus à la lecture qu'à la marchandise, reconnurent sans peine qu'il n'é-
toit point là à sa place, & en aver-
tirent son pere. Celui-ci ayant examiné le caractere & l'inclination de
son fils avec plus de soin qu'il n'a-
voit fait jusques-là, vit bien qu'il
s'étoit trompé sur son sujet. Ainsi
l'ayant tiré du Commerce, il le mit
entre les mains de *Gaspar Mariscotti*
de *Marradi*, qui étoit alors un des
meilleurs Maîtres de Grammaire,

qu'il y eût à *Florence*, & même dans
toute l'Italie.

Varchi fit ſous ce Maître de ſi
grands progrès dans les Belles-Lettres, qu'il n'avoit encore gueres plus
de dix-huit ans, lorſque ſon pere
jugea à propos de l'envoyer étudier
en Droit à *Piſe*, dans le deſſein de
lui faire embraſſer ſa profeſſion.

Varchi demeura cinq ans dans cette Ville, occupé de cette étude, &
ſe rendit habile dans l'un & l'autre
Droit, quoiqu'il s'y fût moins ap-
appliqué par inclination que par
complaiſance pour ſon pere.

Après avoir pris le degré de Docteur en Droit, il retourna à *Florence*, où ſon pere lui apprit la pratique, & le fit recevoir Notaire. Il
avoit une averſion extrême pour cette profeſſion; mais il crut devoir la
ſacrifier à la volonté d'autruy, en
attendant qu'il fût en état de faire
la ſienne.

En effet ſon pere ne fut pas plûtôt mort, qu'il renonça à la Juriſprudence, & à la Pratique pour ſe
donner tout entier aux Belles-Lettres; ce qu'il pouvoit faire d'autant

B. VAR-
CHI.

plus aisément, que son pere lui avoit laissé un bien assez considerable.

Il n'avoit appris de *Gaspar Mariscotti* que la langue Latine ; mais persuadé qu'il ne pouvoit gueres s'appliquer avec succès à la Philosophie , sans sçavoir la Grecque , il commença par l'étudier sous *Pierre Vettori* ; ce qu'il fit pendant deux ans avec une si grande ardeur , qu'il se vit au bout de ce temps en état d'enseigner lui-même les autres.

Il avoit dessein d'aller après cela étudier en Philosophie à *Padoue* , ou à *Boulogne* , où étoient alors les plus fameux Maîtres en ce genre. Mais les troubles arrivés à *Florence* en 1527. année en laquelle les *Medicis* furent chassés de cette Ville pour la troisiéme fois , & le Siege qu'ils mirent devant la même Ville , ne lui permirent pas d'exécuter si-tôt ce dessein. Il commença cependant dès - lors à en apprendre quelque chose sous *François Verini*.

Il s'étoit attaché à la famille des *Strozzi* ; & lorsque cette famille fut obligée de sortir de *Florence* en 1534. il la suivit tantôt à *Venise* ,

tantôt à *Boulogne*. Enfin ne perdant
point de vûë ses premiers desseins,
il passa à *Padoue*, où il s'appliqua
à la Metaphysique sous *François Beato*, qui fut depuis Professeur en la
même science à *Pise*, aux Belles-Lettres & à la langue Grecque sous *Laurent de Bassano*, & à la Philosophie
sous *Vincent Maggio*.

Varchi fit alors connoissance avec
plusieurs personnes de mérite, entre
autres avec le Cardinal *Bembo*, &
Laurent Lenzi.

Daniel Barbaro ayant dans ce temps-
là formé à *Padoue* l'Academie des *In-
fiammati*, *Varchi* fut un de ses principaux Membres. Il y fit même des
leçons publiques sur la Morale, &
y lût plusieurs dissertations sur les
Poësies de *Petrarque*, de *Bembo*, de
la Casa, & d'autres, dont quelques-unes sont imprimées.

Varchi, après quelques années de
séjour à *Padoue*, passa à *Boulogne*,
pour s'y perfectionner dans la connoissance de la Philosophie, sous
Louis Boccadiferro, fameux Professeur de ce temps. Il y prit aussi des
leçons de *Luc Ghini*, Medecin de
la même Ville.   H h iij

Cependant *Cosme de Medicis*, Grand Duc de Toscane, ayant pris sous sa protection l'Academie Florentine, & voulant la remplir de sujets capables de lui faire honneur, rappella *Varchi* à *Florence*, & lui assigna même une pension.

Comme *François de Medicis*, fils aîné du Duc étoit né quelque temps auparavant, on crut qu'on l'avoit fait venir à *Florence*, pour être dans la suite son Précepteur, aussi-bien que des freres qu'il pourroit avoir; & la chose se seroit faite probablement, si *Varchi* avoit eu un peu plus d'usage du monde, & s'il avoit sçu se faire aux manieres de la Cour. Mais c'étoit un Philosophe sans ambition, qui ne daignoit pas avoir ces attentions, & qui ne songeoit qu'à ses études.

Le Grand Duc ne l'en estima pas moins, & le plaisir qu'il trouvoit à lire ses ouvrages lui faisoit oublier l'impolitesse & la grossiereté de ses manieres. Il le chargea même d'écrire l'histoire de *Florence*; & pour l'y animer, il lui doubla sa pension, & lui donna la Cure de *San Gavi-*

no dans la Contrée de *Mugello*. Il B. Var-
n'étoit pas cependant encore Prêtre, chi.
& ne le fut que quelques années
après.

Lorsque *Varchi* eut composé le
premier livre de son histoire de *Flo-*
rence, il le présenta au Grand Duc,
qui le fit voir à *Paul Jove*. Ils en
furent tous les deux fort contens ;
mais quelqu'un, qui le vit aussi,
choqué de certains traits, l'attaqua
un soir, & lui donna plusieurs coups
de poignard. *Varchi* en fut fort malade ; mais il en guerit. Quoiqu'il
eût reconnu celui qui avoit fait le
coup, il ne voulut jamais le découvrir, il le dit seulement dans la suite en secret au Duc.

La composition de son histoire ne
l'empêchoit pas de faire souvent des
leçons dans l'Académie Florentine ;
il fut même le seul qui en fit pendant l'année qu'il en fut Consul.

La guerre que le Grand Duc eut
à soutenir contre les Siennois, l'o-
bligea à se retirer à son benefice de
San Gavino, pour y vivre de ses
revenus avec quelques-uns de ses
amis. Car sa pension ne fut point

payée pendant tout ce temps-là; &
d'ailleurs comme il étoit fort mauvais ménager, il n'avoit point sçu
amasser dans les temps d'abondance, dequoi subsister dans ceux de
disette.

Mais le Grand Duc ayant termi-
né cette guerre d'une maniere avantageuse, lui fit payer tout ce qui
lui étoit dû de sa pension, & il se
vit par là de nouveau dans l'abondance.

Comme il aimoit la vie de la campagne, il demeura presque toujours
depuis ce temps-là à *la Topaia*, maison de plaisance, dont le Grand Duc
lui accorda l'usage. Il alloit seulement une ou deux fois l'an à *Pise*,
où ce Prince passoit une bonne partie de l'année, pour lui lire ce qu'il
avoit fait de son histoire.

Le Pape *Paul III.* voulut l'attirer
à *Rome*, & lui fit faire des propo-
sitions pour être Précepteur de ses
neveux, & il étoit disposé à accepter cet employ : mais voyant que
le Grand Duc en étoit mécontent,
il n'y songea pas davantage.

Il étoit déja âgé de 62. ans, lors-

que la Cure de *Monte Varchi* étant **B. VAR-**
venue à vaquer, il la demanda au **CHI.**
Grand Duc, qui la lui donna. Mais
a ant qu'il en prît possession, les
Habitans du lieu lui proposerent
de la faire ériger en Collégiale.
Quoique cette érection dût dimi-
nuer considerablement ses revenus,
qui se partageroient par là entre plusieurs, il voulut bien, pour faire
honneur à un lieu, dont il tiroit
son origine, y prêter les mains, &
se contenter de la qualité de Prevôt.
C'est ainsi que *Silvain Razzi* rapporte ce fait; il se trouve cependant d'anciens Mémoires, qui marquent que ce changement fut fait
en 1554. par *Jean del Turchio*, pré-
decesseur de *Varchi*.

Celui-ci voulant se mettre en état
de remplir dignement la place de
Prevôt, reçut l'ordre de Prêtrise;
& ayant dessein de se fixer pour le
reste de ses jours à *Monte-Varchi*,
il y envoya sa Bibliotheque, & se
disposa à s'y rendre lui-même, aussi-tôt après que *Jeanne d'Autriche*,
épouse du Duc *François*, seroit arrivée à *Florence*.

B. VAR-
CHI.

L'entrée de cette Princesse dans cette Ville, à laquelle il assista avec les autres Officiers du Duc, se fit le 16. Decembre 1565. & deux jours après, c'est à dire, le 18. du même mois, il eut une attaque d'apoplexie, dont il mourut le même jour, âgé de 63. ans.

Il fut enterré dans l'Eglise des Anges de l'Ordre des Camaldules, comme il l'avoit ordonné ; & on lui mit cette Epitaphe.

D. O. M.

Benedicto Varchio, Poëtæ, Philosopho, atque Historico, qui cum annos 63. summa animi libertate, sine ulla ovantia aut ambitione vixisset, obiit non invitus XVI. Kal. Decembris 1566.

Sil. Rac. Sacræ hujus Ædis Cœnobita, amico optimo. P. C.

Cette Epitaphe, dont la date est fausse, a trompé la plûpart de ceux qui ont parlé de *Varchi.* Ce qu'il y a d'étonnant, c'est que *Razzi* qui l'a faite, se soit trompé si lourdement, & qu'il l'ait contredite dans la vie de *Varchi*, où il commet une nouvelle faute, en le faisant mourir le 16. Decembre.

Varchi avoit fait ſon teſtament en
1560. & avoit laiſſé ſes manuſcrits,
avec quelques-uns de ſes livres imprimés à *Laurent Lenzi* , & ſes livres de Theologie à *Silvain Razzi* ,
Camaldule , qu'il avoit nommés
pour ſes Exécuteurs Teſtamentaires.

Quelque temps après ſa mort ,
l'Académie Florentine lui fit des
funerailles ſolemnelles , & *Leonard
Salviati* y prononça ſon Oraiſon funebre.

Varchi a été un des ſoutiens de la
langue Italienne ; & il la parloit
avec tant de grace & d'agrément ,
que les Italiens ont dit , que ſi Jupiter eût voulu parler Italien , il ſe
ſeroit ſervi de celui de *Varchi*. Il
avoit d'ailleurs l'air grand , & la
voix ſi agréable qu'il charmoit ſes
Auditeurs , lorſqu'il parloit en Public.

Au reſte , c'étoit un ami tendre ,
ſincere , bienfaiſant , qui ne poſſe-
doit rien , dont ſes amis ne puſſent
diſpoſer auſſi bien que lui. Sa liberalité à leur égard l'a mis ſouvent
à l'étroit , & il n'a pas toujours eu

B. VAR-
CHI.

le plaisir de les trouver dans ses temps de besoin aussi reconnoissans qu'il l'auroit souhaité.

Scipion Ammirato, & *Lorenzo Crasso* après lui, ont prétendu que ses bonnes qualités ont été obscurcies par de grands défauts. La grossiereté dont ils l'accusent, est avoüée par *Razzi*; pour ce qui est de l'attachement opiniâtre à ses opinions, & des débauches infames qu'ils lui reprochent, ils ont apparemment trop ajouté foy à ce qu'en ont dit ses envieux & ses ennemis. On peut du moins y opposer les louanges, que plusieurs Auteurs lui ont données, & qu'on voit rassemblées dans les *Notizie Litterarie dell' Academia Fiorentina.* p. 154. & suivantes.

Catalogue de ses Ouvrages.

1. *Boezio Severino della Consolazione della Filosofia*, *tradotto di lingua Latina in volgare da Benedetto Varchi. In Firenze. Lorenzo Torrentino.* 1551. in-4°. It *Ibid.* 1584. in-12. Cette derniere édition est accompagnée des sommaires, des remarques & d'une table de *Benoist Titi. Varchi* a dedié cette traduction

au Grand Duc *Cosme de Medicis* , B. V**ar-**
chi.
par l'ordre duquel il l'avoit entre-
prise. Quoiqu'il l'ait faite en fort
peu de temps , l'Academie *della*
Crusca l'a préferée à trois autres qui
ont paru vers le même temps , celle d'*Anselme Tarzo. In Venetia.* 1520.
in - 12. & 1531. *in - 80.* celle de
Louis Domenichi. In Firenze. 1550.
in-80. celle de *Cosme Bartoli. In Fi-*
renze. 1551. *in-8⁰.* Dans toutes ces
traductions , les vers Latins de *Boé-*
ce sont rendus en vers Italiens. Plus
de cent ans après il en a paru une
nouvelle de *Thomas Tamburini* , Jesuite Sicilien , imprimée à *Palerme*
l'an 1657. *in-12.*

2. *Seneca de' benefizi , tradotto in*
volgar Fiorentino da M. Ben. Varchi.
In Firenze. Lorenzo Torrino. 1554.
in 4⁰. It. *In Vinegia. Gabriel Giolito.*
1564. *in-12.* It. *In Firenze. Giunti.*
1574. *in-8⁰.* On a ajouté à cette derniere édition la vie de *Seneque* écrite en Latin par *Sicone Polentone* , &
traduite en Italien par *Jean di Tan-*
te.

3. *Due Lezzioni. Nella* 1ª. *si di-*
chiara un Sonetto di Michelagnolo

B. VAR-
CHI.

Buonarruoti. *Nella* 2ª. *si disputa quale sia piu nobile Arte, la Scoltura, o la Pittura. In Firenze.* 1549. *in* 4º. Elles ont été inserees dans le Recueil des *Lezioni di Benedetto Varchi In Firenze.* 1590. *in-4º.* La premiere se trouve aussi avec les *Rime di Michelagnolo Buonarroti. In Firenze.* 1726. *in-8º.*

4. *Lettura sopra il Sonetto della Gelosia di Monsignor della Casa. In Mantoua.* 1545. It. Avec une autre sous ce titre : *Due Lezioni di M. Benedetto Varchi, l'una d'Amore, l'altra della Gelosia, con alcune utili e dilletevoli quistioni da lui nuovamente aggiunte. In Lione.* 1560. *in - 12.* Cette édition a été faite par *Luc Antoine Ridolfi*, qui a daté son Epitre dédicatoire de l'an 1550. Il doit y avoir faute dans une de ces dates. Ces deux piéces se trouvent aussi dans le Recueil des *Lezioni* de *Varchi.*

5. *Lezioni di M. Benedette Varchi, lette da lui pubblicamente nell' Academia Fiorentina sopra diverse materie Poëtiche e filosofiche, raccolte nuovamente, e la maggior parte*

non piu date in luce ; *con due Tavo-le. In Fiorenza. Filippo Giunti* 1590. *in-*4°. Les trente piéces qu'on voit ici , ont été rassemblées par *Giunti*, qui a negligé de les ranger suivant l'ordre des temps , & y a laissé glisser un grand nombre de fautes d'impression. On trouve à la tête une vie fort étendue de *Varchi* , écrite par *Silvain Razzi* , Abbé de l'ordre des Camaldules , qui avoit été son ami.

6. *La Suocera* , *Commedia. In Fiorenza. Bartolomeo Sermatelli.* 1569. *in* - 8°. Cette piéce n'est point une Comédie Pastorale , comme on le marque dans le Dictionnaire de *Morery* ; elle est faite sur le modele de l'*Hecyre* de *Terence.* Elle a été réimprimée en 1728. *in-*12. mais avec le même frontispice & la même date , que dans la premiere édition.

7. *Vita di M. Francesco Cattani da Diacceto.* A la tête de l'Ouvrage de cet Auteur , intitulé : *Libri d'Amore. In Vinegia. Gabriel Giolito.* 1561. *in-*8°.

8. *Orazione funerale sopra la morte del sign. Stephano Colonna da Pa-*

B. VAR-
CHI.

*lestrina, fatta & recitata da B. Var-
chi. In Firenze.* 1548. *in-8°.* pp. 31.
non chiffrées. It. dans un Recueil de
François Sansovino, intitulé : *Ora-
zioni volgarmente scritte da molti huomini illustri dé tempi nostri. In Venetia.* 1562. 1569. 1575. 1584. *in-4°.*
Ce discours fut prononcé le 20.
Mars 1547.

9. *Orazione funerale sopra la morte del sign. Gio. Batt. Savello. In Fiorenza.* 1551. *in-4°.* It. Dans le Recueil de *Sansovino.*

10. *Orazione funerale fatta e reci-
tata da B. Varchi nell' essequie dell'
Ill. Signora D. Lucrezia dé Medici,
Duchessa di Ferrara, nella chiesa di
S. Lorenzo alli* 16. *Maggio* 1561. *In
Fiorenza.* 1561. *in-4°.* It. Dans le
Recueil de *Sansovino.*

11. *Orazione funerale di M. B.
Varchi fatta e recitata da lui publica-
mente nell' essequie di Michelagnolo
Buonarroti, in Firenze nella Chiesa
di San Lorenzo. In Firenze.* 1564.
in-4°. p. 63. It. dans le Recueil de
Sansovino.

12. *Orazione nella morte del Cardinal Bembo, detta nell' Accademia.
Fioren-*

Fiorentina. In Firenze. 1546. *in* -4°. **B. VAR-**
It. dans le Recueil de *Sansovino.* **CHI.**

13. *Orazione nella morte della si-*
gnora Maria Salviata, madre del Ser.
Gran Duca Cosimo primo, recitata
nell' Accademia Fiorentina. In Firen-
ze. 1549. *in*-8°. It. dans le Recueil
de *Sansovino.*

14. *Orazione di M. Benedetto Var-*
chi da lui recitata nel pigliare il con-
solato dell' Accademia Fiorentina l'an-
no 1545. Inserée dans un Recueil de
differens discours, publié par *Doni*
à *Florence* l'an 1547. *in*-4°. It. dans
le Recueil de *Sansovino.*

15. *Sermone fatto alla Croce & re-*
citato il Venerdi Sancto nella Compa-
gnia di San Domenico. In Firenze.
1549. *in* - 8°. It. *In Bologna.* 1557.
in-8°. It. dans le Recueil de *Sanso-*
vino. It. dans le 5e. volume de la
1e. partie des *Prose Fiorentine*, où
l'on trouve aussi de sa façon *Orazio-*
ne nella Cena del Signore.

16. Il y a quelques Poësies Latines de lui dans un Recueil, qui
a pour titre : *Carmina quinque Etru-*
scorum Poëtarum. Florentia. 1562. *in-*
80. It. Dans le 10. volume des *Car-*

B. VAR-
CHI.

mina illustrium Poëtarum Italorum. Flo-
rentiæ. 1719. *in-8°.* & dans le Recueil
de *Gruter* imprimé en 1608. *in-12.*

17. A la fin d'un Livre publié
par *Pierre della Stufa*, sous le titre
de *Raccolta di componimenti Latini
e Toscani in morte del Varchi*, on trouve une Lettre Latine de *Varchi*, contenant plusieurs Epitaphes Latines,
qu'il avoit faites pour son tombeau.

18. *De' Sonnetti di M. Bened. Varchi parte prima. In Firenza.* 1555.
in-8°. Parte seconda. Ibid. 1557. *in-8°.*

19. *Sonetti Spirituali di B. Varchi,
con alcune risposte, e proposte di diversi Eccellentissimi Ingegni, nuovamente Stampati. In Firenze.* 1573.
in-4°.

20. *Componimenti Pastorali di M.
Ben. Varchi, nuovamente in quel modo stampati, che da lui medesimo fu-
rono poco anzi il fine della sua vita
corretti. In Bologna.* 1576. *in-4°.*

21. *Rime piacevoli.* Avec les Ope-
re Burlesche *di Fr. Berni e d'altri.*
1542. 1548. 1565. 1609. 1627. &
plusieurs autres fois. *in-8°.* Il y a
de sa façon six de ces sortes de
piéces, que les Italiens appellent
Capitoli.

22. Parmi les *Canti Carnascia-* B. VAR-
leschi. 1559. *in-8°.* on en voit neuf, CHI.
qui sont de lui.

23. Il a traduit en vers Italiens le
Pf. 50. *Miserere* , & sa traduction
se trouve à la p. 130. de la *Raccolta di Laudi* de *Silvain Razzi.*

24. *L'Ercolano , Dialogo di Ben.
Varchi, nel quale si ragiona delle lin-
gue , ed in particolare della Toscana
e della Fiorentina. In Firenze.* 1570.
*in-*40. It. *In Venetia.* 1570. *in-*4° It.
In Firenze. 1730. *in* 4o. L'Editeur
de cette derniere édition , qui ne
s'est designé que par les deux Lettres *G. B.* est l'Abbé *Jean Bottari ,*
qui a eu beaucoup de part au grand
Dictionnaire de *la Crusca.* Il y a joint
quelques notes , une belle Préface
contenant la vie de *Varchi ,* sa défense contre diverses accusations ,
une liste & un jugement critique
de ses Ouvrages ; & à la fin l'Ouvrage d'un Florentin , un peu plus
ancien que *Varchi ,* qui traite la
même matiere que le sien , & qui
est intitulé : *Discorso , overo Dialogo sopra il nome della lingua volgare.*
Le but principal que *Varchi* s'est

B. VAR-
CHI.

proposé dans son Livre, est d'exa-
miner si la langue, dont on se sert
en Italie, doit être appellée Italienne, Toscane, ou Florentine ; & il
le composa à l'occasion des disputes
entre *Annibal Caro*, & *Louis Castel-*
vetro, dont j'ai rapporté le détail
dans l'article de ce dernier, tom.
9. de ces Mémoires, p. 216.

25. *Storia Fiorentina di M. Be-*
nedetto Varchi, nella quale principal-
mente si contengono l'ultime revoluzio-
ni della Repubblica Fiorentina, e lo
stabilimento de Principato nella Casa
de' Medici. In Colonia, (c'est-à-dire,
à *Augsbourg.*) 1721. in-fol. Avec sa
vie à la tête par *Silvain Razzi. P.*
Burman à fait réimprimer cette histoire dans la 2e. partie du 8e. tome
du *Thesaurus Antiquitatum & Histo-*
riarum Italiæ. Lugd. Bat. 1720. in-
fol. & y a joint *Ejusdem Varchi Apo-*
logia Laurentii Medicei de Natalibus
& morte Alexandri Medicei. L'histoire de *Florence de Varchi* s'étend
depuis l'an 1527. jusqu'en 1538. Ainsi c'est l'histoire de douze années.

26. *Le Prose del Bembo. In Fio-*
renza. 1548. in-4o. Cette édition

été donnée par *Varchi.*

27. On trouve huit Lettres de
Benoît Varchi à Pierre Aretin à la p.
316. du premier volume des *Lette-*
re ſcritte a Pietro Aretino da molti
ſignori, Donne, Poëti, & altri ec-
cellenti ſpiriti. In Venetia. 1552. *in-8°.*

V. *Lorenzo Craſſo, Elogii d'Huo-*
mini Letterati, tom. 1. p. 30. *Ghili-*
ni, Teatro d'Huomini Letterati. Par-
te 1 p. 30. *Les Eloges de M. de Thou*
& les additions de Teſſier. Tous ces
Auteurs n'ont rien que de très-im-
parfait & fort peu exact. *Vita di Be-*
nedetto Varchi, ſcritta dall' Abba-
te D. Silvano Razzi. A la tête des
Lezzioni de Varchi, & de ſa Sto-
ria Fiorentina. Elle eſt fort circonſ-
tanciée, & exacte, venant d'un ami
même de *Varchi. Son Eloge par Leo-*
nard Salviati. C'eſt le 5ᵉ. des diſcours de ce Sçavant, imprimés à
Florence en 1575. *in-*40. *Notizie Let-*
terarie dell' Accademia Fiorentina. p.
147. On s'y borne au détail de ſes
Ouvrages, & aux éloges qu'on lui.
a donnés. *La Préface de l'Ercolano*
de l'édition de 1730. C'eſt ce que.
nous avons de meilleur & de plus,

382 *Mém. pour servir à l'Hist.*
exact sur la personne & les Ouvrages de *Varchi.*

PIERRE VALENS.

Pierre Valens naquit à *Groningue*
l'an 1561.

Après avoir fait ses études dans
sa patrie, il vint vers l'an 1588. à
Paris.

Il a dû commencer à y enseigner lui même les autres vers l'an
1593. puisque dans son discours
d'installation dans la Chaire Royale,
prononcé au mois d'Avril 1619. il
marque qu'il y avoit plus de 25. ans
qu'il professoit dans l'Université.

Il commença apparemment à le
faire dans le College de *Reims*; on
voit du moins par ses Ouvrages,
qu'il y étoit Régent en 1601. &
1602.

Il passa peu de temps après au
College de *Montaigu*, où il étoit
en 1604.

Jean Galland lui procura ensuite la Principalité de celui de *Boncour*, & il remplissoit cette place
en 1610.

Il fut depuis nommé Professeur P. Va-
Royal en langue Grecque , & il lens.
prononça son discours d'installation
au mois d'Avril 1619.

Il mourut en 1641. âgé de 80.
ans , & fut enterré à *S. Estienne
du Mont.*

Catalogue de ses Ouvrages.

1. *Griphi Cœnomanici Interpretatio
ad studiosam almæ Pariensis Academiæ Juventutem. Petrus Valens. Paris.* 1601. *in-8°.* pp. 47. C'est une
pure badinerie. L'Epitre est datée
du College de *Reims* , où l'Auteur
professoit alors.

2. *De Munere officioque Præcepto-
rum ac discipulorum , deque discendi
via ac ratione , Oratio. Paris.* 1602.
in-8o. pp. 47. datée du même College le 21. Août de cette année.

3. *Janus Patulcius Argus , Cen-
timanus Strenipeta. Pro Strenis ad
Nobill. Adolescentem Simeonem de
Villiers la Faye , Burgundum , disci-
pulum Charissimum , Petrus Valens.
Paris.* 1602. *in-* 8o pp. 8.

4. *Erricea , sive Henrici IV Gal-
liarum & Navarræ Regis , felix in
urbem Parisiorum ingressus. Paris.*

P. VA-
LENS.

1604. *in-8°.* pp. 22. daté de *Montaigu* le 15. May de cette année.

5. *Panegyricus Paulo Boudot , Viro Rectorio , S. Theologiæ Licentiato , dictus à Petro Valente. Parif. 1604. in-8°.p.* 57.Ce difcours fut prononcé au mois de Fevrier de cette année.

6. *Gratiarum actio nomine Ampliſſimi Rectoris , Franciſci Ingolvii , & Academiæ , in Æde D. Stephani Supplicationis die habita ad Virum Sapientiſſimum Michaëlem Ancelinum ; Sacræ Theologiæ Doctorem , & Academiæ Procancellarium Parif. 1606. in-8°.* pp. 11. C'eſt un remerciment à *Ancelin* pour avoir dit la Meſſe en cette occaſion.

7. *De Honoris prærogativâ Alexandri Magni , P. Scipionis Africani , & Hannibalis Pœni certamen. Parif. 1607. in-8°.* Ce ſont des diſcours qu'il a fait réciter par ſes Ecoliers.

8. *Telemachus , ſive de profectu in virtute & ſapientia. Petrus Valens. Parif. 1609. in-8°.* pp. 58. C'eſt un Recueil de diſcours recités par ſes Ecoliers au nom de *Telemaque*, ou d'autres perſonnes qui ont part

à

à son histoire, avec quelques vers
sur le même sujet.

9. *Actio in B. Jacobum Minorem,*
fratrem Domini, quod populum Hie-
rosolymitanum concionibus suis perver-
terit, ejusdemque defensio apud Pon-
tifices. Una cum encomiis ejusdem &
B. Philippi. Petrus Valens. Paris.
1610. *in-8o.* pp. 76. Ce sont encore differens discours récités par des
Ecoliers. Il marque qu'il étoit alors
Principal du College de *Boncour.*

10. *Fœdus Nuptiarum Mutuum*
Galliæ & Hispaniæ. Petrus Valens.
Paris. 1612. *in-4o.* pp. 16. En vers.

11. *Aphthonii Progymnasmata in*
Epitomen redacta. Paris. 1613. *in-4o.*

12. *Gratiarum actio nomine Joan-*
nis Sulmonii, Rectoris Academiæ
Parisiensis, D. Poulet, Ecclesiæ Do-
lensis Theologo, rem divinam facien-
ti. Petrus Valens. 1614. *in-8o.* pp. 8.

13. *Le Mercure des Arts & Scien-*
ces; avec un brief discours de la dignité Royale & petit recueil de ses noms
plus exquis. *Paris.* 1615. *in-8o.*

14. *Pro libertate contra servitutem*
Oratio. Paris. 1620. *in-4o.*

15. *V. Cl. Theodori Marcilii, Pro-*

P. VA-
LENS.

fessoris eloquentiæ Regii , Elogium. Autore Petro Valens , Græcarum Litterarum Professore Regio. Paris. 1620. in-40. pp. 11. *Valens* avoit été disciple de *Marcile* en Eloquence. L'Eloge qu'il en a fait, est fort net, & bien rempli de faits, comme ces sortes d'Ouvrages doivent être, pour avoir quelque utilité.

16. *De laudibus Homeri, Oratio habita in Regio Cameracensi Auditorio. Paris.* 1621. *in-8o.* pp. 52.

17. *Oratio solemnis habita in Collegio Regio Cameracensi , quo die pedem in Regia Cathedra Græca possessionem posuit Petrus Valens. Paris.* 1622. *in-8o.* pp. 37. Ce discours fut prononcé au mois d'Avril. 1619. Il y marque qu'il y avoit trente ans & plus , qu'il étoit venu à *Paris* , & qu'il vivoit dans l'Université , où il enseignoit depuis plus de 25. ans.

18. *Lacrymarum Heracliti & Risus Democriti Scena. Paris.* 1623. *n* 8o. pp. 21. Il prononça ce discours , lorsqu'il commença à expliquer l'*Hecube* d'*Euripide*.

19. *Universa Franciæ ad Stepha-*

rum Haligræum *Cancellarium Gratulatio.* Paris. 1625. *in*-4°.

20. *Votum Deo O. M. pro salute Regis Ludovici XIII. Autore P. Valente.* Paris. 1627. *in*-8°. pp. 29. Ce discours fut prononcé dans le College Royal le 16. Novembre de cette année.

21. *Elogia æternæ Memoriæ Ludovici XIII. ob captam Rupellam, ob auctum conservatumque Francicum Imperium.* Paris. 1629. *in* - 8°. pp. 44. Ce discours est en prose mêlé de vers.

22. *De Rege ac Regno Oratio. Aut. P. Valente.* Paris. 1631. *in*-4°. pp. 27.

23. *Palladium Franciæ. Oratio in Regia Schola habita mense Novembri anni* 1632. *de Palladio in Urbe conservando.* Paris. 1632. *in*-8o.

24. *De Homine lapso ac restituto, ad Emin. Cardinalem Ducem pro Strenis Hymnus. in*-4o. pp. 7. sans date.

25. *De Natali Dominico lemmata pro Strenis. Et Verbum caro factum est. in*-4°.

V. *Le College Royal de France de du Val.* Il n'en dit que fort peu de

K k ij

chose, on en trouve davantage dans les Préfaces de ses Ouvrages.

EMANUEL DE FARIA ET SOUSA.

E. DE FARIA.

Emmanuel *de Faria & Sousa* naquit le 18. Mars 1590. au Bourg de *Souto* dans la Province d'*Entre Douro & Minho* en Portugal, d'*Amador Perez d'Eiro*, & de *Louise de Faria*, dont il prit le nom, auquel il ajouta celui de *Sousa*, qui apparemment étoit celui de la mere de cette *Louise*, suivant l'usage des Portugais, qui portent toujours les noms du pere & de la mere. On ne sçait quel fut le motif qui l'empêcha de prendre celui de son pere, puisqu'on assure que sa famille étoit noble tant du côté paternel, que du maternel.

Il fut fort infirme dans son enfance ; mais malgré sa foiblesse & ses infirmités, il ne laissa pas d'apprendre parfaitement à écrire, à dessigner, & à peindre ; & ce fut ce qui l'occupa jusqu'à l'âge de dix ans.

En 1600. son pere l'envoya à
Brague, afin qu'il s'y appliquât à la
Grammaire Latine, dont il lui avoit
déja donné quelques leçons. Mais
le jeune *Faria* ne suivit pas long-
temps ses intentions; la lecture qu'il
fit alors de plusieurs Poëtes Portugais & Espagnols, lui donna du dé-
goût pour la Grammaire Latine, &
il commença bientôt à composer divers Ouvrages en vers & en prose
en ces deux langues. Il les jetta cependant dans la suite au feu, lors
qu'un peu d'experience lui eut fait
reconnoître que sans l'étude, qu'il
avoit negligée on ne pouvoit rien
faire que de médiocre; & que les
anciens Auteurs Grecs & Romains
étoient les veritables sources où il
falloit puiser, pour donner à ses Ouvrages quelque perfection.

Revenu par-là du mépris qu'il
avoit fait de la Grammaire, il s'y
appliqua férieusement, aussi-bien
qu'à la Philosophie, dans lesquelles il fit en peu de temps de grands
progrès.

Il n'étoit encore âgé que de quatorze ans, lorsqu'il entra en 1604.

en qualité de Gentilhomme , chez *Don Gonçalo de Moraës* , Evêque de *Porto* , qui étoit son parent , & dont il fut ensuite Secretaire.

Pendant dix ans qu'il demeura chez lui , il travailla constamment à se perfectionner dans ses études , ne sortant jamais que les Dimanches & les Fêtes pour aller à l'Eglise , & employant le temps que ses occupations lui laissoient libre , à étudier & à composer.

Il fit pendant ce temps-là plusieurs Ouvrages en vers & en prose ; parmi ces derniers étoit un Livre de Chevalerie , composé à l'imitation de *Palmerin* d'Angleterre , & deux autres sur les amours de deux Bergers ; mais la plus considerable de toutes les productions qui sortirent alors de sa plume , fut un Poëme héroïque en seize chants , qui contenoient les vies d'autant de Rois de Portugal. Peu content dans la suite de ces Ouvrages , il les jetta au feu , mettant seulement le dernier en prose ; & c'est celui que nous avons sous le titre d'abregé des Histoires de Portugal.

E. DE
FARIA.

Un Vendredi du mois de May de
l'an 1612. il devint amoureux d'u-
ne dame de *Porto* , qu'il nomme
toujours *Albania* , & qui a toujours
été le fujet de fes vers , dans lef-
quels il prend le nom de *Menalio* ;
& il nous déclare que c'étoit un
amour Poëtique , c'eft-à-dire , fort
pur.

L'Evêque de *Porto* fouhaitoit
qu'il embraffât l'état Ecclefiaftique ;
mais le peu de penchant qu'il avoit
pour cet état , le fit fortir de chez
lui , & il fe maria auffi-tôt après
dans la même Ville de *Porto* , en
1614. Il époufa *Catherine Machado* fille de *Pierre Machado* , Maître des Comptes du Parlement de
Porto , de laquelle il eut dix enfans , dont fept moururent jeunes.
Une de fes filles , nommée *Louife*
fe diftingua dans l'art de la Peinture , fans avoir eu d'autre maître
que fon heureux génié ; & l'on con-
ferve encore le portrait qu'elle a fait
de fon pere , & qui a été gravé en
Portugal & en Efpagne.

Il demeura encore à *Porto* jufqu'en 1618. qu'il alla faire quelque
K K iiij

E. DE
FARIA.
séjour à *Pombeiro*, chez son pere,
& passa de-là l'année suivante 1619.
à *Madrit*, où il entra chez *Pierre
Alvarés Peireira*, Seigneur de *Serra-
Leoa*, Secretaire d'Etat, & Conseiller du Roy *Philippe III.* qui le
fut ensuite de son Successeur *Philippe IV.* Ce Ministre, qui étoit parent de l'Evêque de *Porto*, recon-
nut bientôt le mérite de *Faria*, &
s'en fit accompagner à *Lisbonne*,
quand il suivit le Roy d'Espagne
dans un voyage qu'il fit en Portugal.

Faria retourna la même année à
Madrit, & emmena avec lui sa
femme & ses enfans, qu'il avoit
laissés à *Pombeiro*, lorsqu'il en étoit
parti pour l'Espagne. Le peu de
temps que le Seigneur de *Serra-Leoa*
vécut depuis ce retour, ne lui per-
mit pas de donner à *Faria* des marques de l'estime qu'il faisoit de lui.
Tout ce que le mérite de ce dernier, ou plûtôt la noblesse de son
extraction lui fit obtenir, fut d'ê-
tre fait Chevalier de l'Ordre de
Christ en Portugal.

Il retourna à *Lisbonne* avec sa fa-

mille en 1628. & y demeura juf-
qu'en 1631. que quelques défagré-
mens qu'il eut , le firent fortir du
Portugal. *Alfonfe Furtado de Men-*
doça, Archevêque de *Brague* & de-
puis de *Lisbonne* , Gouverneur du
Portugal, qui fans le connoître per-
fonnellement , avoit conçu de l'ef-
time pour lui fur fes feuls Ouvra-
ges , le nomma alors Secretaire d'E-
tat aux Indes Orientales ; emploi
fort honorable & fort lucratif. Il
fe trouva cependant des obftacles
infurmontables qui empêcherent
que cette nomination eût lieu , de
même que le choix que cet Arche-
vêque fit de lui pour être Secretai-
re de l'Hôtel de Ville de *Lifbon-*
ne. *Faria* dépité de ces contre-temps,
qui s'oppofoient à fa fortune , prit
le parti de retourner en Efpagne ,
& fe rendit à *Madrit* cette année
1631.

Au mois d'Octobre de la même
année , il partit pour *Rome* avec
le Marquis de *Caftel Rodrigo* , Am-
baffadeur d'Efpagne auprès du Pape,
en qualité de fon Secretaire , &
mena avec lui fa femme & fes en-

fans. Il arriva à *Genes* le 17. Novembre, & il y vit mourir un de ses enfans. Cet accident, ou peut-être d'autres affaires l'arrêterent dans cette Ville, jusqu'au commencement de Juin de l'année suivante 1632. qu'il partit pour *Rome*.

Il ne changea point dans cette derniere Ville sa maniere de vivre ordinaire, c'est-à-dire, qu'il sortoit rarement, & voyoit peu de monde. Ce qui n'étoit point en lui l'effet d'un caractere misantrope, puisqu'il étoit d'une humeur agréable, & recevoit fort gracieusement ceux qui lui rendoient visite; mais il étoit bien aise de ménager son temps, pour satisfaire la passion violente qu'il avoit pour l'étude.

Le Comte de *Castelvilani*, illustre Italien, & Grand Chambellan du Pape *Urbain VIII.* l'étant allé voir, l'engagea à faire un Poëme sur le couronnement de ce Pontife, qui se trouve dans la 2e. partie de ses Poësies. Il le présenta lui-même au Pape, qui le reçut avec bienveillance, & s'entretint avec

lui familierement ſur ſes Poëſies ,   E. DE
& ſur celles de *Lope de Vega*. Nous FARIA.
apprenons les circonſtances de cette
Audience , qui eſt du 14. Septembre 1633. non-ſeulement par la 14e.
chanſon de la 3e. partie des Poëſies de *Faria* , où il parle d'une maniere fort modeſte de ce qui le regarde ; mais encore par une lettre
que le Cardinal *Barberin* écrivit
dans ce temps-là au Collecteur de
Portugal , en lui recommandant
une affaire qui concernoit *Faria*.

   L'eſtime des Sçavans qu'il s'acquit
pendant ſon ſéjour à *Rome* , le lui
rendit d'abord agréable ; mais quelques mécontentemens qu'il reçut
de l'Ambaſſadeur ſon Maître , lui
fit abandonner au bout de quelque
temps ſon ſervice , & il partit pour
Genes en 1634. dans le deſſein de
retourner en Eſpagne.

   A peine fut-il arrivé à *Barcelone* ,
qu'il y fut arrêté par l'Ordre du
Roy d'Eſpagne , que l'Ambaſſadeur
Caſtel Rodrigo avoit eu ſoin de prévenir contre lui. Il fut pendant trois
mois & demi ſans pouvoir parler à
perſonne ; mais il trouva au bout

E. DE
FARIA.
de ce temps un Protecteur en la personne de *Jerome de Villanueva*, Protonotaire d'Arragon, qui ayant examiné avec beaucoup de soin les accusations formées contre lui, fit connoître au Roy son innocence.

Il ne fut pas cependant remis entierement en liberté; on lui donna seulement la Ville de *Madrit* pour prison; & le Roi se contenta de le faire assurer par le Protonotaire, qu'il étoit persuadé de son innocence, & lui assigna soixante ducats par mois pour sa subsistance.

Quelque temps après *Faria* demanda avec empressement la permission de se retirer pour toujours en Portugal; mais il ne put jamais l'obtenir malgré les tentatives qu'il fit pour cela en differentes occasions.

Son application continuelle à l'étude, & la vie sedentaire qu'il menoit, lui attirerent deux ans avant sa mort, c'est-à-dire, en 1647. une rétention d'urine, dont il souffrit les douleurs violentes avec une très-grande constance.

Il mourut le 3. Juin 1649. âgé

de 59. ans , deux mois & ſeize E. de
jours. On ouvrit ſon corps , & l'on Faria.
y trouva cent cinquante pierres groſſes & petites dans la veſſie.

Il fut enterré dans l'Egliſe des
Prémontrés de *Madrit* le 4. Juin
1649. Son épouſe emporta depuis
ſes os en Portugal , & les fit enter-
rer dans l'Egliſe de *Sainte Marie de
Lombeiro* dans la Province d'*entre
Douro & Minho* ; & lorſqu'elle mourut le 6. Septembre 1660. elle fut
miſe dans le même tombeau.

Il étoit d'une taille moyenne ;
ſon viſage étoit ovale & brun , mais
agréable , quoiqu'un peu pâle à
cauſe de ſon application continuelle
à l'étude ; ſes yeux noirs & grands ;
ſon nez & ſes lévres aſſez groſſes ,
ſa bouche petite ; il portoit la bar-
be fort large à la maniere ancienne des Portugais. Tout ſon air &
ſa maniere de s'habiller étoient plus
celles d'un Philoſophe , que d'un
homme , qui vivoit à la Cour , &
qui avoit voyagé dans les Pays étrangers.

Une indépendance un peu trop
Philoſophique , qu'il a toujours af-

fectée, a été apparemment un ob-
stacle à sa fortune, & peut avoir
contribué aux disgraces qu'il a eu
à essuyer. D'ailleurs son abord un
peu sombre ne prevenoit pas en sa
faveur ceux qui l'approchoient,
quoiqu'il fût avec ses amis d'une
humeur fort agréable & fort enjouée.

Il étoit meilleur Historien que
Poëte, quoiqu'il sçût à fond les re-
gles de la Poëtique : mais il aimoit
trop, suivant le goût de son temps,
les jeux de mots, & les anagram-
mes, & le style de sa Poësie est un
peu dur. Pour ce qui est de ses
Histoires, l'ordre y est fort bien suivi, & la chronologie en est exacte.
Bien loin de pouvoir l'accuser de
flatterie, on trouve qu'il s'y est donné trop de liberté, en censurant sans
ménagement les personnes les plus
qualifiées & les Princes mêmes. Son
style y est fort coupé par des réflexions & des parentheses, & peut-
être un peu trop brillant. D'ailleurs
il a trop donné dans les fables du
faux *Berose* & des autres Auteurs
semblables.

Il sçavoit si parfaitement la lan-

que Espagnole, qu'on ne peut pas E. DE
s'appercevoir qu'elle lui fût étran- FARIA.
gere, & qu'il s'y exprime aussi-
bien que les meilleurs Auteurs Espagnols.

Catalogue de ses Ouvrages.

1. *Noches Claras , o discursos Mo-*
rales y Politicos. 1a. *parte. Madrit.*
1623. *in-*12. 2a. *parte. Ibid.* 1626.
*in-*12. en Espagnol.

2. *Fuente de Aganipe , o Rimas*
*varias. Madrit. in-*12. sept volumes
imprimés en differentes années. Ces
Poësies Espagnoles consistent en
600. sonnets, douze Poëmes, vingt
Eglogues , & une grande quantité
de Chansons & de Madrigaux, ausquels sont joints plusieurs discours
sur differentes piéces de vers qui
s'y trouvent.

3. *Epitome de las Historias Portu-*
guesas , desde el diluvio hasta el anno
1628. *Madrit.* 1628. *in-*4o. It. *Lis-*
bonne. 1674. *in -* 4o. It. *Bruxelles.*
1677. *in-fol.* Cette histoire est esti-
mée.

4. *Commentarios sobra las Lusiadas*
de Luis de Camoëns. Madrit. 1639.
in-fol. deux vol. Ce Commentaire

Espagnol sur la *Lusiade de Camoëns*
est un chef d'œuvre en son genre,
au jugement de M. le Comte d'*E-
riceira*. Il le commença en 1614. &
y travailla pendant 25. ans. Il fut
fort bien reçu des Sçavans; mais
quelques envieux le dénoncerent à
l'Inquisition d'Espagne, sous pretexte que l'Auteur avoit expliqué
dans un sens allegorique les divi-
nités du Paganisme introduites dans
le Poëme, prétendant qu'elles y
représentoient les verités de la Religion Catholique. Mais ce Tribu-
nal, après avoir examiné meure-
ment la chose, n'eut pas de peine
à reconnoître que l'Ouvrage ne bles-
soit la Religion en aucune maniere.
Ses Accusateurs voyant que leur dessein n'avoit point réussi en Espagne, s'adresserent à l'Inquisition
de *Lisbonne*, qui ayant fait exami-
ner de nouveau l'Ouvrage, se laissa surprendre par les Reviseurs des
Livres, qui sont souvent des Moines fort ignorans, & le condamna
sur leur rapport. Plusieurs personnes de consideration s'employerent
fortement pour empêcher qu'il ne
fût

fût défendu ; mais tout ce qu'ils
purent obtenir de *François de Cas-*
tro , Grand Inquisiteur , fut que
l'Auteur auroit la liberté de se justifier sur ce que les Reviseurs trou-
voient à rédire dans son Commentaire. Il le fit effectivement dans
l'Ouvrage suivant.

5. *Defensa ò Informacion por los*
Commentarios a las Lusiadas. Ma-
drit. 1645. *in-fol.* Il fit présenter cette défense à l'Inquisition de *Lis-*
bonne ; mais quoiqu'elle fût fort
juste & fort pressante , on n'y eut
point d'égard, & l'Ouvrage demeura défendu.

6. *Imperio de la China , y cultu-*
ra Evangelica en el , por los Religiosos
de la Compagnia de Jesus , hasta el
anno de 1635. *compuesto por Alvaro*
Semedo , y publicado por Manuel de
Faria y Sousa. Madrit. 1643. *in-4°.*
It. *Lisbonne.* 1733. *in fol. Faria* a mis
en ordre les Mémoires de *Semedo* ,
& les a donnés au Public; ainsi on
auroit dû conserver son nom dans
la traduction Italienne de cet excellent Ouvrage , qui a été imprimé
la même année à *Rome in-4°.*

E. DE
FARIA.

7. *Nobiliario del Conde D. Petro de Barcelos, ordenado, y illustrado, con nuevas illustraciones de notas. Madrit.* 1646. *in-fol. Faria* a traduit ce Nobiliaire des familles illustres d'Espagne & de Portugal, composé par *Pierre*, Comte de *Barcelos*, bâtard de *Denys*, Roi de Portugal, de l'ancien Portugais de cet Auteur en Espagnol, & y a joint ses notes avec celles de quelques autres habiles Genealogistes.

8. *El grand Justicia de Aragon D. Martin Baptista de Lanuza, su vida y hechos. Madrit.* 1650. *in - 4°.* C'est la vie d'un chef de la Justice d'Arragon.

9. *Asia Portuguesa de Manuel de Faria y Sousa, en que se trattan (Segun el orden de la Decadas de Barros y Couto, y por continuar las) los hechos y conquistas de los Portugueses en Asia y Africa, desde el anno* 1412. *hasta el de* 1640. *Con Estampas. Lisboa. in-fol.* trois vol. Le 1. en 1666. le 2e. en 1674. & le 3e. en 1675. C'est une suite des Histoires de *Barros* & de *Couto*, qui est rare.

10. *Europa Portuguesa hasta* 1557.
Lisboa. in - fol. deux vol. Le 1. en 1678. le 2e. en 1679.

11. *Africa Portuguesa. Lisboa.* 1681. *in-fol.*

12. *Traducion de l'Ode intitulada. Escuriale. Madrit.* 1638. Marquée dans le Catalogue de la Bibliotheque Barberine. Cette traduction fait l'Elegie 8. de la 3e. partie de ses Poësies. *Faria* la fit à la priere de *Jean Gibes*, Anglois, & sur le Latin de ce Poëte.

13. *Commentarios a las Primas varias de Camoëns. Lisboa.* 1689. *in-fol.* deux vol. Tous ces Ouvrages sont en langue Espagnole. Je trouve encore dans le Catalogue de la Bibliotheque Barberine un Recueil de Poësies Latines de *Jacques Falco* de *Valence* publié par *Faria.*

14. *Jacobi Falconii Opera Poëticæ ab Emmanuele de Faria y Sousa collecta. Barcinone.* 1624. *in-8°.*

V. Nicolai Antonii Bibliotheca Hispana. tom. 1. *p.* 266. Ce qu'il en dit se termine à fort peu de choses. *Le Portrait historique d'Emmanuel de Faria & Sousa, composé en Espa-*

E. De
FARIA.

gnol par son ami D. *François More-*
no Porcel , & imprimé à *Madrit.*
en 1650. in-4o. & pour la seconde fois
à *Lisbonne* en 1733. avec un jugement de M. le Comte *d'Ericeira*
sur les *Ouvrages* de *Faria.*

Cet article est tiré d'un *Mémoire* ,
qui m'a été envoyé de *Portugal.*

JULIENNE MORELL.

J. Mo-
RELL.

J*Ulienne Morell* naquit à *Barce-*
lone le 16. Fevrier 1594. de *Jean-*
Antoine Morell , fameux Banquier
de cette Ville.

Ayant perdu sa mere à l'âge de
deux ou trois ans , elle fut mise
entre les mains des Religieuses Dominicaines , dont elle apprit à lire
& à écrire en fort peu de temps.

Son pere la retira auprès de lui ,
lorsqu'elle n'avoit pas encore tout-
à-fait quatre ans , & lui donna des
Maîtres , qui lui apprirent avec
beaucoup de succès les langues Latine , Grecque , & Hebraique. Elle

sçut même avant l'âge de sept ans
composer en la premiere de ces
langues avec beaucoup d'élegance ,
comme il parut par une lettre qu'-
elle écrivit alors à son pere, qui
étoit absent de *Barcelone.*

Elle n'avoit encore que huit
ans , lorsque son pere, accusé par
quelques envieux d'avoir eu part à
un assassinat , fut obligé de prendre la fuite , & l'emmena avec lui
à *Lyon* , où elle continua ses études. Elle employa depuis ce temps-
là neuf heures tous les jours à la
Rhétorique , la Dialectique , & la
Morale , sans parler de la Musique
& des Instrumens , qui lui servoient
de délassement.

Parvenuë à l'âge de douze ans ,
elle soutint publiquement des Theses de Logique & de Morale , non-
point en habit de Capucine , comme *Vossius* le dit mal-à-propos dans
le 2e. Livre *de quatuor Artibus popularibus.* p. 82. mais en habit ordinaire ; & elle s'acquitta de cette
action avec de grands applaudissemens.

J. Mo-
RELL.

Elle s'appliqua enfuite à la Phyfique, à la Metaphyfique, & à l'un & l'autre Droit; & foutint de nouvelles Thefes à *Avignon*, où fon pere étoit allé s'établir, dans le Palais du Vice-Legat, devant une affemblée nombreufe, qui applaudit à fon fçavoir & à fa capacité.

Son pere avoit deffein de la marier richement, mais elle renonça à toutes les efperances qu'elle pouvoit avoir du côté du fiecle, pour entrer dans le Monaftere des Religieufes Dominicaines de *Sainte Praxede d'Avignon*. Elle y entra le 15. Septembre 1608. prit l'habit le 8. Juin de l'année fuivante 1609. & y fit proffeffion le 20. Juin 1610.

Son mérite & fa pieté lui ouvrirent bientôt une entrée aux charges, malgré la répugnance qu'elle avoit pour elles, & elle fut trois fois Prieure de ce Monaftere.

Deux ans avant fa mort, elle fut attaquée de maladies violentes, qui la tourmenterent beaucoup. Elle y fuccomba à la fin, & mourut le 26. Juin 1653. agée de 59. ans.

Catalogue de fes Ouvrages.

1. *Traité de la vie spirituelle par S.*
Vincent Ferrier , de l'Ordre de S. Do-
minique , traduit de Latin en Fran-
çez , avec des remarques & annota-
tions fur chaque chapitre. Lyon. 1617.
*in-*12. lt. *Paris.* 1619. *in-*12.

2. *Exercices fpirituels fur l'Eterni-*
té , avec quelques autres méditations
de divers fujets , & un petit exercice
préparatoire pour la fainte profeffion.
Avignon. 1637. *in-*12.

3. *La Regle de S. Auguftin , tra-*
duite en François, enrichie de diverfes
explications & remarques pour fervir
d'inftruction. Avignon. 1680. *in-*24.
C'eft un Ouvrage pofthume , à la
tête du quel on a mis un *abregé de*
la vie de ladite Morell.

4. *L'Hiftoire du rétabliffement &*
de la réforme dù Monaftere de Sainte
Praxede , avec les vies de quelques
Religieufes dudit Monaftere décedées
de fon temps en opinion de vertu. Cet
Ouvrage n'a pas été imprimé ; mais
le *P. Eftienne Thomas Soueges* a infe-
ré les vies dans fon *année Domini-*
caine. Amiens. 1678. & *fuiv. in-*40.

J. Mo-
RELL.

V. *Son éloge à la tête de la Regle de*
S. Augustin. Scriptores Ordinis Præ-
dicatorum. tom. 2. p. 845.

Fin du trente-sixiéme volume.